Taş Meclisi

TAŞ MECLİSİ

Orijinal adı: Le Concile de pierre
© Éditions Albin Michel, S. A., Paris 2000
Yazan: Jean-Christophe GRANGÉ
Fransızca aslından çeviren: Ali Cevat AKKOYUNLU

Türkçe yayın hakları: © Doğan Kitapçılık AŞ
1. baskı / ağustos 2001
17. baskı / nisan 2005 / ISBN 975-6612-37-1
Bu kitabın 17. baskısı 2 000 adet yapılmıştır.

Kapak tasarımı: DPN Design
Baskı: Altan Matbaacılık / Yüzyıl Mahallesi
Matbaacılar Sitesi 222/A Bağcılar - İSTANBUL

Doğan Kitapçılık AŞ Hürriyet Medya Towers, 34544 Güneşli-İSTANBUL
Tel. (212) 677 06 20 - 677 07 39 Faks (212) 677 07 49
www.dogankitap.com.tr

Taş Meclisi

Jean-Christophe Grangé

Çeviren: Ali Cevat Akkoyunlu

Virginie Luc'e...

I- İlk belirtiler

Birinci kısım

Diane Thiberge'in önünde topu topu kırk sekiz saat vardı.

Bangkok'tan bir iç hat uçağına binerek Puket'e gidecek, sonra doğruca kuzeye, Andaman Denizi kıyısındaki Takua Pa'ya kadar karadan ilerleyecekti. Orada, otelde kısa bir gece geçirecek, sabahın beşinde yeniden yola düşüp, kuzeye doğru ilerlemeyi sürdürecekti. Öğlen olduğunda, Birmanya sınırında Ra-Nong'a varması gerekiyordu, oradan da seyahatinin tek amacına ulaşmak için, mangrov ormanına dalacaktı. Ondan sonra geriye, aynı yolu, bu kez aksi yönde alıp, ertesi gece Paris'e kalkacak uçağa yetişmek kalıyordu. Saat farkı ondan yanaydı, Paris dilimine göre beş saat kazançlı çıkacaktı. 6 eylül 1999 pazartesi sabahı, işinde olacaktı. Bundan iyisi can sağlığı...

Oysa Puket uçağı bir türlü gelemiyordu şimdi.

Hiçbir şey planladığı gibi gitmiyordu.

Midesi altüst, tuvalete koştu. Mide bulantısının arttığını hissedip, "Saat farkı olmalı, projeyle bir ilgisi yok" diye düşünmeye çalıştı. Bir saniye sonra, kusuyordu; bağırsaklarını boğazında alev alev hissedinceye kadar kustu. Kanı damarlarında gümbürdüyor, alnı buz gibi, yüreği göğsünde bir yerlerde, her yerde, küt küt. Aynada yüzüne baktı. Bembeyazdı. Açık renkli, dalgalı perçemleri bu küçük ve düz saçlı esmerler ülkesinde her zamankinden daha çarpıcı geldi; hele boyu -genç kızlığından beri kompleks duyduğu o uzun boyu- daha da çılgındı.

Diane yüzünü ıslattı, sağ burun deliğindeki altın halkayı sildi, sonra küçük baba cool[1] gözlüğünü düzeltti, tişörtünün içinde bir hayalet gibi dalgalanarak transit salonuna geri döndü. Havalandırma buz gibi soğutmuştu salonu.

Gidiş panosundaki saatlere bir kez daha baktı. Hâlâ Puket uçağından haber yok. Birkaç adım attı. Gözü salonun hemen her köşesine yapıştırılmış, Tayca ve İngilizce ilanlara takıldı: "Tayland topraklarında uyuşturucuyla yakalanan herkes ölüme mahkûm edilip, kurşuna dizilecek." Aynı anda, arkasından iki polis memuru geçti. Haki üniformaları ve parlak kabzalı tabancalarıyla. Dudaklarını ısırdı; bu kahrolası havaalanında her şey düşman görünüyordu gözüne.

Oturdu, vücudunun titremesini önlemeye çabaladı. Sabahtan beri belki bininci kez, yapacaklarını tüm ayrıntılarıyla aklından geçirdi. Başarmak zorundaydı. Bu, kendi seçimiydi. Kendi hayatı. Paris'e elleri boş dönemezdi.

Puket uçağı öğleden sonra ikide kalktı. Diane beş buçuk saat kaybetmişti.

Gerçek tropikal bölgeyi Puket'te buldu. Bir rahatlama gibi. Mavimsi bulutlar uzaklarda dağılıyor, gümüş ışınlar göğü aydınlatıyordu. Tozlar endişeli çemberler çizerken, pistin kenarındaki ölgün ağaçlar sallanıyordu. Koku vardı asıl. Meyve, yağmur, çürük kokularıyla yüklü musonun yakıcı, boğucu havası. Kendi eşiğini aşan, dağılan hayatın sarhoşluğu. Diane gözlerini kapadı, neredeyse uçağa dayanan körüğün içinde, boylu boyunca yere serilecekti.

Öğleden sonra dört.

Otomobil kiralama şirketine koştu, görevlinin elinden anahtarları koparırcasına aldı, arabaya gitti. Yolda yağmur başladı. Önce birkaç damla, sonra gerçek sağanak. Kaputtaki takırtıları kulakları sağır edecek gibi. Silecekler kırmızımsı çamuru atmaya yetmiyordu. Diane parmaklarını direksiyona kenetlemiş, yüzünü cama yapıştırmış, önünü görmeye çalışıyordu.

Saat altı. Sağanak karanlıktan hemen önce dindi. Alacakaranlıkta manzara parıldar gibiydi. Parlak pirinç tarlaları, direkler üzerine dikilmiş kahverengi evler, ince uzun boy-

---

1 1970'li yıllarda hippi modasını sürdürenlere verilen ad. (ç.n.)

nuzlu altın öküzler... Bir de şimşeklerin yardığı, sağda solgun bir kızıllıkla uzanan, siyah mermer gibi gök.

Takua Pa'ya sekizde vardı. Artık gevşeyebilirdi. Gecikmeye, paniğe rağmen, programını aksatmamıştı.

Kent merkezinde, yüksek bir su deposunun yanında bir otel buldu, yemeğini çardağın altında yedi. Çok daha iyi hissediyordu kendini. Yeniden başlayan yağmur, tüm benliğini güzel bir serinliğe gömüyordu.

İşte o zaman göründüler. Skaiden mini etekleri içinde, küçücük bluzlar giymiş, aşırı makyajlı, kız çocukları. Diane kızları izledi. On-on iki yaşındalar, fazla değil. Yüksek topukların üzerinde yükselen hakaretlere benziyorlar. Salonun öbür ucunda, sarışın devler birbirlerine dirsek atmaya başlamışlardı bile. Kasap çengelindeki yarım sığırlar kadar iri Almanlar, Avusturyalılar. Diane birden çevresinde bir çeşit düşmanlık hisseder gibi oldu, sanki orada bulunarak bu küçük dünyayı birbirine bağlayan kirli ilişkileri tehdit ediyordu.

Öfkeden gırtlağının kavrulduğunu hissetti. Otuz yaşına merdiven dayadığı halde, cinsel ilişkiyi düşünmek bile midesinin bulanmasına, bulantının tüm vücudunu kaplamasına neden oluyordu. Ardına bakmadan, erkek iştahına terk edilmiş bu küçücük kızlar için en ufak bir acıma duymadan, odasına kaçtı.

Cibinliğin altına uzanmış, yine amacını düşünüyordu. Tam uykuya dalmadan önce, havaalanındaki tehdit dolu uyarıyı, polislerin üniformasını, silahlarının kabzasını gördü. Uzaklarda bir yerlerde kilitlerde dönen anahtarları, daha da uzakta helikopterlerin uğultusunu duyar gibi oldu...

Sabahın beşinde, çoktan ayaklanmıştı. Keyifsizliği uçup gitmişti sanki. Güneş vardı. Penceresi, bir bitki fırtınasına açılan gemi lombozu gibi, yeşilliğe, renge boğulmuştu. Gerekirse, cangıla geri dönecek kadar güçlü hissetti kendini.

Yola koyuldu, öğlene doğru Ra-Nong'a vardı. Tam hesapladığı gibi. Denizi gördü; daha çok, suyun içinden çıkan ağaçların arasına uzun tereddütlerle sokulan çamurlu birikintileri. Bu sulu labirentin dibinde bir yerde, Birmanya sınırı vardı. Balıkçının biri, tek bir kelime bile etmeden, Diane'ı sınıra götürmeyi kabul etti. Kapkara suların üzerinde kaymaya başladılar. Sıcaklık, ışık, yandan akıp giden yeşil duvarlar... Diane, gırtlağı kupkuru, cildi kavrulacak gibi, her hissettiğine cesaretle katlanıyordu.

Bir saat kadar sonra, üzerinde beton binaların dikildiği kumlu bir dile vardılar. Ayağını kuma basınca, ancak küçük bir kızın duyabileceği bir zafer gururu yaşadı; gelmişti işte. Dünyanın hiçbir yerinde, erişemeyeceği bir nokta yoktu...

Yetimhanenin önünde, çocuklar öğle güneşine aldırmadan itişip, kakışıyorlardı. Diane kirli ve dağınık saçlarına, hafif kirpiklerinin altındaki koyu gözlerine baktı. Ana binaya girip, Térésa Maxwell'le görüşmek istediğini söyledi. Terden sırılsıklamdı. Bir aynanın içinden geçiyormuş gibi geldi. Düşünü göre göre eskittiği bir aynanın.

İçinden geniş beyaz bir yaka görünen, lacivert kazak giymiş yaşlı bir kadın geldi. Kimseye güvenmediği, güvenemeyeceği kesin birisi. Kısa gri saçların altındaki geniş ve yumuşak yüzü, sürekli bir çekingenlik ifadesine saplanmış gibi. Diane kendini tanıttı. Madam Maxwell onu bir yanı camlı koridorun ucuna, içinde bir masa ile iki iskemleden başka eşya bulunmayan bir odaya götürdü.

Diane içine sadece en önemli belgeleri doldurduğu dosyasını çıkardı. Térésa kuşkuyla sordu:

– Kocanız gelmedi mi?

– Evli değilim.

Térésa'nın yüz çizgileri gerildi. Gözünü burun deliğindeki altın halkadan ayıramıyordu.

– Kaç yaşındasınız?

– Otuzuma bastım.

– Kısır mısınız?

– Sanmıyorum.

Térésa dosyayı karıştırmaya koyuldu. Homurdandı: "Paris'tekilerin ne halt karıştırdığını bir anlasam..." Sonra gözlerini Diane'a dikerek, sesini yükseltti:

– Hiç de uygun görünmüyorsunuz, Küçükhanım. Gençsiniz, güzelsiniz, bekârsınız. Burada ne arıyorsunuz?

Diane elektrik akımına kapılmış gibi dikildi. Sesi kısılmıştı. İki günden beri ilk kez konuşuyordu:

– Madam, buraya, size ulaşmak, neredeyse iki yılımı aldı. Yığınla form doldurdum, sorgulandım. Geçmişimi, kazancımı, özel hayatımı didik didik ettiler. Tıbbî muayenelerden, psikolojik testlerden geçmek zorunda kaldım. Sigortamı artırdım, iki kez Bangkok'a geldim, bir servet harcadım. Şimdi artık dosyam tamamen düzenli, tamamen yasal. On iki bin kilometre yol geldim, öbür gün de işimin başında olmak zorundayım. Onun için rica ediyorum, asıl konuya girebilir miyiz?

Beton odada uzayıp giden sessizlik, yakıcıydı. Birden, bir tebessüm yaşlı kadının yüzündeki kırışıklıkları yok etti:

– Benimle gelin.

Tepesi vantilatör pervaneleriyle dolu büyük bir odadan geçtiler. Pencereler boyunca perdeler salınıyor, fenol kokusu da, ateş dalgalarınca taşınmışçasına, havada asılı duruyordu. Metal karyolaların sıralandığı koridorlar boyunca her yaştan çocuk bağırıyor, oynuyor, koşuyor, bu sırada da bakıcıları durumu denetim altına almaya uğraşıyorlardı. Çocuk enerjisi, tatlı bir nekahet havasıyla karşılaşmışa benziyordu. Kısa süre sonra ürkütücü ayrıntılar görünmeye başladı. Sakatlıklar, gelişmemiş kol ve bacaklar, yaralar. Diane'ın gözleri elsiz ve ayaksız bir bebeğe takıldı. Térésa'Maxwell açıkladı.

– Güney Hindistan'dan, Andaman Dağları'nın öte tarafından geldi. Hindu fanatikler ellerini ve ayaklarını kesmiş. Anasını ve babasını öldürmüşler. Müslüman oldukları için.

Diane bulantının geri geldiğini hissetti. Aynı zamanda, beyninden saçma bir düşünce geçti: "Bu kadın böylesi bir sıcakta o kazağı nasıl giyebiliyordu?" Térésa yürümeye devam etti. Yeni bir yatakhaneye girdiler. Yine yataklar. Bir de boşluğu dolduran renkli balonlar. Kadın bir yatağın üzerinde toplanmış bir grup genç kızı gösterdi:

– Karenler. Anneleri ve babaları bir mülteci kampında diri diri yakıldı. Geçen yıl. Bunlar da...

Diane eklemleri bembeyaz olana dek yaşlı kadının kolunu sıktı.

– Madam, dedi soluk soluğa. Onu görmek istiyorum. Şimdi.

Müdire neşesizce gülümsedi:

– Orada.

Diane başını çevirdi, yatakhanenin bir köşesinde, tüm yaşamının savaşını gördü: krepon kâğıdından yapılmış şeritlerle tek başına oynayan küçük bir oğlan. Onu hemen tanıdı; polaroit resimlerini göndermişlerdi. Omuzları öylesine zayıftı ki, rüzgârın yardımı olmasa, tişörtünü kaldıramayacağına yemin edebilirdi insan. Diğerlerinden çok daha soluk yüzü, yoğun bir dikkat belirtiyordu, çok yoğun, çok gergin, neredeyse asabi bir dikkat.

Térésa Maxwell kollarını kavuşturdu.

– Altı, yedi yaşında olmalı. Nasıl bileceğiz? Hakkında hiçbir şey bilmiyoruz; ne nereden geldiğini ne de başından geçenleri. Kampların birinden kaçmış olmalı. Ya da bir fahişenin doğurup da terk ettiği çocuklardan biridir. Ra-Nong'da, dilencilerin ortasında bulunmuş. Burada kimsenin anlamadığı bir dil konuşuyor. Sonunda, durup durup aynı iki heceyi söylediğini anladık, "lu" ve "sian". Biz de adını "Lu-Sian" koyduk.

Diane gülümsemeye çalıştı, ama dudakları donmuş gibiydi. Sıcağı, vantilatörleri, bulantılarını unutmuştu. Hâlâ uçuşan balonları kenara itti, çocuğun yanına diz çöküp, oradan onu hayranlıkla seyre koyuldu. Mırıldandı:

– Demek adın Lu-Sian. Biz de sana Lucien deriz.

İkinci kısım

Diane Thiberge'in çocukluğu, yaşıtlarından farklı geçmemişti.

Her şeyi özenle, dikkatle, tutkuyla, kendini vererek yapan, istekli bir çocuk. Başını eğmiş, oynarken, öylesine ciddi görünürdü ki, büyükler onu rahatsız etmekten çekinirdi. Televizyon izlerken öylesine yoğun bir dikkat gösterirdi ki, ekrandaki görüntüleri gözlerinin içine sokmak ister gibiydi. Uykusu bile bir irade sonucu, tüm benliğiyle kendini verdiği bir karar gibiydi; sanki ertesi sabah aynı yataktan, her zamankinden daha canlı, daha parıltılı fırlamaya yemin etmişti.

Diane güvenle büyüyordu. Akşam olduğunda çocukların kulaklarına fısıldanan masallarla uyuyordu. Geleceğine çizgi filmlerin, renkli kitapların, kukla oyunlarının renkli ve yanıltıcı filtresinden bakıyordu. Yüreği tüy doluydu, düşünceleri de nisan karı gibi, mutlu inançların çevresinde billurlaşıyordu. Her zaman onu alıp götürecek bir prens, balo saati gelince onu ışıkla giydirecek bir ana bulacağını biliyordu. Her şey, bir yerlerde, yazılmıştı mutlaka. Beklemek gerekiyordu.

Diane da bekledi.

Ama gelip onu kapanlar, başka güçler oldu.

On iki yaşındayken, içinde tuhaf arzular duymaya başladı. Vücudunun genişlediği, karmakarışık olduğu hissine kapıldı. Artık hafif istekler değil, yüreğine gizemli bir acı kazıyan karanlık ve ürkütücü titreşimler duyuyordu. Arkadaşlarına bahsetti bu hislerinden. Kızlar güldü, omuzlarını silkti, ama Diane onların da aynı duyguları tattıklarını anladı. Onlar sadece beceriksiz makyaj girişimlerinin ya da ilk sigaralarının dumanının ardına saklanmayı yeğliyorlardı. Böylesi bir strateji, Diane'a uygun görünmedi. Genç kız gerçeğin -gerçek ne olursa olsun- gözlerinin içine bakmak istiyordu.

Üstelik kusursuz bir bilinçlilik yaşadığından emindi. Artık çevresindeki insanların yalanlarının, anlaşmalarının maskesini anında düşürebileceğini sanıyordu. Büyüklerin dünyası, kaidesinin dibine yıkılıyordu işte. Başlangıçtan beri örnek olarak gösterilen erkekler ve kadınlar şimdi gözlerine hesapçı, art niyetli, ikiyüzlü insanlar olarak görünüyordu.

Başta annesi.

Diane bir sabah doğumundan beri birlikte yaşadığı kadının onu sevmediğine, hiçbir zaman da sevmeyeceğine karar verdi. Sybille Thiberge ne derse desin ne yaparsa yapsın, genç kız örnek anne numaralarına kanmıyordu artık. Tam tersine, giderek daha çekinir olmuştu annesinin oynadığı rolden. Fazla sarışın. Fazla güzel. Fazla çekici. Diane gözüne yapaylık belirtisi olarak görünen sadece annesine ve onun çekicilik yeteneğine dönük ayrıntıları hatırladı. Bir erkek iltifat eder etmez, kedi gibi miyavlaması... Çevrede bir erkek görür görmez, abartılı kahkaha merakı... Annesinin yaptığı her şey sahte, yapmacık, hesaplıydı. Bir yalan blokuydu annesi; ortak hayatları da bir kandırmaca, sahtekârlık.

Diane bunun kanıtını kaza sırasında, haziran 1983'te, vaftiz annesi İsabelle Ybert'in düğününden tek başına dönerken buldu. Sybille yeni sevgilisinin kolunda, ayrı gitmek istemişti. "Kaza". Tanım uygun değildi, ama Diane, Nogent-sur-Marne'ın dar sokaklarında başından geçeni böyle adlandırmak istemişti. Bugün bile olanları hatırlamak istemiyordu. Sadece söğüt yapraklarının, uzak ışıkların parıldadığı, yakında da bir kukuletalının soluğunun duyulduğu bir zaman dilimi... Olayın gerçekliğinden kuşkulanmaya başladığında da, bacak arasındaki kılların altında, derisini kabartan ince yara izlerini yoklaması yeterliydi.

Böylesi bir kâbusun nasıl gerçekleşebildiğini bilmiyordu genç kız. Ama emin olduğu bir gerçek vardı; her şey annesinin yüzündendi. Bencilliğinin, kendi kaslı kalçalarının, sevgililerinin hırslı tutkusunun oluşturduğu kötülük dolu çemberin dışında kalan her şeyi kesinlikle görmezden gelmesi yüzünden. Zaten Diane'ı yalnız başına göndermesinin nedeni de bu değil miydi? Onu unutmamış mıydı? Bu saldırı, Diane'ın aradığı mahkûm ettirici kanıttı. Kesin kanıt.

On dört yaşına basmak üzereydi. Sybille'e hiçbir şey anlatmadı. Annesi olan bitenden habersiz olursa, öcü daha kusursuz, daha eksiksiz olacakmış gibi geliyordu. Kendi kendini iyileştirdi, üzüntüsünü bu sırla mühürledi. Öte yandan, okul başlar başlamaz yatılı yazılmak istediğini bildirdi. Sybille itiraz etmiş olmak için direndi, kısa sürede kızının isteğini kabul etti; anlaşılan bu fazla konuşmayan, çekicilik alanında rakibe olacakmış gibi görünen kızdan kurtulmak düşüncesi hoşuna gitmişti.

Fazla konuşmayan, doğru, Diane fazla konuşmuyordu. Düşündüğü için. Deneyiminden dersler çıkarıyordu. Demek dünya, gerçek dünya şiddet, ihanet ve kötülükten başka bir şey değildi. Hayat bu karşı konulmaz gücün, her insanın içinde bulunan, alevlenme fırsatı bekleyen nefret çekirdeğinin çevresinde oluşuyordu. Diane bu gücü incelemeye karar verdi. Dünyanın kurumlaşmış şiddetini yakalamak, izlemek, irdelemek.

İki karar verdi.

Birinci karar, lise diplomasını aldıktan sonra, zamanını biyolojiye ve etolojiye -hayvan davranışları bilimine- ayırmaktı. Uzmanlık dalını çoktan seçmişti: yırtıcılar. Daha ayrıntılı olarak da, yırtıcı hayvanların, sürüngenlerin, hatta böceklerin kendi bölgelerine egemen olmalarına, yıkıcılık sayesinde hayatta kalmalarına imkân sağlayan av ve savaş yöntemleri. Şiddetin özüne dalmanın kendine göre yolunu bulmuştu. Her türlü bilinçten, hayatın mantığı dışında her türlü dürtüden arınmış, doğal şiddet. Bir de belki kendi kazasını yasallaştırma, onu çok daha yaygın, çok daha evrensel bir mantık çerçevesine oturtarak, korkunçluğunu hafifletme çabası.

Buraya kadar, kafası içindi.

Vücudu için ise, wing-chun'u seçti Diane.

Kelime anlamıyla, "sonsuz bahar". Wing-chun, şaolin boks

okullarının en hızlısı, en etkilisiydi. Anlatılanlara bakılırsa, yakın dövüşü destekleyen Budist bir rahibe tarafından geliştirilmiş bir yöntem. Diane 1983 ders yılının başlamasıyla birlikte, Fontainebleau bölgesinde, okulunun hemen yanındaki özel wing-chun salonuna yazıldı. Bir yılda, olağanüstü bir yatkınlığı olduğunu gösterdi. O dönemde, bir metre yetmiş santim boyunda olmasına karşın, elli kilodan azdı. Leyleğe benziyordu ama, bir akrobat esnekliğine ve olağanüstü bir kas gücüne sahipti.

Ellerindeki cevherin farkına varan antrenörler, Diane'ı daha iyi bir eğitimden geçirmeyi, "wou-te" (savaş erdemi ve disiplini) öğretmeyi önerdiler. Diane kabul etmedi. Felsefe ya da kozmik enerji gibi sözler duymak istemiyordu. O sadece vücudunu bir silah gibi hazırlamak, böylece de asla bir daha faka bastırılmayacak bir kız olmak istiyordu.

Ustalar -Asyalı katı bilgeler- bu saldırgan cevaplar karşısında üzüntüye kapıldı. Ama karşılarındakinin bir şampiyon olduğunu biliyorlardı; felsefe olsun olmasın, şampiyonlara her köşe başında rastlanmıyordu.

Eğitim yoğunlaştı. Yarışmalar birbirini izledi. 1986 yılında, lise öğrencisi Thiberge gençler kategorisinde Fransa şampiyonu oldu. 1987'de Avrupa şampiyonasında gümüş kemer kazandı, 1988'de de altın kemere ulaştı. Zaferlerini göz açıp kapayıncaya kadar kazanıyordu. Hakemler biraz şaşkın, seyirciler de hafif bir düş kırıklığına uğramış gibiydi. Diane hep yaklaşıyor, hep eğiliyor, gözlerini ellerinden ayırmadığı rakiplerine yapışıyordu. Kızcağızlar daha bir açık ararlarken, omuzlarını mindere yapışmış buluyorlardı.

Genç sporcunun yükselişi durdurulamaz görünüyordu. Oysa 1989 yılında, Diane yarışmadan çekilmeye karar verdi. Yirmisini tamamlamak üzereydi, belki de bir mucize eseri, ne yüzünde ne de vücudunda darbe izi vardı. Şansının er ya da geç yüz çevireceğinden emindi; hem üstelik, amacına da varmıştı.

Olmak istediğini olmuştu işte.

Her bakımdan tehlikeli, yaklaşılmamasında yarar olacak genç bir kız.

Üçüncü kısım

O dönemde Diane Thiberge küçük walkman'inde bas yüklü bir Frankie Goes to Hollywood dinliyordu. Bayılıyordu bu gruba. Görüntüde çelişkili, ama burada benzersiz bir büyüyle birleştirilmiş çeşitli eğilimlerin kavşağında oldukları için.

Her şeyden önce Frankie, doğrudan Liverpool'dan çıkma serserilerin, sert çocukların kurduğu bir gruptu. Üstelik post-disko olarak adlandırılıyorlardı, dans pisti üzerine her çıkanı keyiften kıpır kıpır kıpırdatacak, *groove* adlı yeni bir ritim geliştirmişlerdi. Bir de "gay" grubuydu Frankie. En çılgınları; birbirini izleyen bu çığlıklar, bu barbarca titreşimler, bu dikkat çekici sloganlar, XIII. Louis'nin sarayından fırlamışa benzeyen bu deli karılardan çıkıyordu. Bu özellik müzisyenlere serap gibi bir hafiflik, bir hareketlilik, bir çeviklik kazandırıyordu. Grubun beşinci üyesi hiçbir şey çalmıyordu. Arada bir şarkı söylerse, ne âlâ... O sadece dans ediyordu, o sahnenin gerisinde, deri ceketinin altında köprücükkemiklerini oynatan, "hareketli adamdı". Diane ürperiyordu; evet, Frankie gerçekten de büyülü bir gruptu.

Öğrencinin gece çılgınlığı walkman'le sınırlıydı. Dışarı çıkmıyor, dans etmiyor, kimseyle buluşmuyordu. Cardinal-Lemoine Mahallesi'ndeki küçük stüdyosunda etoloji kitaplarına dalıyor, her gece Lorenz'in ya da Von Uexküll'ün yapıtlarını gözden geçiriyor, Macdonald's'ları birbiri ardına deviriyordu.

Ne var ki o akşam, harekete geçmeye karar vermişti.

Nathalie - Öğretim ve Araştırma Kurumu'nda ağız sulandırıcı ne varsa pençesine geçirmeyi bilen, biyoloji pratik çalışmalarındaki bela - bir parti veriyordu, Diane da bu partiye gitmekte kararlıydı.

Harekete ya bugün geçecekti ya da hiç.

Öğrenmenin zamanı gelmişti.

Diane o önemli geceyi sonradan çok hatırladı. Saint-Michel Bulvarı'ndaki kesme taşlı binaya varışını, kadife kaplı geniş merdivenin sessizliğini. Sonra, üst katlardan tizlerin düşercesine inen boğuk titreşimleri. Titreşimlere uymaya çalışan yüreğinin gümbürtüsünü sakinleştirmeye çalışıyor, parmaklarını armağan olarak getirdiği soğuk şampanya şişesinin ensesinde kenetliyordu. Cilalı kapının ardından gelen gümbürtü öylesine şiddetliydi ki, kapıyı menteşelerinden nasıl sökmediğine şaşmak gerekirdi. "Duymayacaklar bile" dedi parmağını zile uzatırken.

Daha parmağını çekmeye fırsat bulamadan açılan kapıdan müzik çağlayanları taştı. O anda Frankie'nin şarkıcısı Holly Johnson'ın "RELAX! DON'T DO İT!" diye haykıran sesini duydu. İyiye alamet; en sevdiği grup, onu sınavda yalnız bırakmıyordu. Kemikli yüzü abartılı bir makyajla parıldayan bir esmer, kapının eşiğinde eğilip bükülüyordu. Gorgon Nathalie, olduğu gibi işte.

– Diane? diye haykırdı, gelmen beni süper sevindirdi...

Kız onu baştan aşağı süzerken, Diane duyduğu yalana gülümsedi. Diane sedef düğmeli uzun siyah bir yelek ve koyu pamukludan -o dönem genç kızların vücuduna egemen olan kumaş- uzun bir don giymişti. Üzerine de kocaman bir manto, o da siyah.

– Pijamanı ve şilteni de getirseydin bari, dedi Nathalie alayla.

Diane iki parmağıyla genç kızın siyah taftadan elbisesini yokladı.

– Bu akşamki kıyafet balosu değil miydi yoksa?

Nathalie bir kahkaha patlattı. Elinden şampanya şişesini alıp bağırdı:

– İçeri gir. Üzerindekileri dipteki odaya bırak.

İçeride parti tüm hızıyla sürüyordu. Mantosunu bıraktıktan sonra, büfenin yanına, kimseyi tanımayanların buluşma noktasına dikildi. Ne olursa olsun, sonuna kadar uyanık kalmak için, tek bir kadeh bile içmemeye yemin etmişti. Ne var ki, sıkıcı bir saatin sonunda, üçüncü şampanyasındaydı. Küçük yudumlar alıyor, bu arada da gözünü dans pistinden ayırmıyordu.

İnce iş başlamıştı.

Gece davetleri konusunda fazla tecrübeli olmasa da, tören düzeni hakkında oldukça fazla şey biliyordu. Geceyarısı, peşrevi başlatıyordu. Kızlar dans ediyor, oldukları yerde dönüyor, saçlarını ve kalçalarını gözler önüne seriyor; bu sırada da erkekler geri çekilmiş, bekliyorlardı: çaktırmadan bakmalar, tebessümler, yakınlaşma şakaları...

Sabahın ikisinde, herkes canlanmaya başlıyordu. Müzik daha da yükseliyordu. Alkol yasakları süpürmüştü. Artık her umuda izin vardı. Oğlanlar harekete geçiyor, kalabalığın üzerinden seslenip, avlarına dalıyorlardı. Kalabalığı çılgınlığın eşiğine, yine Frankie götürdü. "Two Tribes." Diane'ın her bir notasını, her bir tınısını ezbere bildiği, vahşi bir ritimle desteklenmiş, savaşa karşı ayaklanma şarkısı.

Bu kez, kendini müziğe bıraktı. Çekirge bacaklarını olabildiğince kollayarak, ötekilerin arasına atıldı. Ona doğru çevrilmiş bazı bakışlar yakaladı. İnanmakta güçlük çekti. Çekingenliğinin, insanları ürküttüğünün de farkındaydı. Güzelliği, dalgalı saçları ve uzun boyu, hayranlarını çoğu kez uzak tutuyordu. Ama bu gece, hiç kuşku yoktu; birkaç cesur, ona laf bile atmıştı.

Şimdi artık vücudunun hafif salınmalarla hareket ettiğini, ritmin üzerinde asılı kalıp diğerlerin arasında dolaştığını hissediyordu. İşte o zaman, çocuklardan biri, rock yapmak için elini tuttu. Dünyanın bütün dans pistlerinde, nasıl bir müzik duyarsa duysun, en karmaşık adımlar atmaya meraklı biri vardır hep. Diane hemen geri çekildi. Karşısındaki ısrar etti. Diane ellerinin ayasını kaldırdı, tehdit eder gibi. Hayır. Rock yapmayacaktı. Hayır. Kimse elini tutamazdı. Kimse, hiçbir şeyine uzanamazdı. Çocukcağız bir kahkaha atıp kalabalığa karıştı.

Diane bir süre öylece kaldı, sanki temastan yanmış gibi, eline baktı. Sendeledi, geriledi, sonra duvara dayanarak çöktü. El yordamıyla, yere bırakılmış, yarısı dolu bir şampanya kadehi buldu. Bir dikişte bitirdi, sonra hareket etmeden, kadehine sarıldı. Üzüntü çevresini sarıyordu. Bu sahne, acımasız gerçeği hatırlatmıştı. Kendine dokunulmasına dayanamıyordu. En küçük bir dokunmaya, en ufak bir okşayışa. Temas fobisi.

Sabahın üçünde, müzik daha derinden gelmeye başladı. Laurie Anderson'dan "O Superman." Büyüleyici iç çekişlerle bölünmüş, tuhaf bir ninni. Şansını son kez deneme zamanı. Loşlukta, şarkının nağmelerinin etkisinde kalmış, birkaç yalnız hayaletten başka kimse görünmüyordu. Birkaç inatçı avcı. Yenilgiyi kabul edemeyen bir iki zavallı kızcağız.

Diane allak bullak yüzleri, sendeleyen gölgeleri izledi. Cesetler ve leş yiyicilerle kaplı bir savaş meydanına bakar gibi. Gidip mantosunu aldı, sonra üstü boş şişe dolu büfenin yanından geçti. Aklı dışarıdaydı bile. Aklını başına getirecek, böylelikle bozgununun nedenini araştırmasına izin verecek soğuk havayı düşlüyordu.

İşte o an, beline dolanan elleri hissetti.

Büfeye dayandı, bir yay gibi gergin, döndü.

Çevresinde solukları alkollü üç herif vardı.

– Hey çocuklar, gece daha bitmedi...

Saldırganlardan biri, yeniden ellerini uzattı. Diane adamı bir kalça hareketiyle atlattı ve masaya döndü. Mantosunu bıraktı, eline bir kadeh alıp içer gibi yaptı. Bir an, adamların gittiğini düşündü ama, alkollü soluk ensesini yaladı. Elindeki kadeh parçalandı. Parmaklarının arasındaki cam parçasının kenarında, dudak boyasının izlerini gördü. Avucunu camın üzerine dayadı, etinin kesildiğini duydu.

– Beni rahat bırakın, diye homurdandı.

Arkasındaki herifler kıkır kıkır gülüyorlardı.

– Oh, oh, demek zor kadını oynayacaksın!

Yakıcı gözyaşları, gözlük çerçevesinden kurtuldu. Açık açık, "Sakın yapma" diye düşündü. Ama sarhoşlardan biri kulağının hemen dibinde emme gürültüsü çıkarıyor, kutu, yanık öyküleri anlatmaya çalışıyordu. "Sakın yapma" diye yineledi kendi kendine. Oysa gözlüğünü çıkarmış, saçlarını ensesinde toplamıştı bile. Daha hareketini tamamlamaya fırsat bulamadan, heriflerden biri elini yeleğinin altına soktu. Memelerine değen parmakların sıcaklığını hissederken, alaycı sesi duydu:

– Beni tahrik etme, yavru, ben...

Çenenin çatırtısı, "Art of Noise"un sesini bastırdı.

Çocuk şömineye doğru uçtu, yüzünü mermerin köşesine çarpıp yardı. Diane bir dirsek darbesi vurmuştu: jang tow. Bir kez daha "HAYIR" dedi kendi kendine, ama eli öküz çenesi şeklini aldı, ikinci saldırganın kaburgalarında patlayıp, tek bir çatırtıyla kırdı. Saldırgan büfenin üzerine yığılıp, binlerce şangırtı ve örtü hışırtısı çıkardı.

Diane hareket etmiyordu. Wing-chun mutlak bir hareket ve soluk yönetimine dayanır. Üçüncü serseri kaybolmuştu. İşte o zaman çevresindeki korkulu yüzlerin, rahatsız mırıltıların farkına vardı. Gözlüğünü taktı. Şaşkınlık içindeydi; yarattığı şiddetten ya da skandaldan dolayı değil. Kendi sakinliğinden.

Sağında, Nathalie'nin sesini duydu:

– Has... hasta mısın, nesin?

Diane yavaşça ev sahibesine dönüp, mırıldandı:

– Çok üzgünüm.

Odayı boydan boya geçti, sonra omzunun üzerinden, bir kez daha haykırdı:

– Çok üzgünüm!

Saint-Michel Bulvarı tam da umduğu gibiydi.

Issız. Buz gibi. Aydınlık.

Diane gözyaşları içinde yürüyordu, bir yandan onuru kırılmıştı. Beklediği kanıtı bulmuştu. Hayatının hep böyle, toplumun dışında, diğerlerinin uzağında geçeceğinin kanıtı. Bir kez daha, başlangıçtaki olayı düşündü. İçindeki en doğal dürtüyü kıran, vücudunun etrafına şeffaf, anlaşılmaz -ve geçit vermez- bir duvar ören o korkunç sahneyi.

Söğütleri, ışıkları yeniden gördü.

Ağzındaki otları, kukuletalının soluğunu yeniden yaşadı.

Bir nefret dürtüsüyle, annesinin yüzünü gördü. Dudaklarında bitkin bir tebessüm belirdi; bu gece, kimseden nefret edemeyecek kadar güçsüzdü. Fıskıyesi ışıl ışıl Edmond-Rostand Meydanı'na vardı, sol tarafta Luxembourg Bahçeleri'nin davetkâr çalılıkları. İçinden gelen dürtüyle koştu, sarı ve siyah parmaklıkların arasından uzanan ağaç yapraklarını okşadı.

Öylesine hafifti ki, bir daha hiç yere inmeyecekmiş gibi hissediyordu kendini.

Bütün bunlar, 18 kasım 1989 cumartesi günü oldu. Diane Thiberge yirmi yaşındaydı ama, biliyordu; genç kız hayatını sonsuza dek gömdüğünü biliyordu.

Dördüncü kısım

– Bir isteğiniz var mı?
– Hayır, teşekkür ederim.
– Emin misiniz?

Diane bakışlarını kaldırdı. Mavi üniformalı hostes ona gülümseyerek ve anlayışla bakıyordu. Onu iyice öfkelendiren bir bakışla. Bangkok'tan havalanır havalanmaz, çocuk için önerilen "çocuk mönü"sünün böreklerini kesmeye çalışıyordu. Plastik çatal bıçağın parmaklarının arasında eğilip büküldüğünü, böreklerin kaba hareketleri karşısında parçalanıp dağıldığını görüyordu. Herkes ona bakıyor, beceriksizliğini, gerginliğini seyrediyor gibi geliyordu.

Hostes kayboldu. Diane çocuğa yeni bir lokma uzattı. Ağzını açmıyordu işte. Ne yapacağını bilemez bir halde, yüzü yeniden kıpkırmızı oldu. Bir kez daha, alev alev yüzüyle, salkım saçak saçlarıyla ve siyah gözlü çocuğuyla nasıl göründüğünü düşündü. Bu hostesler kim bilir kaç kez böyle bir sahneye tanık oluyorlardı? Pusulalarını şaşırmış, titrek, kaderlerini bavullarında taşıyan Batılı kadınlara?

Mavi gölge yeniden göründü. "Birkaç şeker?" Diane gülümsemeye çalıştı: "Hayır, gerçekten, her şey yolunda." Bir iki sefer yedirmeye çalıştı, boşuna. Çocuğun gözleri, ekrandaki çizgi filme çivilenmişti. Diane bir öğünü kaçırmanın, devlet sorunu olmayacağını düşündü. Tepsiyi kenara itti, kulaklıkları Lucien'ın kafasına yerleştirdi, sonra durakladı. Hangi dili seçecekti? İngilizce mi? Yoksa Fransızca mı? Yoksa sadece müzik kanalını mı? Her ayrıntı, kafasındaki karışıklığı daha da artırıyordu. Müzikte karar kıldı, sesini özenle ayarladı.

Uçaktaki hava yatıştı. Yemek tepsileri götürüldü, ışıklar loşlaştı. Lucien daha şimdiden uyukluyordu. Diane onu sağındaki boş koltuklara yatırdı, sonra o bilindik ekose battaniyenin altına kıvrılarak, gözlerini kapattı. Genellikle, uzun uçuşlar sırasında, en sevdiği saatlerdi bunlar; loş kabin, uzakta yanıp sönen ışıklı ekran, battaniyelerinin ve kulaklıklarının altında, kozalarına çekilmiş gibi, hareketsiz yolcular... Sanki her şey asılı gibi, bulutların üzerinde bir yerde, uyku ile yükseklik arasında süzülüyor gibi.

Diane kafasını koltuğun yastığına dayadı ve hareket etmemeye çalıştı. Kasları giderek gevşedi, omuzları yavaş yavaş düşmeye başladı. Sükûnetin yeniden damarlarında dolaştığını hissetti. Gözleri kapalı, gözkapaklarının siyah perdesi ardında, kafasından onu buraya, hayatının bu temel dönemecine getiren olayları geçirmeye girişti.

Sportif başarıları ve toplumsal girişimleri geride kalmıştı. Diane 1992 yılında etoloji doktorasını en iyi dereceyle aldı: "Kenya'da, Masai Mara Ulusal Parkı'ndaki büyük etoburların av stratejilerini ve av bölgelerini yönetim yöntemleri". Diplomayı alır almaz, doğanın incelenmesine ve korunmasına büyük fonlar ayıran özel vakıflar için çalışmaya başladı. Diane, Sundarbands kaplanlarını koruma projesi çerçevesinde Güney Sahra'ya, Güneydoğu Asya'ya, başta Bengal olmak üzere Hindistan'a sık sık gitmişti. Aynı zamanda da tek başına izleyip gözlediği, ülkenin en kuzeyindeki Kuzeybatı Toprakları'na kadar peşlerinden gittiği Kanada kurtlarının yaşam tarzları hakkında hazırladığı, bir yıllık bir inceleme çalışmasıyla da dikkat çekiyordu.

Bundan böyle incelemeler yapıyor, seyahat ediyor ve tek başına bir göçebe yaşamı sürüyor, kısacası çocukluk düşlerine uygun olarak doğanın içinde yaşıyordu. Her şeye ve herkese, korkularına, gizli tutkularına rağmen, sadece kendine özgü bir mutluluk kurmuş, güçlü bir bağımsızlığa sahip olmuştu.

Ne var ki 1997 yılı onun için yeni bir kilometre taşı olacaktı.

Yakında otuz yaşına girecekti.

Tek başına bir anlamı yoktu bunun. Özellikle de Diane gibi biri için; ince uzun vücudu, açık havada geçirdiği hayatı onu zamanın törpüsüne karşı herhangi birinden çok daha iyi korumuştu. Oysa biyolojik bakımdan, 3 sayısı bir dönüm noktasını belirtiyordu. Hayat bilimleri uzmanı olarak, rahmin o yaşta yavaş yavaş işlevini yitirmeye başladığının farkındaydı. Aslında, sanayileşmiş ülkelerdeki âdetlere rağmen, kadının üreme organları çabuk harekete geçmek üzere tasarlanmıştı: Diane'ın sık sık karşılaştığı, henüz on beşine bile basmamış Afrikalı küçük anneler gibi. Bu otuz sayısı ona en temel gerçeklerden birini hatırlatıyordu; asla çocuğu olmayacaktı. Basit ve anlaşılır bir nedenle: asla bir sevgilisi olmayacaktı da ondan.

Bu yeni kısıtlamayı kabule hazır değildi. Çözümler araştırmaya girişti. Bu konuda kitaplar aldı, gırtlağı kupkuru, tıbbî yardımla çocuk yapma yöntemleri dünyasına daldı. Her şeyden önce, yapay döllenme vardı. Onun durumunda VD formülünü (vericili döllenme) düşünmek gerekiyordu. Özel bir sperm bankasından gelen spermler, âdet döneminin döllenmeye en uygun safhasında ya kanalın iç ağzına ya da dölyatağı boşluğuna bırakılacaktı. Kısacası hekimler sivri, kancalı, buz gibi soğuk aletleriyle Diane'ın içine gireceklerdi. Tanımadığı birinin maddesi, karnında bir yere sızacak, fizyolojik mekanizmalarının arasına karışacaktı. Organlarının -dölyatağı boşluğu, fallop borusu, yumurtalıklar...- "diğerinin" teması karşısında direnmesini, harekete geçmesini gözünün önüne getirdi. Hayır. Asla. Onun gözünde bu, bir çeşit klinik tecavüz olurdu.

İkinci yöntem hakkında bilgi topladı. *In vitro* döllenme. Bu kez, iğneyle alınacak yumurtaları laboratuvar ortamında yapay olarak döllenecekti. Uzakta, steril bir odanın soğuk sisleri ardındaki bu işlem, hoşuna gitti. Okumaya devam etti; vajina yoluyla, kadının rahmine bir ya da birkaç cenin yerleştiriliyordu. Diane durakladı, bir kez daha ne kadar aptal olduğunu anladı. Ne bekliyordu? Hamileliğin tüpte, buzla kaplı bir camın ardında gerçekleşeceğini mi? Embriyonun kendi kendine, vücut dışında bir yerde gelişmesini izleyeceğini mi?

Israrlı korkuları, onun ile her türlü çocuk projesi arasında bir duvar, aşılmaz bir engel oluşturuyordu. Vücudu, rahmi bu iddialara, bu harika gelişmelere hep yabancı kalacaktı. Diane derin bir depresyon dönemine girdi. Bir dinlenme kliniğinde kaldı, sonra annesinin kocası Charles Helikian'ın Lubéron bölgesinde, Ventoux Dağı yamaçlarındaki villasına sığındı.

Yeni kararını orada, güneşin altında, ağustosböceklerinin arasında aldı. Her türlü organik girişim dışında, yepyeni bir yöntem seçecekti: evlat edinmeyi. Sonuç olarak, doğayı taklit iddiasının aksine, gerçek bir ahlakî taahhüt olan bu yol uygun göründü gözüne. Onun durumunda alınacak en tutarlı, en samimi karardı. Kendine karşı. Hayatını paylaşacak çocuğa karşı.

1997 sonbaharında, ilk girişimlere başladı. Çevresindekiler önce, her türlü yöntemle Diane'ı vazgeçirmeye çalıştı. Kâğıt üzerinde, evlat edinme bekârlara da açık görünüyordu. Oysa gerçekte, eşcinsel eğilimlere gebe böylesi bir koşulda Sağlık ve Sosyal Hizmetler'in onayını almak, son derece güç görünüyordu. Diane umutsuzluğa kapılmayı reddetti ve başvuru dosyasını hazırlamaya girişti. O andan itibaren, görüşmelerle, taleplerle, yeniden başa dönüp bir sonuca ulaşacağa benzemeyen incelemelerle dolu uzun aylar başladı.

İlk başvurusundan bir buçuk yıl kadar sonra, talebi hâlâ bir sonuca ulaşamamıştı. Üvey babası onun adına bir girişimde bulunmayı önerdi. Dosyayı hızlandırabileceğini söylüyordu. Diane kabul etmedi. Böylesi bir girişim, dolaylı bir yoldan da olsa, annesinin Diane'ın özel hayatına karışması anlamına gelecekti. Sonra yeniden düşündü. Korku ve öfkesi böylesi önemli bir projeyi engellememeliydi. Charles Helikian'ın neler çevirdiğini hiçbir zaman öğrenemedi; ne var ki, bir ay sonra, Sağlık ve Sosyal Hizmetler'in onayı elindeydi.

Geriye çocuğu -başından beri Diane uzak bir ülkeden gelme bir oğlan çocuğu düşünüyordu- verecek yetimhaneyi bulmak kalıyordu. Dünyanın dört bir köşesinde böyle merkezler yöneten örgütlere başvurdu, bir kez daha yolunu şaşırdığını gördü. Charles yine araya girdi. Kimi zaman hayırsever davranıyor, Güneydoğu Asya'da birçok yetimhaneyi destekleyen Boria-Mundi Vakfı'na yıllık katkılarda bulunuyordu. Eğer Diane bu vakfa yönelmeyi kabul ederse, son girişimleri hızla tamamlanırdı.

Aradan üç ay geçtikten ve idarî ayrıntıları halletmek için yaptığı iki Bangkok yolculuğundan sonra, Ra-Nong Yetimhanesi'nin kapısındaydı. Charles alınacak çocuğun seçimine karışmış, birçok annenin tersine, Diane'ın beş yaşından daha büyük bir çocuğu evlat edinmek istediğini görmüştü. Genellikle kadınlar yeni doğmuş çocukları tercih ediyor, küçük bir bebeğin yeni hayatına daha kolay uyum sağlayacağını düşünüyorlardı. Bu eğilim Diane'a ters, hatta itici geliyordu; her şeyden mahrum bazı yetimlerin, bir de üstelik çok büyüdükleri ya da gereğinden geç terk edildikleri için cezalandırılmaları düşüncesi, onu doğal olarak daha büyüklere yöneltiyordu...

Birden yanındaki çocuk irkildi. Diane gözlerini açtı, güneş ışıklarının kabinin içini doldurduğunu gördü. İnmek üzere olduklarını anladı. Paniğe kapıldı, çocuğunu göğsüne bastırdı, iniş takımlarının yere değdiğini hissetti. Pisti yakan tekerlekler değildi; o ateş kendi düşlerinden, artık gerçekle sürtüşmeye başlayan düşlerden çıkıyordu.

Beşinci kısım

Aldığı birçok karardan biri de ilk günden itibaren de olsa, gündelik çalışma saatlerini değiştirmemekti. Lucien'ın, günlük hayatlarının akışına olabildiğince çabuk alışmasını istiyordu. Oysa o sırada "Zimbabve'de Hwange Ulusal Parkı'ndaki büyük etoburların günlük yaşamı" konulu bir raporla meşguldü. Daha önce Afrika'nın güneyindeki bir araştırmasını destekleyen Uluslararàsı Doğal Yaşamı Destekleme Vakfı'ndan yeni bir yardım alabilmek için, bu raporu bir an önce tamamlamak zorundaydı. İşte bu yüzden her sabah Orsay Fakültesi'nin etoloji laboratuvarına, tüm bilimsel kaynakları tarayabilmesi için kütüphanenin hemen yanında adına ayrılan küçük odaya gidiyordu.

Diane çocuğuna bakması için, Sorbonne Üniversitesi'nde okuyan, kusursuz bir Fransızca konuşan, tatlı ve yumuşak genç bir Taylandlı kızla anlaşmıştı. İlk hafta, işe zamanında gidip gelme sözünü tuttu. Sabah dokuzda evden çıkıyor, akşam altı olmadan da dönmüyordu. Ne var ki, ertesi pazartesi, işi kırmaya başladı. Her sabah, bir öncekinden biraz daha geç çıkıyor, her akşam biraz daha erken dönüyordu. Verdiği karara rağmen, -aydınlık saatlerin uzadığı bir aşk mevsimi gibi- evde bulunduğu süreyi uzatmaktan vazgeçemiyordu.

Gerçek bir mutluluktu yaşadığı.

Çocuğun gülücükleri çoğaldıkça, çocuksu canlılığı ilk çekingenliklerine üstün geldikçe, Diane'ın analık kaygıları artıyordu. Lucien zengin ifadeli hareketler, gülücükler, yüz buruşturmaları yoluyla derdini anlatmayı başarıyor, yeni kentli kimliğine bürünmekte pek güçlük çekmiyor gibi görünüyordu. Diane oyunun kurallarını kabul ediyor, Fransızca cevaplar verirken kendi şaşkınlığını gizlemeye çalışıyordu.

Bu küçük yaratığın hayalini öyle çok kurmuştu ki, sonunda kendi düşlerinden bir çocuk yontacakmış sanmıştı. Oysa bugün çocuk karşısındayken, her şey çok daha farklıydı. Yüzü gerçek, huyları gerçek, gerçek bir çocuk. Varsayımlarının bu gerçek karşısında teker teker havaya uçup yok olduğunu gördü. Sanki Lucien, Diane'ın onun için diktiği metal kaideden kurtuluyor, karşılığında da analığına beklenmedik, şaşırtıcı, kusursuzca gerçek olduğu için eksiksizce doğru varlığının tüm boyutlarını, tüm çeşitliliğini sunuyordu.

Banyo saati keyiflerden en büyüğüydü. Diane o küçücük göğsü, o bembeyaz sırtı, enerjiyle ve zarafetle örtülü o kuş iskeletini seyretmekten bıkmıyordu. Yetimhanede gördüğü çocuklarınkinden çok daha değişik o süt beyazı deriye, derinin altında atan mavi damarlara, küçük bedene hayranlıkla bakıyordu. Yaşama sevinciyle kabuğundan yeni çıkan civcivleri düşünüyordu Diane.

Saf keyif anlarından bir diğeri de, Diane'ın odanın loşluğunda masal anlattığı yatma saatiydi. Lucien çok geçmeden uykuya dalıyor, o zaman da parmaklarının ucunda koşuşturan incecik duygulara kapılıp salınmak sırası Diane'a geliyordu. Derinin o belli belirsiz sıcaklığı. Soluk alırken hafifçe titreşen göğsü. Parmaklardan özel bir ilgi -gizli bir dokunuş yeteneği- bekleyecek kadar ince, dağınık saçları. Böylesi saçlar nereden çıkar? Hangi gen ormanlarından? Uzaktan. Karanlıkta, dudaklarının ucuna gelen, hep bu kelimeydi. Uzaktan. Önündeki vücudun her çizgisi, her ayrıntısı ona çocuğun atalarını hatırlatıyor, buna rağmen çocuğu Diane'a yaklaştırıyor, Paris'teki yalnızlığıyla birleştiriyordu.

Lucien'ın kişiliği, gün geçtikçe mimarîsini, kıvrımlarını, tepelerini gözler önüne seren camdan bir yapı gibi dikiliyordu. Başından beri Lucien'ın gürültücü, hareketli, önceden kestirilmez biri olacağını düşünmüştü. Oysa çocuk insanı savunmasız bırakacak bir tatlılıkta ve zarafetteydi. Vahşi davranışlarına -elleriyle yiyor, yıkanmak istemiyor, bir konuk geldiğinde koşup saklanıyordu- rağmen, her seferinde genç kadını hayran bırakacak derinlikte bir duyarlılık gösteriyordu. Neden inkâr etmeli? Lucien tüm özellikleriyle, Diane'ın bizzat doğurmak isteyeceği çocuğa tıpatıp benziyordu.

Diane en sevdiği sıkça istediği, özel bir faaliyette buluyordu kendini; Lucien'ın dans ve şarkı seanslarında. Oğlu, zevk için olsun, oyun için olsun, doğal yetenek nedeniyle olsun, en ufak bir fırsatta kendini dans ve şarkıyla ifade ediyordu. Bu tutkuyu görünce, Lucien'a, ucunda limon sarısı plastik bir mikrofon olan parlak kırmızı renkli bir teyp aldı. Çocuk her sesi kaydetmeye başladı; bazen görünmez davullar çalıyordu. Gösterinin en önemli noktası, ilginç bir baleydi. Birden bacağı doksan derece açılıyor, parmakları görünmez bir tülü yokluyordu, sonra tüm vücudu dönerek yeni bir şekle giriyordu. Küçücük vücut bir böcek kanadı gibi dertop oluyor, eğiliyor, yaylanıyor, sonra müziğe uyarak salınmaya başlıyordu.

Diane bu çılgınca gösterilerden birinde, kendi kendini kutlama cesareti buldu. Böylesi eksiksiz mutluluğu düşünde bile göremezdi. Yıllar boyu planlayıp tasarladığı dinginliğe, dengeye, üç haftada erişmişti. Doğduğundan beri belki de ilk kez, özel hayatını ilgilendiren bir konuda başarılı olmak üzereydi.

İşte o anda, çalar saatinin kadranında, tarihi gösteren kırmızı rakamları gördü.

20 eylül pazartesi.

Her şey yolunda olabilirdi ama, korkunç tarihi ertelemenin bir yolu yoktu.

Annesiyle akşam yemeğini.

Altıncı kısım

Zırhlı kapı, ardındaki zarif gölgeyi göstererek açıldı.

Holün ışıkları, başındaki topuzun çevresinde parıltılı bir hale oluşturuyordu. Onun karşısında Diane, bir mum kadar katı ve dik, kapıda duruyordu. Kollarında, uyuyakalmış Lucien. Sybille Thiberge fısıldadı:

– Uyuyor mu? Gir. Göster şunu bana.

Diane içeriye bir adım attı, atar atmaz da durakladı. İçeriden, salondan konuşma sesleri geliyordu.

– Charles'la yalnız değil miydin?

Annesi sıkılmış görünmeye çalıştı:

– Charles önemli birilerini yemeğe davet edince...

Diane topuklarının üzerinde dönüp merdivenlere yöneldi. Sybille o her zaman bayıldığı sertlik ve tatlılık karışımı hareketiyle kolundan tuttu kızının.

– Ne yapıyorsun? Çıldırdın mı?

– Bana "bir aile yemeği" demiştin.

– Bazen insanın savamadığı mecbur kaldığı durumlar oluyor. Aptalca davranmaktan vazgeç de içeri gir.

Sahanlığın loşluğuna rağmen, annesinin siluetini bütün ayrıntılarıyla seçebiliyordu. Yaşı elli beş, ama hâlâ o Slav güzellik, sarı kaşlar, bir Sovyet propaganda afişi üzerine basılmışçasına uçuşan altın saçlar. Üzerinde ince ve yuvarlak hatlarını okşayan bir Çin elbisesi -siyah fon üzerine parıltılı kuşlar- vardı. Kusursuz göğüslerinin üzerinde bir hava deliği. O göğüslere cerrah eli değmediğini biliyordu Diane. Yaş elli beş ama, bu yaratık cinsellik konusunda en ufak bir taviz vermek niyetinde değildi. Diane birden her zamankinden daha sıska, daha suratsız olduğu hissine kapıldı.

Omuzları düşük, kendini anasının eline bıraktı, yine de Lucien'ı göstererek fısıldamayı unutmadı:

– Sofrada ondan bahsedersen, öldürürüm seni.

Annesi başını salladı, kızının sözlerindeki şiddete şaşırıp şaşırmadığını belli bile etmedi. Diane çok uzun bir koridor boyunca annesini izledi. Çocukluğundan beri ezbere tanıdığı geniş odalardan, hiç farkına varmadan geçti. Gölgeleri, dağın yamaçlarıymış gibi yayılmış kilimler üzerine vuran egzotik mobilyalar. Kusursuz beyaz duvarların üzerine çizik çizik uzanmak cesaretini gösteren çağdaş tablolar. Ve köşelerde alçak sehpaların ardında, nöbet tutan lüksler gibi, yumuşak bir ışık yayan lambalar.

Sybille ipeklerle ve tüllerle dolu aydınlık bir odada, boyalı ahşaptan bir yatak hazırlamıştı. Diane birden annesinin anneanne rolüne soyunmasından ürktü. Yine de ateşkesi sürdürmeyi seçti. Dekorasyon için annesini kutladı, Lucien'ı yatağına bıraktı. İki kadın kısa bir süre için de olsa, çocuğu seyirde birleşti.

Odadan çıkarken Sybille her zamanki konuşmalarına başlamıştı: yemekle ilgili uyarılar, kural hatırlatmaları. Diane dinlemiyordu. Salon kapısına geldiklerinde sarışın kadın durdu, kızının kıyafetini baştan aşağı süzdü. Endişesi yüzünden okunuyordu.

– Ne? dedi Diane.

Üzerinde çok kısa bir kazak, kalçalarının üzerinde asılı duran, bol bir pantolon ve sentetik tüylerden yapılma siyah bir yelek vardı.

– Ne? diye yineledi. Ne var?

– Hiç. Sadece seni bir bakanın karşısına oturttuğumu söylüyordum. Görevdeki bir bakan.

Diane omuzlarını silkti:

– Politika umurumda değil.

Sybille salonun kapısını açarken gülümsemekle yetindi:

– Tahrikçi gibi davran, komik ya da salak görün. Nasıl istiyorsan, öyle görün. Ama lütfen bir skandal çıkarma.

Konuklar kızıl toprak rengi koltuklara kurulmuş, aynı renkte içkiler yudumluyorlardı. Erkekler gri, yaşlı, gürültücü. Eşleri biraz geride, sessizce tartışıyorlar, aralarındaki yaş farkını timsah dolu su engelleri gibi değerlendiriyorlardı. Diane içini çekti; çok sıkıcı olacağı kesindi.

Yine de annesinin küçük takıntılarını neredeyse eğlenceli buldu. Bir yerlerden belli belirsiz -çılgın gençliğinden bu yana annesi hard rock ve free-jazz'dan başka bir şey dinlemezdi- bir Led Zeppelin duyuluyordu. Masaya bakınca, tabakların cam elyafından yapılmış olduğunu -Sybille'in metale karşı alerjisi vardı- gördü. Mönüye gelince, annesinin her yemekte kullandığı ballı bir tatlı-tuzlu olacağından emindi.

– Bebeğim! Gel beni bir öp!

Dudaklarında tebessüm, ellerini uzatmış üvey babasına doğru yürüdü. Kısa boylu, tıknaz Charles Helikian, mat cildi ve çember sakalıyla daha çok bir İran kralına benziyordu. Fırça gibi saçları kafatasının çevresinde bir hare gibi duruyor, koyu renk gözlerinin ilginç bir ahenkle buluştuğu portakal rengi bulutları andırıyordu. "Bebeğim"; başından beri Diane'a öyle sesleniyordu. Diane otuzuna merdiven dayamışken, neden "bebek"? Üstelik neden "benim", Charles'la karşılaştıklarında, Diane on dördüne bakmışken? Bilinmez. Dil inceliklerini çözmeye girişmedi, eğilmeden eliyle dostça bir işaret yaptı. Adam ısrar etmedi; üvey kızının temastan hoşlanmadığını biliyordu.

Masaya geçildi. Charles her zamanki gibi, konuşmayı ustaca yönlendiriyordu. Diane kısa süre sonra resmen üvey babası olacak, annesinin bu bilmem kaçıncı arkadaşını görür görmez hoşlanmıştı. Kendi mesleğinde, gerçek bir otoriteydi adam. Önce yönetim psikolojisiyle ilgili muayenehaneler kurmuş, daha sonra da büyük patronlara ve siyasî kişilere danışmanlık hizmetleri vermeye yönelmişti. Nasıl danışmanlıklar? Ne konuda? Diane bu işten hiçbir şey anlamıyordu. Charles'ın, müşterilerinin giyeceği takım elbisenin rengini mi seçtiğini, yoksa onların yerine işlerini mi yönettiğini bilmiyordu.

Aslında, bu meslek de bu başarı da önemsiz görünüyordu gözüne. Charles'ı insan özellikleri için seviyordu. Eski bir solcuyken, şimdi servetinden ve toplum içindeki yerinden kaynaklanan kendi çelişkilerini alaya almayı öğrenmişti. Bir yandan bu görkemli dairede otururken, öte yandan hayırsever söylemlerini sürdürüyor, halkın iradesini ve sosyal adaleti savunuyordu. XX. yüzyıl soykırımlarının, baskılarının çoğunun nedeni de olsa, "sınıfsız toplum" ya da "proletarya diktatörlüğü" gibi kavramları yüceltmekten çekinmiyordu. Bu lanetli kavramlar ancak Charles Helikian'ın ağzında gerçek anlamlarına kavuşuyordu sanki. Kuşkusuz Charles yolunu ve yordamını bildiği, yüreğinin derinliklerinde hiç dokunulmamış bir iman, bir samimiyet, bir ışık sakladığı için.

Diane kendi tatmadığı, annesinin kuşağını harekete geçiren bu idealler için gizli bir nostalji duymuştu hep. Ömründe tek bir sigaraya dokunmamış bile olsa, tütünün seçkin kokusundan hoşlanan biri gibi. Katliamlara, baskılara, adaletsizliklere rağmen, devrimci ütopya karşısında duyduğu o esrarlı hayranlıktan kurtulamıyordu. Charles kızıl sosyalizmi engizisyonla karşılaştırdığında, insanların en güzel umutlarını çalıp, bu umuttan tapınılacak bir korku yarattıklarını söylediğinde, bir zamanların ciddi kız çocuğu gibi, gözlerini kocaman açıp dinliyordu.

O gece konuşmalar İnternet iletişim sisteminin sonsuz, ışıklı ve sınır tanımaz geleceği çevresinde dönüyordu. Charles aynı fikirde değildi; teknolojinin parıltılı cilası altında, insanların gerçekle ve insanî değerlerle temasını koparıp onları daha fazla tüketmeye itecek yeni bir yöntem gizlendiği düşüncesindeydi.

Masanın çevresinde, konuklar onaylıyordu Charles'ı. Diane gözlerini konuklardan ayırmadı. Charles gibi bu patronlar, bu siyasî kişiler de İnternet'e, onun çıldırtıcı etkisine zerre kadar aldırmıyorlardı. Buraya keyif için gelmişlerdi; alışılmadık görüşlerin tutkuyla açıklandığını duymak, onlara gençliklerini, öfkelerini hatırlatan o puro içicisinin tatlı sözlerini dinlemek, güler yüzünü görmek için.

Bakan, birden doğruca Diane'a döndü:

– Anneniz etolog olduğunuzu söyledi.

Adamın çarpık bir tebessümü, kemerli bir burnu ve Japon yosunları gibi hareketli gözleri vardı. Diane cevap verdi:

– Doğru.

Politikacı, sanki bağışlamalarını bekliyormuşçasına, diğer konuklara bakıp, gülümsedi:

– İtiraf etmeliyim ki, etolojinin ne olduğunu bilmiyorum.

Diane bakışlarını indirdi. Kızardığını hissediyordu. Kolu masanın köşesine çapraz olarak uzanmıştı. Heyecansız bir sesle açıkladı:

– Etoloji hayvan davranışları bilimidir.

– Hangilerini inceliyorsunuz?

– Vahşi hayvanları. Sürüngenleri. Leş yiyicileri. Genel olarak, yırtıcıları.

– Çevre olarak... pek kadınca bir ortam değil.

Bakışlarını kaldırdı. Bütün gözler onun üzerindeydi.

– Hayvanına göre değişir. Örneğin aslanlarda, sadece dişi avlanır. Erkek, yavruları öteki sürülerin aslanlarından korumak için, yuvada kalır. Dişi aslan hiç kuşkusuz tüm savananın en ölümcül yaratığıdır.

– Bütün bunlar çok iç karartıcı...

Diane bir yudum şampanya içti.

– Tam tersine. Hayatın bir parçası, sadece.

Bakan gırtlaktan güldü:

– Şu hayatın ölümle beslendiği klişesi yine...

– Diğerleri gibi bir klişe sadece; kendini kanıtlamak için, fırsat kollayan bir klişe.

Bu sözleri uzunca bir sessizlik izledi. Sybille paniğe kapıldı, bir kahkaha attı:

– Bütün bunlar, tatlının tadına bakmanızı engellemeyecek ya!

Diane anasına alaycı gözlerle baktı, Sybille'in yüzünde asabi bir tik gördü. Tabaklar, küçük kaşıklar elden ele geçirildi. Ne var ki politikacı elini kaldırdı:

– Son bir soru?

Masadakiler donup kaldı. Diane adamın diğerleri için tüm yemek boyunca bakan olmayı sürdürdüğünü anladı. Gözlerini genç kadına dikerek, sözlerine devam etti bakan:

– Burnunuzdaki altın halka, anlamı ne?

Diane anlaşılmayacak bir şey yok demek istercesine ellerini yana açtı. Dövülmüş gümüşten yüzükleri mumların ışığını yansıttı.

– Kalabalığın arasında kaybolmak için, herhalde.

Sağında oturan bakan karısı, iki şamdan arasından eğildi:
– Aynı kalabalığa ait değiliz herhalde!
Diane kadehini boşalttı. Gereğinden çok içtiğini ancak o zaman anladı. Siyasetçiye döndü:
– Birçok zebra çeşidi içinde, sadece birkaçı çok yaygındır. Hangileri, biliyor musunuz?
– Hayır, tabiî bilmiyorum.
– Tüm vücudu çizgilerle kaplı olanlar. Ötekilerin nesli tükendi; kamuflajları, otların içinde koştukları zaman gözü yanıltmaya yeterli değildi.
Bakan şaşkınlığını belli etti:
– Bunun halkanızla ne ilgisi var? Ne demek istiyorsunuz?
– Demek istiyorum ki, işe yaraması için, kamuflajın eksiksiz olması gerekir.
Ayağa kalktı, ucunda parıltılı bir kürenin sallandığı altın bir çubukla delinmiş göbek deliğini gösterdi. Adam iskemlesinin üzerinde kıpırdanarak gülümsedi. Karısının yüzü asıldı, gölgeye çekildi. Masanın çevresini rahatsız bir mırıltı kapladı.

Diane artık holdeydi. Polar yünden bir battaniyeye sarılmış Lucien hâlâ uyuyordu.
– Sen delisin. Sadece deli.
Annesi alçak sesle konuşuyordu. Diane kapıyı açtı.
– Ne dedim ki?
– Bunlar önemli insanlar. Seni masalarına kabul ediyorlar, oysa...
– Yanılıyorsun, anne. Onları masama kabul eden benim. Bu gece bir aile yemeği yiyeceğimizi söylemiştin, değil mi?
Sybille başıyla hayır işareti yaptı, sarsılmıştı. Diane devam etti:
– Aile yemeği yeseydik, birbirimize diyecek ne bulacağımızı merak etmiyor da değilim ya...
Anne sarı perçemleriyle oynuyordu.
– Konuşmamız gerek. Bir öğlen yemeği...
– Tamam. Bir öğlen. Hoşça kal.
Sahanlıkta, duvara dayandı, karanlıkta birkaç saniye bekledi. Şimdi nefes alabiliyordu. Çocuğunun ılık vücudunu hissediyor, bu temas onu rahatlatıyordu. Yeni bir karar al-

dı. Lucien'ı bu sahte ve abartılı dünyadan uzak tutmak zorundaydı. Daha da önemlisi, bu görkemli akşam davetlerinden de saçma olan kendi öfkelerinden.

– Görebilir miyim?

Charles kapının aydınlığında duruyordu. Uyuyan yüzü görmek için yaklaştı.

– Çok güzel.

Erkeğin kokusunu soludu: seçkin parfüm ile puro karışımı. İçindeki rahatsızlık kaybolmaya başladı.

Charles elini Lucien'ın saçlarından geçirdi.

– Sonunda sana benzeyecek.

Diane homurdanarak merdivene yöneldi.

– Tamam. Merdivenden ineceğim. Asansörlere dayanamıyorum.

– Dur.

Charles onu birden kollarına aldı, yüzünü dudaklarına doğru çekti. Geri çekilmekte geç kaldı Diane; adamın dudakları kendininkilere değmişti. Bir anda, içini bastırılmaz bir iğrenme kapladı.

Gözleri yuvalarından fırlamış bir durumda, ilk birkaç basamağı geri geri indi. Charles sahanlıkta hareketsiz duruyordu. Sesi bir soluk gibi:

– Sana iyi şanslar diliyorum, bebeğim.

Diane, bir örümcekten daha hafif, merdivenlere kaçtı.

Yedinci kısım

Tünel ışıkları bir çağlayan hızıyla akıp gidiyordu.

Diane bilimkurgu filmlerini hatırladı. Aydınlık yer altı yollarındaki kovalamacaları. Işınlar çıkaran silahları. Çevre yoluna çıkan bulvarın en sol şeridinde, gazı köklemiş, gidiyordu. Düşünceleri alkolün etkisiyle sisli.

Gerçekle tek bağı, elindeki bu direksiyon simidiydi sanki. Arabası Toyota Landcruiser'dı. Bir Afrika görevi sonunda verilen kocaman bir 4 x 4. Kafesli portbagajlarla süslü, saatte yüz yirmiyi geçememesine rağmen, tutkuyla sevdiği eski bir araba.

Tünelden fırladığında, yağmur damlalarının kaputta madenî tıkırtılar çıkardığını duydu. İçgüdüyle, dikiz aynasından Lucien'a baktı. Aynayı, çocuğu görecek şekilde ayarlamıştı. Çocuk arkada bağlı yüksek koltuğunda, hareketsiz uyuyordu.

Dikkatini yola verdi. Her zamanki şekilde Auteuil Kapısı'ndan çevre yoluna sapmış, Maillot Kapısı'na doğru gidiyordu. Belki daha uzun sürecek bir yoldu bu ama, on altıncı bölgenin kalabalığından kaçınmaya bakıyordu hep. Üvey babası belki bin kez hangi yoldan gitmesi gerektiğini anlatmaya çalışmıştı. Belki de bin kez, önerdiği yolu sonuna kadar dinlemekten sıkılmıştı. Öyle zamanlarda Charles gürültülü bir kahkaha atar, yol tarifinden vazgeçerdi.

Charles.

O öpücük hikâyesi de neyin nesiydi? Gözlerinin önündeki görüntüyü tıpkı tükürür gibi kovdu, dikkatini yağmurla ıslanmış yola verdi. Neden böyle yaptı ki? Yine o eksantrik davranışlarından biri mi? Başkasında gördüğü bir şey mi? Hayır, o öpücük her zamanki zarafet çabalarından değildi. Başka bir anlamı vardı mutlaka. Üstelik ilk kez böyle sarılıyordu.

Yağmur sağanakları ön cama şiddetle vuruyordu. Görüş mesafesi neredeyse sıfır. Sileceklerin hızını artırmaya çalıştı. Boşuna. Dikiz aynasına bir göz attı. Lucien hâlâ uyuyordu. Sodyum buharlı lambalarının portakalımsı ışıkları, yüzünde çizgiler oluşturuyordu. Gördüğünden rahatladı. Bu küçük çocuk kaderini mühürlüyordu. Hiç bilmediği bir güç veriyordu ona. Hayatında daha önemli bir şey yoktu artık.

Gözünü yeniden yola çevirdiğinde, korku tüm benliğini sardı.

Kocaman bir kamyon sağanağın koca damlalarının arasında, dört şeridi de kaplayacak şekilde, kontrolsüz yalpalıyordu.

Diane frene bastı. Kamyon ortadaki bariyerlere çarptı, tiz bir sesle metal parçalar kopardı. Kasa öteki şeritler üzerine kayarken, şoför mahalli şiddetle sarsıldı. Kamyonun ön tarafı neredeyse eksiksiz bir daire çizdi, bu kez sağ kapı boyunca bariyerlere sürtündü. Canavarın farları kargaşayı süpürürcesine aydınlatırken, kıvılcımlarla karışık metal çatırtılar yağmurun altında yayıldı.

Diane haykırmak istedi, ama çığlığı gırtlağında takıldı, kaldı. Yine frene bastı, ama bu kez yavaşlama, sınırsız bir hızlanmaya dönüştü. Diane donmuştu. Arabasının tekerlekleri kilitlenmiş, yol tutuşunu tümden yitirerek, olanca hızıyla kaymaya başlamıştı. Kamyon inanılmaz bir hızla dönüyor, dönüyordu.

Toyota canavarın birkaç metre ötesindeydi sadece. Yine frene bastı. Küçük darbelerle suda kaymayı engellemeye çalıştı. Yapacak bir şey yoktu; hızı giderek artıyordu. Oysa o an hiç bitmeyecekmiş gibiydi.

Birden demirden yapılmış duvara çarptığını gördü. Deyim yerindeyse, şoka girerken izledi kendini. Demir yığınına, kamyona saplanırken. Kendini kandan, etten ve demirden bir çamur içinde parçalanmış, ölü gördü.

Sonunda gırtlağından bir çığlık çıktı. Direksiyonu hızla sola çevirdi.

Arabası parçalanmış bariyerlere saplandı. Darbe Diane'ın soluğunu kesti. Kafasını dikiz aynasına çarptı. Aynı anda, içinde bir ışık topu patlarken, her şey karanlığa gömüldü. Bir süre daha. Çizgisiz, devamsız bir org notası. Diane öksürdü, hıçkırdı, kanlı balgamlar tükürdü. Belli belirsiz anladı, vücudu anladı: hâlâ hayattaydı.

Gözlerini açtı. Ona doğru uzanan şeffaf kütle arabanın tavanının yırtılması nedeniyle ezilmiş ön camdan başka bir şey değildi. Kafasını hareket ettirmeye çalıştı, cam parçacıklarından bir nehir yarattı. Çarpma sırasında iç bagajdan kopan kapak fırlamış, kafasını bir demir halka gibi kıstırmıştı. Ağrılarının içinden, yeni bir korkunun yükseldiğini hissetti. Anlayamadığı bir şey vardı; ön cam patlamamıştı. Bütün bu cam kırıkları nereden gelmişti peki?

İlk bilinçli düşüncesi Lucien oldu. Güçlükle arkasına döndü, donup kaldı; çocuğun koltuğu boştu.

Oturduğu yerde, koltuğu ıslatan kan lekeleri ve binlerce şeffaf parçacık. Kırık camdan giren yağmur damlaları küçük ayıcıklarla süslü koltuk döşemesini ıslatıyordu. Bereli ellerini uzatıp el yordamıyla gözlüğünü buldu. Darbeden camları yıldız yıldız olmuştu, ama dehşeti açıkça gösterdi gözlüğü: çocuk arabada değildi. Çarpmanın şiddetiyle yan camdan dışarı fırlamıştı.

Diane emniyet kemerinden kurtulmayı başardı. Omzunu kapıya dayayıp dışarı çıktı. Çıkar çıkmaz yerdeki su birikintisine basıp düştü, ceketini bariyerin kenarına takıp yırttı. Tüm şaşkınlığına rağmen, ıslak çimi tanıdı, yanık yağ kokusunu soludu. Ayağa kalktı, topallayarak yola doğru yürüdü. Otomobil farları gecenin karanlığını yırtıyordu. Klaksonlardan baş döndürücü bir gürültü çıkıyordu. Gördüklerinden bir şey çıkaramadı. Asfaltın üzerinde, farların ışığında gökkuşağı gibi yalımlanan benzin birikintilerinin dışında.

Yine sendeledi, cehennemin kalıntılarına takıldı. Ters bir "V" harfi gibi, tüm yolu kaplayan kamyon. Yağmurun altında şaklayan tentesinin üzerinde, çalıştığı şirketin cırtlak logosu. Şoför mahallinden devrilircesine inen, başını ellerinin arasına almış, kolları kan içinde, şoför. Ama Lucien'ı göremiyordu. Çocuktan en ufak bir iz bile yoktu.

Kamyonun kasasına biraz daha yaklaştı. Birden durdu. Birkaç metre ötede, çocuğun ayakkabılarından birini -kırmızı bir tenis ayakkabısı- gördü. Oradaydı. Kasanın bağlantı yerinde, kopuk kabloların ve sislerin arasında. Şimdi artık bütün ayrıntıları görebiliyordu. Koyu bir birikintinin içindeki küçük kafatasını, göğsüne kadar demir yığınına saplanmış vücudu, benzine ve yağmura bulanmış, polar yünden battaniyeyi... Bütün gücünü toplayıp ilerledi.

– Gitmeyin oraya...

Bir el omzuna yapışmıştı.

– Gitmeyin. Görmemelisiniz.

Diane adama baktı, anlamadan baktı. Solundan başka bir ses duydu:

– Artık bir şey yapamazsınız, Madam...

Her tını yağmurun şakırdamasına kapılıp eriyordu. Kelimelerin anlamını kavrayamadı. Yeni bir ses:

– Her şeyi gördüm... Aman Tanrım... Size bir şey olmaması bir mucize... Bunu emniyet kemerinize borçlusunuz...

Diane bu kez söylenenleri anladı. Onu tutan ellerden kurtuldu ve arabasına döndü. Yakıcı karosere dayanarak otomobilin arkasına dolandı, Toyota'nın sağ arka kapısına ulaştı. Tüm gücüyle asılarak, açmayı başardı. Üzeri cam tozuyla kaplı yüksek çocuk koltuğunu inceledi.

Polikarbon kayış, koltuğun yanında duruyordu, el değmemişçesine.

Diane Lucien'ın kemerini bağlamamıştı.

Dikkatsizliğiyle, çocuğunun ölmesine neden olmuştu.

İçinde fırtınalar koptu. Şimşekler. Elektrik yüklü bir gayya kuyusu.

Asfalt yükseldi; dizlerinin üzerine düşen oydu.

Hiçbir düşüncesi, hiçbir bilinci, hiçbir şeyi kalmamıştı. İki yumruğunu yüzüne vurdukça yüzüklerinin kana ve yağmur suyuna karışan sesinden başka bir şey duymuyordu.

Sekizinci kısım

Reanimasyon odası, öteki odaların şeffaf duvarlarıyla bölünmüş koridora bakan camlı üç duvardan oluşuyordu. Diane karanlıkta oturuyordu. Üzerinde bir önlük, başında steril bir bone, yüzünde bir maske, krom yatağın karşısında hareketsizdi. Sanki yatağın denetimindeymiş gibi. İçinde Lucien'ın yattığı kablolar ve karmakarışık aletlerle donanmış metal askının kontrolündeymiş gibi.

Çocuğun solukborusuna, bir ucu sunî solunum cihazına bağlı bir sonda takılmıştı. Diane'a anlatılanlara göre, sağ eline taktıkları serum hortumu, yirmi dört saat boyunca dozajı dakikada mililitre olarak ayarlanabilen bir şırınga sistemine bağlıydı. Sol kolundaki sonda tansiyonunu algılıyor, ucu karanlıkta zümrüt gibi parlayan pens de parmaklardan birinden "oksijen doygunluğu" tepkisini ölçüyordu.

Diane çarşafların altında bir yerdeki elektrotların da yüreğinin vuruşlarını izlediğini biliyordu. Kafatasındaki kalın sargıların altındaki iki dreni de göremiyordu; görmemesi de gerekirdi zaten. Gözleri bir refleksle, yatağın solundaki ekrana çevrildi. Işıltılı yeşil sayılar ve dalgalar komadaki çocuğun fizyolojik faaliyetlerini rapor ediyordu.

Onlara bakarken, hep bir kiliseyi hatırlıyordu Diane. İkonaların, kudasın, mumların soluk parıltılar saçtığı bir düşünme ve tutku mekânı... Parıltılı eğriler, kuvars sayılar, onun mumlarıydı. Bütün umutlarını, dualarını sığdırdığı adak kıvılcımları.

Neredeyse tüm hayatını Necker Hastanesi'nin Çocuk Hastalıkları Beyin Cerrahisi Bölümü'nün bu servisinde geçirir olmuştu. Kazadan beri neredeyse hiç uyumamış, hiçbir şey yememiş, tek yudum bir şey içmemişti. Bir sakinleştirici bile almamıştı. Hâlâ ve durmaksızın, kafasındaki en küçük ayrıntıları hatırlamaya çalışıyordu; kazadan sonraki her dakikayı, her hareketi.

İlkyardım aracının gelişi umutsuzluk krizini dondurmuştu.

İşte o anda, dövünmeyi kesti, durmuş otomobil kaosunda sirenleri çığlık çığlığa kendine yol bulmaya çalışarak ilerleyen itfaiye aracına baktı. Kırmızı. Krom. Metal aletlerle dolu. Yangın kıyafetleriyle itfaiyeciler kamyondan fırlarken, acil durum şeridinde, üzerinde polis logosu bulunan bir acil müdahale otomobili göründü. Memurlar trafiği düzenlemeye koyuldu. Portakal renkli, fosforlu tulumlarıyla asfaltı temizlediler, otomobilleri -kamyonun kaplamadığı- en sağ şeride yönlendirdiler.

Diane Toyota'nın yanında, ayağa kalkmıştı. İtfaiyeciler onu özensizce bir kenara çektiler, sonra arabasını karbonlu bir köpüğe boğdular. Şaşkındı, çevresini giderek artan sayıda otomobil sürücüsünün, mırıltının, yağmur gürültüsünün sardığını hissediyordu. Ne var ki, vicdanını döven kendi sözleri dışında, başka hiçbir şey duymuyordu: "Çocuğumu öldürdüm. Çocuğumu öldürdüm..."

Kamyona doğru döndü, tünelin ışıklarının içinden geçen kukuletalı siluetlerin arasında, çocuğunun saplandığı bölümden uzaklaşan, deri giyimli bir adam gördü. İçinden gelen dürtüyle, yaklaştı. İtfaiye aracının sürücü mahalline uzanarak telsiz mikrofonunu çekti, aldı. Diane adama birkaç adım yaklaştığında, elde telsiz, bağırdığını duydu:

– Burası iç çevre yolu itfaiyesi, Passy Kapısı... Sağlık birimi ne cehennemde?

Diane ince yağmur damlalarına aldırmadı. Adam böğürüyordu:

– Bir kazazede var. Bir çocuk. Evet... Nefes alıyor ama...

İtfaiyeci cümlesini tamamlamadı. Mikrofonu fırlatıp, bardaktan boşanırcasına yağan yağmurun altında yaklaşan kamyonete koştu. Diane karoser üzerinde parlayan harfleri heceledi: "SAMU de Paris, SMUR, Necker 01". Her şey bir anda tersine döndü. Bir saniye önce, donmuş, içi boşalmış, havada asılıydı, ölü gibi. Oysa şimdi her ayrıntıyı yürek çarpıntısıyla izliyor, sırtlarında kocaman çantalarla koşuşturan SAMU görevlilerine bakıyordu. Bir umut. Umut vardı.

Peşlerine takıldı, polis kordonunun çevresinden dolanmayı başardı. Kazayı yapan kamyonun şoför mahalline olabildiğince sokulup büzüldü. Asfalta yayılan geniş yağ ve benzin birikintisi, yağmur sularına karışmıyordu bir türlü. Işıldakların portakal renkli puslu görüntüsü birikintinin yüzeyini çizik çizik bozuyordu. Herkes aynı noktanın üzerine eğilmişti. Diane çocuğunu göremiyordu artık.

Yaklaştı, daha iyi bakmaya zorladı kendini. Vücudu titriyordu, ama içinden gelen bir direnç benliğini denetliyor, daha iyi bakmaya zorluyordu. Sonunda, narin gölgeyi seçebildi. Kopkoyu bir birikintinin içindeki yaralı kafayı görünce, bacakları onu daha fazla taşıyamadı. Kopmuş saçların arasında, açıkta kalmış etini gördü. Bir dizinin üstüne yığıldı, yerdeyken kamyonun şasisi altına, Lucien'ın yanına çömelmiş birini gördü. Elindeki mikrofona bağırıyordu:

– Tamam. Elimde bir beyin ezilmesi var. Sanırım, iki taraflı. Evet. Acilen bir çocuk doktoruna ihtiyacım var. Acilen. Not alıyor musunuz?

Diane dudaklarını ısırıyordu. Kelimeler beynine kazınıyordu. Doktor çelik yığının altından çıktı. Beyaz önlüğü parkasının altından sarkıyordu.

– Koma, evet... Glasgow skalası...

Şimşek gibi bir hareketle çocuğun gözlerini açtı, boynuna dokundu, nabzına baktı:

– ... dört.

Yine çocuğun gözlerini araladı:

– Tekrar ediyorum; Glasgow skalası dört. Çocuk doktoru yola çıktı mı?

Lucien'ın sağ kolunu hızla inceleyerek ekledi:

– Sağ dirsekte açık bir kırık da var. (Kanlı saçlara dokundu) kafa derisinde bir yara. Önemli değil. Bilançonun devamı, on dakika sonra.

Yanındaki hastabakıcı sırt çantasının cırt cırtlı kapağını açıyor, bir diğeri de çocuk ile eğilmiş saclar arasına katlanmış battaniyeler yerleştiriyordu. İtfaiyeciler çocuğu yağmurdan korumak için plastik tenteler geriyordu. Kimse Diane'ın farkında bile değildi.

Doktor bir yandan büyük bir dikkatle Lucien'ın boynunu açarken, bir yandan da çocuğun çenesini ovuşturuyordu. Hastabakıcılardan biri ensenin altına bir minerva yerleştirdi. Doktor kararlı bir hareketle minervayı kilitledi.

– Tamam. Sunî teneffüs.

Elinde yarısaydam bir hortum belirdi, zaman geçirmeden hortumu yarı açık ağızdan içeri itti. İkinci hastabakıcı Lucien'ın sol eline sondayı saplamıştı bile. Bu adamlar acilliğin ve deneyimin koşullanmış refleksleriyle hareket ediyor gibiydiler.

– Siz orada ne yapıyorsunuz?

Diane bakışlarını kaldırdı. Doktor yağmurun gerisinden, bakışındaki anlamı önceden kestirmişçesine, gözbebeğindeki umutsuzluğu sezmişçesine, ağzını açmasına fırsat vermedi.

– Kaç yaşında? diye sordu.

Anlaşılmaz bir cümle çıkardı, sonra daha güçlü konuşarak, tentedeki yağmur sesini bastırdı:

– Altı ya da yedi.

– Altı ya da yedi mi? diye kükredi doktor. Benimle dalga mı geçiyorsunuz?

– Onu evlat edindim. Yeni... yeni evlat edindim. Birkaç hafta önce.

Adam ağzını bir kez daha açtı, durakladı, sonra cevap vermemeyi yeğledi. Lucien'ın ceketinin düğmelerini çözdü, kazağını kaldırdı. Diane karnından bir darbe yemiş gibi oldu. Göğsü simsiyahtı. Bu siyahlığın kanla ilgisi olmadığını anlaması için, birkaç saniye gerekti; yağdı sadece. Doktor bir gazlıbez aldı, göğüs kafesini temizledi. Bakışlarını kaldırmadan, sordu:

– Evveliyatı ne?

– Ne dediniz?

Çıplak göğsün üzerine yapışkan düğmeler yerleştiriyordu. Homurdandı:

– Hastalıklar? Sağlık sorunları?

– Yok.

Düğmelerin üzerine elektrotların penslerini kıstırdı.

– Tetanos aşısı yaptırdınız mı?

– Evet. İki hafta önce.

İkinci hastabakıcı doktorun uzattığı kabloları aldı, zaman geçirmeden üstü siyah sacla kaplı bir kutunun arkasına soktu. Doktor küçük çocuğun pazısına tansiyon aletini takmıştı bile. Bir bip sesi. Hastabakıcıya başka kablolar uzattı, yeni kablolar başka bir kutuya bağlandı.

Tentenin altında bir itfaiyeci göründü. Elinde kocaman eldivenler, üzerinde de müflonlu bir parka vardı. Onun arkasında, geri geri gelen, usulca yaklaşan bir kamyon. Yan tarafında ENKAZ KURTARMA. Yanında, ellerinde barbar aletler, hava hortumları, tekerlekli hidrolik krikolar taşıyan, iten bir kalabalık. Yangın söndürme aletleriyle, hortumlarla ve tüplerle gelmiş, yarım daire biçiminde dizilen başkaları. Gerçek bir saldırı başlangıcı.

– Başlıyor muyuz?

Yüzü terden sırılsıklam doktor cevap vermedi. Yeni bir yırtılma sesi duyuldu. Bir hastabakıcının elinde bir ekran belirdi. Yeşil ışıklar yanıp söndü: eğriler, sayılar. Diane için, sanki imkânsız olan gerçekleşiyormuş gibiydi. Hayatın dili, monitörde salınıyordu.

Lucien'ın hayatı.

İtfaiyeci haykırdı:

– Allah kahretsin, başlıyor muyuz, başlamıyor muyuz?

Doktor gözlerini parkası müflonlu itfaiyeciye çevirdi:

– Hayır, başlamıyoruz. Çocuk doktorunu bekliyoruz.

– İmkânsız. (Yerde parlayan benzini gösterdi.) Bir iki dakika sonra hepimiz...

– Geldim.

Tentenin altına yeni biri süzülmüştü. Saçları darmadağınık, yüzü bembeyaz, birinci doktordan da kötü giyimli biri. İki hekim kısaltmalardan ve başharflerden oluşan bir konuşmaya daldı. Çocuk doktoru Lucien'ın üzerine eğildi, gözkapağını araladı:

– Allah kahretsin!

– Ne var?

– Midriyaz. Gözbebeği büyümüş.

İki adamın arasında kısa bir sessizlik. İtfaiyeci topuklarının üzerinde döndü. Mekanik aletler gözle görünür biçimde yaklaşıyordu.

– Tamam, dedi sonunda yeni gelen. Genel uyuşturma. Bir PontoCelo. Telsiz nerede?

Birinci doktor ile hastabakıcılar hareketlenirken, mikrofonu aldı, telsizdeki seslere katıldı:

– İç çevre yolu üzerinde son durum. Beyin cerrahisinde ameliyat masası hazır olsun. Güçlü bir ekstradüral hematom kuşkusu. Tekrar ediyorum; her iki yarımkürede de HED! (Bir süre.) Nöroşirürjik bir zedelenme ve beyne darbe... (Yine bir sessizlik.) Nereden bileyim, canım! Midriyaz başladı bile, hepsi bu. Allah kahretsin! Bir çocuktan bahsediyorum. Yedi yaşında. Daguerre. Ameliyathanede Daguerre'i istiyorum! Başka kimseyi değil!

İtfaiyeci yeniden göründü. Başıyla kabul işareti yaptı. Birkaç saniyede, yepyeni bir örgütlenme gerçekleşti. Hastabakıcılar çocuğu keçe örtülerle, bez minderlerle kuşattı. Daha ötede, kriko kolları kamyonun şasisinin altına giriyordu.

– Buradan çıkmak gerek, dedi soluk soluğa birinci doktor Diane'a.

Adama baktı, beyni bomboş, sersemce kafasını salladı. Lucien'a son bir kez baktığında gördüğü, tahtalarla ve örtülerle çevrilmiş, gözlerinde kumaşlarla beslenmiş bir gözlük olan bir gölgeydi.

Odayı tiz bir ses doldurdu. Diane sıçradı. Birkaç saniye sonra, bir hemşire göründü. Genç kadına tek bir kez bile bakmadan, metal ayağa yeni bir sodyum klorür torbası asıp, damara giden tüpe bağladı.

– Saat kaç?

Hemşire döndü. Diane sorusunu yineledi:

– Saat kaç?

– Gecenin dokuzu. Çoktan gittiniz sanıyordum, Bayan Thiberge.

Başını belli belirsiz salladı, sonra gözlerini yumdu. Sanki en ufak bir dinlenmeye hakkı yokmuş gibi, gözkapakları yanmaya başladı. Gözlerini yeniden açtığında, hemşire kaybolmuştu.

Anıları yine şimdiki zamandan kopardı Diane'ı.

– Büroma gitmek istemediğinizden emin misiniz?

Diane negatoskop bölmesinin yanında duran Doktor Eric Daguerre'e bakıyordu. Işıklı panonun üzerinde Lucien'ın beyninin röntgenleri, scanner'ları sıralanmıştı. Aynı görüntüler, cerrahın yüzüne yansıyordu.

Başıyla hayır deyip, belli belirsiniz bir sesle sordu:

– Nasıl geçti?

Müdahale üç saatten fazla sürmüştü. Doktor ellerini önlüğünün ceplerine soktu.

– Elimizden geleni yaptık.

– Lütfen, Doktor. Bana kesin bir cevap verin.

Daguerre gözlerini ondan ayırmıyordu. Herkes aynı şeyi söylüyordu. Necker Hastanesi'nin en iyi beyin cerrahı. Komanın dönüşü olmayan kıyılarından onlarca çocuğu alıp getiren bir virtüöz. Söze girişti:

– Oğlunuzun bir ekstradüral hematomu vardı. Sağ yarımkürede bir kan birikmesi. (Röntgenlerden birinin üzerinde, söz konusu bölgeyi gösterdi.) Hematoma erişmek için, şakağını açtık. Bütün o bölgedeki pıhtılaşmış, katılaşmış kanı emdik. Hemostaz dedikleri. Yarayı kapatırken, kalan kanı boşaltmak için emici bir dren bıraktık. Bu açıdan, her şey istediğimiz gibi oldu.

– Bu açıdan mı?

Daguerre ışıklı cama yaklaştı. Kesin olarak yaşını tahmin etmek imkânsızdı; otuz ile elli arasında. Keskin hatlı yüzü aşırı derecede solgundu ama, bu solukluk bir hastalık çağrıştırmıyordu. Tam tersine, bir çeşit ışık gibi. Tüm yüzünden yayılan, kesin bir aydınlık. İşaret parmağıyla beynin iki yarısını gösterdi:

– Lucien'ın bir derdi daha var. Çift taraflı bir ezik. Fazla bir müdahalede bulunamayacağımız bir şey bu.

– Beyninin bazı bölümleri zarar mı gördü?

Doktor belirsiz bir hareket yaptı.

– Söylemesi imkânsız. Şimdilik, başka bir sorunumuz var. Vücudun herhangi bir başka yeri gibi, darbe alınca beyin de şişme eğilimi gösterir. Oysa kafatası, kapalı bir kutudur; en ufak bir genişlemeye izin vermez. Eğer beyin kemiklere aşırı bir güçle dayanırsa, hayatî işlevlerini yerine getiremez. Buna beyin ölümü denir.

Diane masaya dayandı. Röntgenlerin mavimsi parıltıları, doktorun yüz hatlarında yansıyordu. Neonların da artırdığı sıcaklık, dayanılır gibi değildi.

– Ve siz... siz bir şey yapamaz mısınız?

– Kafatasının altına, beyin basıncını sürekli olarak denetlememize imkân verecek ikinci bir dren yerleştirdik. Eğer basınç daha artarsa, dreni açıp, beyin-omurilik sıvısının birkaç mililitresini boşaltırız. Beyni rahatlatmanın başka bir yolu yok.

– İyi ama, beyin de sonsuza dek genişlemez ya?

– Hayır. Krizler hafifler, sonra kaybolur. İşler normale dönene kadar, krizleri yönetmek bize düşüyor.

– Doktor, dürüst olun. Lucien... neyse, bundan kurtulabilir mi? Bilinci açılabilir mi?

Yine anlaşılmaz bir hareket.

– Eğer beyin içi basınç çabuk düşerse, kazandık sayılır. Ama eğer genişleme sıkça tekrarlanırsa, yapacak bir şeyimiz yok. Beyin ölümünün önüne geçemeyiz.

Bir sessizlik oldu. Daguerre son sözü söyledi:

– Beklemek gerek.

Dokuz gündür, bekliyordu Diane.

Dokuz günden beri, her akşam, sonunda evine dönüyor, bir yalnızlığı bırakıp, ötekine, Panthéon Meydanı yakınında, Valette Sokağı'nda, düzensizliğiyle sahibesinin iç dünyasını yansıtan dairesine gidiyordu.

Hastanenin ana avlusunu geçti. Binalarıyla, dükkânlarıyla, kilisesiyle, gerçek bir kente benziyordu hastane. Gündüzleri burada, binaların oluş nedenlerini –tedavi, hastalık, ölüme karşı savaş– neredeyse unutturacak yanıltıcı bir hareketlilik hüküm sürüyordu. Ama gece, derin sessizliğe ve yalnızlığa terk edilince, yapılar ölümlü koyuluğa kavuşuyor, endişeyle, hastalıklarla ve yok olmayla çok daha yakından kuşatılmış görünüyordu. Büyük kapıya giden yola saptı.

– Diane.

Durdu. Gözlerini kıstı.

Çimenleri aydınlatan lambanın ışığında, annesinin gölgesi.

Dokuzuncu kısım

– Şimdi nasıl? diye sordu Sybille Thiberge. Yukarı çıkıp bakabilir miyim?

– Nasıl istiyorsan, öyle yap.

Her zamanki gibi gösterişsiz topuzunun halelediği küçük gölge, fısıldar gibi sordu:

– Ne var? Geç mi kaldım? Beni daha önce mi bekliyordun?

Diane gözlerini Sybille'in ötesinde, çok uzaklardaki belirsiz bir noktaya dikmişti. Sonunda, boyunun bütün haşmetiyle -anasından en az yirmi santim daha uzundu- Sybille'in tepesinden bakarak konuştu:

– Ne düşündüğünü biliyorum.

– Ne düşünüyormuşum?

Farkında olmadan, sesini bir perde yükseltmişti. Diane açıkladı:

– Bu çocuğu hiç evlat edinmemem gerektiğini düşünüyorsun.

– Sana bu çözümü öneren, benim!

– Hayır, Charles'dı.

– Birlikte kararlaştırmıştık.

– Boş ver. O çocuğu yetiştirmek, mutlu etmeyi becermek bir yana, ölümüne neden olduğumu düşünüyorsun.

– Böyle konuşma.

Diane birden haykırmaya başladı:

– Söylediklerim doğru değil mi yoksa? Kemerini bağlamayan ben değil miyim? Bariyere çarpan?

– Kamyon şoförü uyuklamış. Kendi itiraf etti. Senin hiç suçun yok.

– Ya alkol? Charles alkol muayenesinin sonuçlarını hasır altı etmemiş olsaydı, çoktan zindana atılmış olurdum.

– Aman Tanrım, sesini alçalt.

Diane başını eğdi, alnını, şakaklarını kaplayan sargısına dokundu. Bacaklarındaki gücün çekildiğini hissediyordu. Açlık ve bitkinlik, dengesini temelden sarsıyordu. Annesiyle vedalaşmaya gerek bile duymadan ana girişe doğru yürümeye başlamıştı ki, birden geri döndü:

– Bir şeyi bilmeni istiyorum.

– Ne?

İki hastabakıcı bir yatağı iterek geçti. Yatağın üzerinde, koluna serum takılmış, ekose bir battaniyeye uzatılmış vücudun belli belirsiz görüntüsü.

– Bütün bunların, senin suçun olduğunu bilmeni istiyorum.

Sybille çatışmaya hazırlanıyormuşçasına, kollarını kavuşturdu.

– Söylemesi ne de kolay, dedi.

Diane sesini yeniden yükseltti:

– Benim neden bu durumda olduğumu kendine sordun mu hiç? Hayatımın neden böylesi bir enkaza dönüştüğünü?

Sybille alaycı bir sesle cevap verdi:

– Tabii ki hayır. On beş yıldan beri, kızımın çöküşünü izliyorum ama, gördüklerim beni hiç ilgilendirmiyor. Onu Paris'in bütün psikologlarına götürdüm ama, bu sadece görünüşü kurtarmak adınaydı. Onunla konuşmaya, içinde bulunduğu delikten çıkarmaya çalışıyorum ama, yalnızca vicdanımı rahatlatmak için. (Artık bağırmaya başlamıştı.) Yıllardan beri sende neyin eksik olduğunu bulmaya çalışıyorum! Bunu bana nasıl söylersin?

Diane alay eder gibi güldü:

– Başkalarına iyi bir anne olduğunu göstermek için.

– Ne diyorsun sen?

– Taş senin bahçende.

Yeni bir sessizlik oldu. Yapraklar karanlıkta hışırdıyordu.

Sybille huzursuz olduğu zaman hep yaptığı gibi, durmadan topuzuna dokunuyordu.

– Bunları yeterince söyledin, cicim, diye kestirip attı. Şimdi artık sadede gel.

Diane'ın başı dönmeye başladı. Sonunda geçmiş gün ışığına çıkacaktı.

– Senin yüzünden bu durumdayım, dedi soluk soluğa. Bencilliğin ve kendin dışındaki her şeye karşı duyduğun acımasız aşağılama yüzünden...

– Bana bunu nasıl söylersin? Seni tek başıma ben büyüttüm...

– Derin gerçeğinden söz ediyorum. Su yüzünde oynadığın rolden değil.

– Sen benim derin gerçeğimi ne bilirsin ki?

Diane'a kavurucu bir çelik tele tutunup yürüyormuş gibi geldi. Sözünü sürdürdü:

– Söylediklerimin kanıtı var...

Bir duraklama. Tehlike sinyalleri. Sybille'in sesi titredi:

– Kanıt mı? Ne kanıtı?

Diane yavaş konuşmaya çalıştı. Her hecenin hedefine varmasını istiyordu.

– Nathalie Ybert'in düğünü, 1983 haziranında. Her şey orada oldu.

– Hiçbir şey anlamıyorum. Neden bahsediyorsun?

– Hatırlamıyorsun, değil mi? Hiç şaşırmadım. Bir ay boyunca o düğün için hazırlandık, gözümüz düğünden başka bir şey görmüyordu. Sonra oraya varır varmaz, çekip bilmem nereye gittin. Beni orada, elbisemle, küçük ayakkabılarımla, genç kız düşlerimle öylece bırakıp gittin...

Sybille duyduklarına inanamıyormuş görünüyordu:

– Bu anlattıklarını hayal meyal hatırlıyorum.

Diane'ın içinde bir şeyler kırıldı. Yükseldiğini hissettiği gözyaşlarını hemen tuttu.

– Beni bırakıp gittin, Anne. Bırakıp kim bilir hangi herifle gittin...

– Charles'la gittim. Onunla o akşam tanıştım. (Ses yeniden yükseldi.) Demek özel hayatımı senin için feda etmemi istiyordun?

Diane inatla tekrarlıyordu:

– Beni bırakıp gittin. Beni öylece bırakıp gittin işte!

Sybille bir an için tereddüt etti, sonra kollarını açarak yaklaştı.

– Dinle, dedi sesini alçaltarak. Eğer seni kırdımsa, özür dilerim. Ben...

Diane geri çekildi:

– Sakın bana dokunma. Kimse bana dokunamaz.

O anda, başından geçeni annesine anlatmayacağını anladı. O gerçek, iki dudağının arasından hiç çıkmayacaktı. Buyurdu:

– Unut bunları.

Kendini çelikten daha sert hissetti. Bir zamanlar başından geçen korkunç olayın tek yararı buydu; giderek soğuk öfkeye, kendini kontrole dönüşmüş bir üzüntü, bir korku. Başıyla çocuk cerrahisi binasını, acil bölümünün hafif aydınlık pencerelerini işaret etti.

– Eğer hâlâ gözyaşın kaldıysa, ona sakla.

Topuklarının üzerinde döndüğünde, ağaç hışırtısının onu uğursuz bir manto gibi sardığını hissetti.

Onuncu kısım

Günler ve geceler birbirini izledi.

Diane artık ne günleri ne de geceleri sayıyordu. Günlük hayatın yeknesaklığını sadece Acil Servis'teki alarmlar bölüyordu. Annesiyle son kapışmasından beri, dört midriyaz gerçekleşmişti. Çocuğun gözbebekleri dört kez sabitleşmiş, sonun yakın olduğu haberini vermişti. Her krizde hekimler müdahale etmiş, beyin-omurilik sıvısından birkaç mililitre boşaltarak, beyni üzerindeki baskıdan kurtarmışlardı. Kısacası böylelikle en kötüsünü engellemişlerdi.

Doktorların dudaklarından çıkan kelimelere bağlı yaşıyordu Diane. En masum sözlerini bile yorumluyor, seslerindeki en ufak bir ton farkını hissediyor, böylesine bağımlı olduğu için de kendini suçluyordu. Zihnini sadece kafasındaki sorular dolduruyor, korkunç bir işkence gibi biteviye tekrarlanıp genç kadını hırpalıyordu. Çok az uyuyordu; çevresinden öylesine soyutlanmıştı ki, bazen gördüklerinin gerçek mi, yoksa düş mü olduğunu ayırt edemiyordu. Sağlığı gün geçtikçe bozuluyordu ama, hâlâ ilaç almayı reddediyordu. Aslında bu inadı onu uyuşturuyor, transa geçmiş gibi başını döndürüyor, artık bir umut kalmadığı gerçeğini görmesini önlüyordu. Lucien'ın hayatı artık sadece bir makine kalabalığına, duyarsız bir teknolojiye bağlıydı.

O hayatı bitirmek için, tek bir düğmeye basmak yeterliydi.

O gün, öğleden sonra üç sıralarında, kendi vücudunun

kontrolünü yitirdi. Diane çocuk bölümünün merdivenlerinde bayılıp düştü, sırtının üzerinde kayarak bir alt kata kadar yuvarlandı. Eric Daguerre damardan bir doz glikoz şırınga ettikten sonra, dinlenmek üzere eve gönderdi Diane'ı. Karşı çıkılmaz bir ses tonuyla.

Oysa aynı gece, saat ona gelirken, Diane yine Çocuk Beyin Cerrahisi Bölümü'nün kapısını itiyordu, inatla, hırs dolu, hasta; ama oradaydı işte. İçinde kötü bir his; Lucien son saatlerini yaşıyordu. Her ayrıntının bu gerçeği doğruladığını sanıyordu. Binanın içindeki havanın boğuculuğu. Giriş katında, yanmayan neonlar. Koridorda karşılaştığı hastabakıcının, kaçırmaya çalıştığını sandığı bakışları. Bu kadar işaret, bu kadar belirti: ölüm oradaydı, çok yakında, yanında.

İkinci katın bekleme odasına girip Daguerre'i gördüğünde, sezgisinin doğru olduğunu anladı. Doktor yaklaştı. Diane durdu.

– Ne oldu?

Cerrah tek kelime etmedi, genç kadını kolundan tutarak duvara vidalanmış bir dizi koltuğa doğru götürdü.

– Oturun.

Diane yığılırcasına otururken, dudaklarının arasından mırıldandı:

– Ne oluyor? Yoksa... yoksa bitti mi?

Eric Daguerre, Diane'la aynı hizada olmak için çömeldi.

– Sakin olun.

Diane'ın gözleri açıktı, ama görmüyordu. Boşluğun dışında hiçbir şey görmüyordu. Baktığı bir görüntü değildi; tam tersine, bir görüntüsüzlük, bir boyutsuzluk. Hayatında ilk kez, bir sonraki ana geçemediğini, bir sonraki saniyeyi düşünemediğini hissetti. Artık Diane da ölüydü.

– Diane, bana bakın.

Gözlerini cerrahın kemikli yüzüne dikti. Hâlâ hiçbir şey göremiyordu. Bilinci, gözbebeklerinin algıladığı görüntüleri yorumlayamıyordu. Doktor bileklerini tuttu. Diane ellerini çekmedi. Korkularını yaşayacak gücü kalmamıştı. Cerrah mırıldandı:

– Bu öğleden sonra, siz yokken, Lucien'ın gözbebekleri iki kere daha sabitleşti. Dört saatte iki kere.

Diane donup kalmıştı. Kolları ve bacakları dehşetten bağlanmış gibi. Cerrah bir dakikalık bir sessizlikten sonra ekledi:

– Çok üzgünüm.

Bu kez gözlerini yine Daguerre'e dikti, öfkesinin arasında cerrahın yüzünü gördü.

– Ama daha ölmedi, değil mi?

– Anlamıyorsunuz. Lucien altı kez beyin ölümü belirtisi gösterdi. Bundan sonra bilinci açılamaz. Kaldı ki bir mucize olacağını düşünsek, kendine gelme belirtileri göstereceğini kabul etsek bile, geçirdiği krizlerin kalıcı ve çok ağır etkileri olacak. Beyni büyük ölçüde hasar gördü, anlıyor musunuz? Artık bir bitkiden farkı olamaz. Böyle bir şey istiyor olamazsınız.

Diane birkaç saniye boyunca Daguerre'e baktı. Birden, hekimin çekiciliğinin farkına vardı. Sesi öfkeyle çınladı:

– Ölmesi daha iyi olur diyorsunuz, öyle mi?

Doktor doğruldu. Titriyordu.

– Bunu söylemeye hakkınız yok, Diane. Hele bana, hiç yok. Her gün, her gece, Lucien'ı kurtarmaya çabalıyorum. Ben hayatın tarafındayım. (Camlı kapının ardındaki pencereli koridoru gösterdi.) Biz hepimiz, hayatın tarafındayız! Ölüme aramızda yer vermemizi istemeyin bizden.

Diane başını arkaya yatırıp gözlerini yumdu. Kafası duvara çarptı. Bir defa, iki defa, üç defa. Sıcaktan boğuluyordu. Floresanların beyazlığı gözkapaklarından geçiyor, gözlerini yakıyordu. Vücudunun yıkıldığını, koca bir kara delik gibi açıldığını, bilincini deliğin emdiğini hissediyordu.

Yine de bütün gücünü topladı, ayağa kalkmayı başardı. Tek kelime etmeksizin çantasını aldı, Acil Servis'e doğru yürüdü.

Hareketsiz küçük vücutların servisine.

Kapının ötesinde, her yer ıssızdı.

Diane Lucien'ın odasına girdi, gözlüğünü fırlatıp attı, dizlerinin üzerine yığıldı. Yatağın ayak ucunda, başını çarşaflara gömdü, gözyaşlarına boğuldu. Beklenmedik bir şiddetle. Kazadan bu yana, vücudu ilk kez böylesi bir özgürlük tanıyordu ona. Kasları çözüldü, sinirleri gevşedi. Hıçkırıkları onu soluksuz bırakıyor, üzüntüden boğuluyordu, ama içinde, sonsuz sükûnet habercisi uğursuz çiçeğe benzer bir rahatlamanın, boğuk bir sevincin açıldığını hissediyordu.

Lucien'ın ölümüne dayanamayacağını biliyordu. Çocuk, Diane'ın son fırsatıydı. Eğer giderse, Diane da yaşamayacaktı. Ya da yaşama gücünü yitirmiş olacaktı. Ne olursa olsun, son ve kesin adımı atmakta kararlıydı.

Birden, odada bir başka varlık hissetti. Gözyaşlarının tuzuyla kavrulmuş bakışlarını kaldırdı. Gözlüğü olmadan hiçbir şey göremiyordu ama, hiç kuşkusu yoktu; karanlıkta, biri daha vardı.

İşte o zaman, yumuşak ve esrarlı bir ses duydu:

– Sizin için bir şeyler yapabilirim.

On birinci kısım

Diane kolunun yeniyle gözlerini sildi, gözlüğüne sarıldı. Birkaç metre ötesinde, ayakta bir adam. Adamın, odaya girdiğinde de orada olduğunu anladı. Kafasını toparlamaya çalıştı. Adam yaklaştı. Beyaz önlük giymiş, boyu iki metreye yakın gerçek bir dev. Kalın boynunun üzerindeki kocaman kafası bembeyaz saçlarla kaplıydı. Koridordan sızan hafif ışık, bir an için yüzünü aydınlattı. Yıpranmış bir yüzün kırmızı derisi ve belirsiz çizgileri görüldü. Bu yüzden açık bir hoşgörü yükseliyordu. Adamın uzun ve kıvrık kirpikleri Diane'ın dikkatini çekti. Adam tekrarladı:

– Sizin için bir şeyler yapabilirim. (Çocuğa döndü.) Onun için.

Belli belirsiz aksanlı sesi, yüz çizgileriyle ahenk oluşturacak kadar sakindi. Birkaç saniye daha, sonra Diane şaşkınlığını gemledi. Önlüğün göğsüne iliştirilmiş yaka kartını gördü.

– Siz... hangi servistensiniz? diye sordu.

Adam bir adım attı. Bütün iriliğine rağmen, gürültü çıkarmadan hareket ediyordu.

– Adım Rolf van Kaen. Anestezi uzmanıyım. Berlin'den geldim. Die Charité Çocuk Hastanesi. Doktor Daguerre'le birlikte ortak bir Fransız-Alman programı yürütüyoruz.

Fransızcası akıcı, uzun zamandır cebinde taşıdığı bir çakıl taşı kadar pürüzsüzdü. Diane doğruldu, odadaki tek iskemleye yürüdü. Beceriksizce çöktü. Koridorda tek bir hemşire bile görünmüyordu. Söze girişti:

– Burada... ne yapıyorsunuz? Bu odada, demek istiyorum?

Anestezi uzmanı düşünür, her bir kelimesini tartar gibiydi.

– Bu akşam size çocuğunuzun sağlık durumundaki değişiklikleri anlattılar. Raporları bizzat okudum. (Durakladı, sonra devam etti.) Durumun bilincinde olduğunuzu düşünmüyorum. Batı tıbbı açısından bakıldığında, hiçbir umut kalmamış görünüyor.

– Batı tıbbı açısından bakıldığında mı?

Diane soruyu sorar sormaz pişman oldu. Adamın söylediklerinin üzerine atılmış gibiydi. Alman söze devam etti:

– Başka bir yöntem deneyebiliriz.

– Nasıl bir yöntem?

– Akupunktur.

Diane dudaklarının arasından homurdanarak konuştu:

– Çekin, gidin. O kadar da saf değilim. Hey Tanrım! Ben sizi kovmadan, çekip gidin.

Anestezi uzmanı hareketsizdi. Dolmen gibi vücudu camın üzerinde yansıyordu. Mırıldandı:

– Durumum çok güç, Madam. Sizi ikna edecek zamanım yok. Oğlunuzun ise daha da az zamanı var...

Adamın sesindeki doğal ve içten vurgu, Diane'ı etkiledi. İlk kez bir ses Lucien'la arasındaki ana-oğul ilişkisine hiç sıkıntı duymadan, hiç acıma göstermeden değiniyordu. Doktor devam etti:

– Çocuğunuzun sorununu biliyorsunuz, değil mi?

Diane başını eğip kekeledi:

– Beynine hücum eden...

– Kan birikintileri, evet. İyi de bu kanın nereden geldiğini biliyor musunuz?

– Şoktan. Kazanın şoku. Beyin sarsıntısı kanamaya neden olunca...

– Kuşkusuz. Ama daha derin düşünürsek? Kanın sızmasına neyin sebep olduğunu biliyor musunuz? Beyne hemoglobin gönderen güç hangisi?

Diane sessizdi.

– Size bu gücü etkileyebileceğimi söylesem? Kanı durdurabileceğimi?

Diane sükûnetle cevap vermeye çalıştı; aslında konuşmayı bitirmek niyetindeydi.

– Bakın. İyi niyetli davrandığınızdan eminim, ama oğlum burada en iyi doktorların elinde. Sizin bu konuda ne yapacağınızı...

– Eric Daguerre hayatın mekanik sorunları üzerinde çalışıyor. Ben işin öbür yüzüyle, bu mekanizmaları harekete geçiren enerjiyle ilgileniyorum. Oğlunuzun kanını sızdıran, onu yavaş yavaş öldüren gücü gemleyebilirim.

– Saçmalıyorsunuz.

– Beni dinleyin!

Diane irkildi. Doktor neredeyse bağırmıştı. Koridora bir göz attı; kimse yoktu. Bu kat hiç böylesine ıssız, böylesine sessiz olmamıştı. Alman daha alçak sesle sürdürdü:

– Bir dereye baktığınızda, suyu, köpükleri, suların içinde dans eden otları görürsünüz ama, asıl olanı kaçırırsınız. Asıl olan akıntıdır, harekettir, o derenin hayatıdır... İnsan vücudunun da bu örneğe uygun olmadığını kim iddia edebilir? Kan dolaşımı karmaşasının, kalp atışlarının, kimyasal salgıların altında bütün bunları harekete geçiren bir yaşam enerjisi bulunmadığını kim söyleyebilir?

Diane hâlâ inatla başını sallıyordu. Adam artık sadece birkaç santim ötedeydi. Konuşmaları bir günah çıkarma gibiydi:

– Nehirlerin gözle görülemeyecek kaynakları, yer altı damarları vardır. İnsan hayatı da gizli kaynaklara, birikintilere sahiptir. Çağdaş bilimin yakalayamamasına rağmen, vücudumuzun içinde oluşup yayılan derin bir coğrafya.

Diane gözlerini karanlığa dikmiş, hareketsiz duruyordu. Adamın bilmediği, Diane'ın bu söylemi binlerce kez duyduğuydu. Wing-chun ustaları kim bilir kaç kez yaşamsal enerji qi'den, yin'den, yang'dan ya da ona benzer şeylerden söz etmişlerdi! Yine de bütün bunları yutmamıştı. Tam tersine, dövüş minderinde kazandığı başarılar, bu kavramların ne denli boş olduğunu kanıtlıyordu ona göre. İnsan şaolin boksunda şampiyon olsa bile, bütün şaolin değerlerine boş verebiliyordu bal gibi. Ne var ki adamın sesi, Diane'ın bilincine işliyordu:

– Akupunktur geleneksel Çin tıbbının bir parçasıdır. İnançlara değil, sonuçlara dayanan, binlerce yıllık bir tıp. Kimse neden böylesine etkili olduğunu anlayamadığına göre, kuşkusuz tüm tıp içinde en ampirik olanı. Akupunktur doğrudan yaşam kaynağımız olan ağlarımıza etki yapar; biz bu ağlara meridyen deriz. Madam, yalvarırım bana güvenin. Çocuğunuzun durumundaki hızlı çöküşü durdurabilirim. Onu öldürmekte olan kanamayı yavaşlatabilirim!

Diane Lucien'ın vücuduna baktı. Sargıların, alçıların kabloların örttüğü minicik beden şimdi artık gerçekten ezilmiş, düşman bir makinenin denetimine girmiş gibiydi; karmaşık ve fütürist bir tabutta gömülmüşçesine. Van Kaen hâlâ fısıldıyordu:

– Zamanımız daralıyor! Eğer bana güvenmiyorsanız, insan vücuduna güvenin. (Dikilip, Lucien'a döndü.) Ona elinizde ne varsa, verin. Nasıl tepki göstereceğini kim bilebilir?

Diane saçlarına dokundu; terden sırılsıklam olmuş saçlarına. Beynindeki tüm nirengi noktaları, tüm bildikleri, gizemli bir ışının etkisinde kalmış kristal kadehler gibi patlayıp dağılıyordu.

Odada boğuk bir hırıltı duyuldu. Diane duyduğunun kendi sesi olduğunu ancak birkaç saniye sonra anlayabildi:

– Allah kahretsin, haydi bakalım. Marifetinizi gösterin. Onu hayata geri getirin!

On ikinci kısım

Telefonun çaldığını duyduğunda, düş görmekte olduğunu anladı. Alman doktorun çarşafları kaldırdığını, Lucien'ın sargılarını çözdüğünü görüyordu. Telleri, kabloları söküyor, çocuğun kolunu alçı dirseklikten çıkarıyordu. Çocuk şimdi çırılçıplaktı. Lucien ile Batı tıbbı arasındaki tek bağ, başındaki sargılar ile kolundaki serumdu.

İkinci çalışta, uyandı.

Elektronik vızıltıyı izleyen sessizlikte, şimşek gibi bir bilinç aydınlanması hissetti. Gördüğü düş değildi. Ya da en azından, gerçekle beslenen bir düştü. Lucien'ın kol ve bacaklarına dokunan, düzelten, ovan Rolf van Kaen'i açıkça görüyordu. Başı öne eğik, yüzü dikkatliydi. O anda, belirgin bir şey hissetti Diane; akupunkturcu zayıf ve solgun vücudu "okuyordu". Sanki öteki doktorların bilmediği bir şifreymişçesine, çözüyordu Lucien'ı. Beyaz saçlı dev ile neredeyse ölü yatan, ama birine hâlâ birkaç sır fısıldayacakmış gibi duran bilinçsiz küçük arasında sessiz bir diyalog vardı sanki.

Van Kaen iğnelerini çıkarmış, Lucien'ın vücudunun üzerine yaymıştı. İğneleri çocuğun göğsüne, kollarına, bacaklarına batırdıkça, uçlar sanki ışıldıyor, yapılanları tepeden izlermiş gibi bakan monitörün yeşil ışığını yansıtıyordu. Yatağın ayak ucunda, güçsüz, hareketsiz, tepkisiz Diane. Camlı odanın karanlığında ateşböcekleri gibi parıldayan iğnelerin saplandığı, tebeşir kadar beyaz, kırılgan o vücut...

Üçüncü çalış.

Alacakaranlıkta, odayı süsleyen röprodüksiyon tabloları gördü Diane; Paul Klee'nin pastel karelerini, Piet Mondrian'ın daha canlı simetrilerini. Bakışlarını masa lambasına indirdi. Çalar saat 3.44'ü gösteriyordu. Daha güçlü emin oldu. Beş saat kadar önce, esrarlı bir doktor oğluna akupunktur uygulamıştı. Odadan çıkmadan önce dönmüş ve "Bu sadece ilk adım. Yine geleceğim. Bu çocuk yaşamalı, anlıyorsunuz değil mi?" demişti.

Dördüncü çalış.

Diane telefonu buldu, ahizeyi kaldırdı.

– Alo?

– Madam Thiberge?

Hemşirelerden birinin, Madam Ferrer'in sesini tanıdı:

– Profesör Daguerre size haber vermemi istedi.

Seste en ufak bir belirti yoktu, ama Diane hemşirenin tereddüt ettiğini sezdi. İnledi:

– Bitti, öyle mi?

Kısa bir sessizlik oldu. Sonra:

– Tam aksine, Madam. Bir belirti gördük.

Diane karşı konulmaz bir sevgi gücünün içine dolduğunu hissetti.

– Bir uyanma belirtisi, diye sürdürdü hemşire sözünü.

– Ne zaman?

– Yaklaşık üç saat önce. Parmaklarının oynadığını ben gördüm. Gördüklerimi doğrulamaları için nöbetçi hekimlere haber verdim. Hepsi aynı fikirde. Lucien bilincinin açıldığı belirtileri gösteriyor. Profesör Daguerre'i çağırdık. Size de bildirmemi istedi.

Diane daha fazla bekleyemedi:

– Doktor Van Kaen'e haber verdiniz mi?

– Kime?

– Rolf van Kaen. Daguerre'le çalışan Alman doktor.

– Kimden söz ettiğinizi anlayamadım.

– Önemli değil. Geliyorum.

Lucien'ın odasındaki hava bir cenaze akşamını hatırlatıyordu ama, ters yönde. Vücudun çevresinde alçak sesle konuşuluyordu ama, mırıltılar neşeliydi. Odayı saran alacakaranlıkta bile, yüzleri aydınlatan heyecanı görmek mümkündü. Beş doktor ve üç hemşire vardı odada. Artık kimse yüzünde maske taşımıyordu, nöbetçi doktorlar bile, içinde bulundukları anın önemini kavramış, beyaz önlüklerini giymiş gibiydiler.

Oysa Diane düş kırıklığına uğramıştı. Oğlu hâlâ aynı durumdaydı; yatağın içine gömülmüş, hareketsiz. Diane heyecandan, Lucien'ı gözlerini açmış bulmayı bile ummuştu. Ne var ki doktorlar genç kadını sakinleştirdi. Görülen belirtilerin ışığında, heyecanlanıyorlar, kendi umutlarını gizlemeye gerek bile görmüyorlardı.

Diane oğluna bakıyor ve esrarengiz devi düşünüyordu. Sargılarla birlikte dirsekliğin, elektrotların ve algılayıcıların yerli yerinde bulunduğunu fark etti. Kimse Alman doktorun çocuğu çırılçıplak soyduğundan, o küçük vücudun içiyle konuştuğundan kuşkulanamazdı. Lucien'ın soluklarına uygun olarak parıldayan yeşil uçlar, iğneleri çocuğun vücudunda döndüren güçlü parmaklar gözünün önüne geldi.

– Onu görmeliyim, dedi.

– Kimi?

– Sizinle çalışan Berlinli anestezi uzmanını.

Doktorlar şaşkınlıkla birbirlerine baktılar, rahatsızca susup kaldılar. İçlerinden biri yaklaştı, dudaklarında yumuşak bir tebessümle mırıldandı:

– Daguerre sizinle görüşmek istiyor.

– Size söylediklerimi sakın unutmayın, Diane. Yersiz umut yok. Lucien komadan bütünüyle çıkabilir, ama beyninde onarılamayacak hasarlar kalabilir.

Cerrahın odası ışıkla yıkanmışçasına, bembeyazdı. Gölgeler bile başka yerdekilerden daha açık, daha hafif görünüyordu. Diane doktorun karşısına oturmuş, mırıldandı:

– Bu bir mucize. İnanılmaz bir mucize.

Daguerre durmaksızın kalemiyle oynuyor, sanki bu hareket tüm gerginliğini alıyormuş gibi görünüyordu. Sözünü sürdürdü:

– Diane, çocuğunuz adına son derece mutluyum. Burada olanlar... gerçekten olağanüstü. Ama tekrar ediyorum, erken sevinmememiz gerekiyor. Bilincin geri dönmesi aynı zamanda ciddi hasarları da su yüzüne çıkarabilir. Üstelik bilincin açılacağı da kesin değil.

– Bir mucize. Van Kaen, Lucien'ı kurtardı.

Daguerre içini çekti:

– Bana o adamdan söz edin. Size tam olarak ne söyledi?

– Berlin'den geldiğini, burada sizinle çalıştığını.

– Adını bile işitmedim. (Sinirleniyordu.) Hemşireler böylesi bir çılgının Acil Servis'e girmesine nasıl izin vermiş?

– Etrafta hemşire falan yoktu.

Cerrah giderek daha sıkıntılı görünüyordu. Kalemin ucundaki silgi düzenli olarak masayı dövmeye başladı.

– Lucien'a ne yaptı? Klasik bir akupunktur seansı mı uyguladı?

– Tam olarak söyleyemem; daha önce hiç akupunktur tedavisi izlemedim. Sargılarını çözüp, vücudunun çeşitli yerlerine iğneler batırdı.

Cerrah alaylı gülümsemesine engel olamadı. Diane gözlerini Daguerre'e dikti:

– Gülmeye hakkınız yok. Tekrar ediyorum; o adam, çocuğumu kurtardı.

Tebessüm kayboldu. Doktor yarı sakin, yarı azarlayıcı bir sesle, bir çocuğu hizaya getirmek için kullanacağı ses tonuyla, devam etti konuşmaya:

– Diane, benim kim olduğumu biliyorsunuz. Dünyada insan beynini, nörobiyolojik açıdan en iyi bilen on kişiden biriyim.

– Tecrübenizden hiç kuşku duymadım.

– Beni dinleyin, beyin olağanüstü karmaşık bir sistemdir. Beyinde kaç sinir hücresi var, biliyor musunuz?

Cevabını beklemeden, devam etti:

– Yüz milyar; hepsi de sayısız bağlarla birbirine kenetlenmiş, yüz milyar hücre. Eğer böylesi bir makine yeniden yola koyulduysa, inanın bana, tekrar çalışmak içindir. Çocuğunuzun organizması, onun adına karar verdi, anladınız mı?

– Bütün bunları şimdi söylemek kolay.

– Çocuğunuzu ameliyat ettiğimi unutuyorsunuz.

– Özür dilerim.

Diane daha yumuşak bir sesle devam etti:

– Doktor, rica ediyorum; beni bağışlayın. Yine de o doktorun Lucien'ın iyileşmesinde bir rol oynadığından eminim.

Daguerre kalemi bırakıp ellerini kenetledi. Sesini karşısındakine uydurdu:

– Dinleyin. Dar kafalı biri değilim. Vietnam'da bile doktorluk yaptım.

İçine, geçmişine, eski anılarına dönük bir tebessüm yayıldı yüzüne.

– Stajdan sonra, bir süre insanlık için çalıştım. Vietnam'da akupunkturu inceledim. Bu yöntem neye dayanır, biliyor musunuz? O ünlü noktaların neler olduğunu?

– Adam meridyenlerden söz etti...

– O meridyenler, vücutta neyin karşılığıdır?

Diane cevap vermedi. Alman doktorun sözlerini hatırlamaya çalışıyordu. Onun yerine Daguerre yanıtladı kendi sorusunu:

– Hiçbir şeyin. Fizyolojik olarak, böyle meridyenler yok. İncelemeler, radyografiler, scanner araştırmaları yapıldı. Bütün bu çalışmalardan tek bir sonuç alınamadı. Anlatılanların aksine, akupunktur noktaları derinin özelikli bölgeleriyle de ilgisiz. Çağdaş fizyoloji açısından bakıldığında, akupunkturcu, iğnesini önüne gelen yere batırıyor. Boş bunlar. Hurafe.

Diane, Van Kaen'in söylediklerini hatırlamaya başladı. Araya girdi:

– Doktor bana vücudumuzda dolaşan yaşamsal enerjiden ve...

– Bu enerji (parmaklarını şaklattı) böylesine kolay bir yerde, derinin hemen altında, öyle mi? Üstelik bu ağı şimdiye kadar sadece Çin tıbbı bulmuş ha? İnanılır gibi değil.

Kapı vuruldu. Madam Ferrer içeri girdi. Biraz soluk soluğa konuştu:

– Doktor, Acil Servis'e giren adamı bulduk.

Diane'ın yüzü aydınlandı. Bir dirseğini koltuğunun arkalığına dayayarak, döndü:

– Lucien'ın durumunu bildirdiniz mi? Ne dedi?

Madam Ferrer soruyu duymazdan geldi, bakışlarını cerrahtan ayırmadı:

– Bir sorun var, Doktor.

Daguerre kalemini aldı, bir bando şefi gibi, parmaklarının arasında çevirmeye koyuldu. Şaka yapmaya çabaladı:

– Tek bir sorun mu? Emin misiniz?

Hemşire gülümsemedi bile.

– Doktor, adam ölü.

On üçüncü kısım

Diane şimdi Lavoisier binasının ikinci katında bekliyordu. Duvardaki panolara göre, bulunduğu yer Genetik Araştırmalar Merkezi'nin koridorlarıydı. Buraya neden getirmişlerdi onu? Bilmiyordu. Duvarın dibinde, kavuşturduğu kollarına dayanarak ayakta duruyor, oğlunun bilincinin açılma belirtilerine bağlı sevinç solukları ile Van Kaen'in ölümünün neden olduğu dehşet uçurumları arasında gidip geliyordu. Sabahın beş buçuğu olmuştu ama, daha kimse gelip ona bir şey açıklamamıştı. Ölüm nedeni hakkında en ufak bir şey bilmiyordu. Cesedini nasıl bulduklarını da.

– Diane Thiberge?

Sese döndü. Yaklaşmakta olan adam kuşkusuz bir seksen beşten uzundu. Diane dev Alman'ı düşündü. Aslında kendi boyunda insanların arasında bulunmak, keyif verici bir şeydi. Yeni gelen hemen kendini tanıttı:

– Patrick Langlois, polis komiseri.

Kırklarında olmalıydı. Kuru, yıpranmış, tıraşsız bir yüz. Baştan aşağıya siyah giyinmiş: paltosu, ceketi, yuvarlak yakalı kazağı ve blucini. Saçları ve yeni çıkan sakalları gri renkli çalı, gerçek demir yongası gibi. Gözlerinin çevresindeki kırmızılık da eklendiğinde, ortaya donuk renkli bir tablo çıkıyordu. Bir deri bir kemik gölgeden, kötü bir tebessümden oluşmuş -siyah-gri-kırmızı- bir Mondrian.

Ekledi: "Cinayet masası." Diane irkildi. Komiser genç kadını sakinleştirmek için, bir elini kaldırdı:

– Paniğe gerek yok. Burada yanlışlıkla bulunuyorum.

Diane suskun kalmayı, duruma ne kadar hâkim olduğunu göstermek isterdi ama, kendine rağmen sordu:

– "Yanlışlıkla" derken, ne kastediyorsunuz?

– Dinleyin. (Dua edecekmiş gibi, avuçlarını birbirine dayadı.) Sırayla gidelim, tamam mı? Önce bana bu gece olanları bütün ayrıntılarıyla anlatacaksınız.

Diane son birkaç saatte yaşadıklarını kısaca özetledi. Komiser dili dışarda, duyduklarını spiralli küçük defterine not ediyordu. Yandan sarkan dil sert yüzle öylesine çelişiyordu ki, Diane bir an için adamın kararlı bir mimik yaptığını, yüzünü alay eder gibi buruşturduğunu sandı. Oysa not alma biter bitmez, dil de kayboldu.

– Çılgınlık bu, diye söylendi komiser.

Not defterini bırakmadan, elleriyle bir terazinin iki kefesini işaret etti ve buyurucu bir sesle konuştu:

– Bir yanda geri dönen bir hayat, öte yanda kurbanını alan ölüm. Üstelik...

Diane adama şaşkınlıkla baktı. Komiser, sanki neşesi tüm yüzüne yayılmak için fırsat kolluyormuş gibi, bir kahkaha attı.

– Belki de görkemli cümlelerden vazgeçmem gerekecek...

– En azından, benim yanımdayken.

Langlois paltosunun omuzlarını düzeltti.

– Pekâlâ. Öyleyse, oğlunuz adına çok mutluluk duyduğumu söyleyeyim sadece.

– Van Kaen'in nasıl bulunduğunu anlatmayacak mısınız?

Komiser tereddüt eder gibiydi. Fırça gibi saçlarını sıvazladı, koridorun iki yanına baktı, sonra asansöre doğru yürürken buyurdu:

– Benimle gelin.

Şafağın serinliğine çıktılar, binanın çevresini dolanıp, bir sonraki yapıya yöneldiler. Küçük Necker kenti uyanmak üzereydi. Diane anayol üzerinde duran kocaman kamyonlardan indirilen, paslanmaz kapaklarla örtülü, üst üste konulmuş yüzlerce yemek tepsisini gördü. Bir hastanenin yemeklerini dışarıdan getirteceğini düşünmemişti.

Komiser yeni bir binaya doğru yürüyordu. Binanın sadece bodrum pencerelerinde ışık vardı. Ana kapıdan girdiler, bir sürü üniformalı polisle karşılaştılar. Hastanenin alışıldık kimyasal kokusunun yerini, yiyecek kokusu almıştı. Langlois açıkladı:

– Hastane mutfağı.

Gösterdiği aralık kapıdan girdi. Diane da peşinden. Dar bir merdivenden inip, kendilerini duvarları maviye boyanmış geniş bir alanda buldular. Komiser daha fazla ilerlemeden konuşmaya başladı:

– Şimdilik, kafamızda canlandırdıklarımız şöyle: saat yirmi üç otuzda, kendini Van Kaen olarak tanıtan adam peşinizden beyin cerrahisi binasının kapısına geliyor. Sonra binanın çevresini dolaşıyor, avluyu geçip buraya, mutfağa geliyor. O saatlerde burada fazla insan bulunmaz. Kimseye görünmüyor.

Langlois yeniden yürümeye başladı. Elinin bir hareketiyle, plastik bantlardan yapılmış perdeyi açtı.

– Bu salondan geçiyor...

Beton duvarlar bu kez portakal rengine boyanmıştı. Kocaman fırınlar ve tepelerindeki büyük boyutlu davlumbazlar gümüşî parıltılar çıkarıyordu. Komiser başka bir perdeyi itti.

– ... Ve soğuk hava depolarına geçiyor.

Perdenin ardında, paslanmaz çelik kapılarla bölünen yeşil bir koridor uzanıyordu. Soğuk giderek artıyordu. Tavandaki neonlar yatay sarkıtları andırıyordu. Mekânın çıplak ve renkli atmosferi, sığınak boyutlarına varmış bir zekâ küpünü andırıyordu.

Komiser demirden bir rayın üzerine oturtulmuş kapılardan birinin önünde durdu. Yukarıda, sağda kısa bir not yazılıydı: 4. DİZİ. Resmî parkalarını giymiş iki polis memuru, bölmenin önünde nöbet tutuyordu. Kasketlerinin kenarında saçaklar vardı. Diane'ın şaşkınlığı her an daha da artıyordu. Langlois, bir hareketle, demir kapının önüne çekilmiş sarı kordonu kaldırttı.

Cebinden bir anahtar çıkarıp, yüksekteki kilide soktu.

– Van Kaen bu soğuk odayı seçti.

– Ama... anahtarı mı vardı?

– Bu anahtarın aynı. Herhalde servis şeflerinden birinden aşırdı.

Diane ne diyeceğini bilemiyordu. Üstelik hâlâ asıl soruyu, adamın nasıl öldüğünü soramamıştı. Polis komiseri çelik dişlileri hareket ettirdi. Kapıyı açmadan önce, genç kadına döndü, sırtını paslanmaz çelik duvara dayadı.

– Sizi uyarmalıyım; oldukça etkileyici ama, kan değil.

– Ne demek istiyorsunuz?

Komiser kapının tutamacına asıldı, gerildi, kapıyı rayın üzerinde kaydırarak açtı. Yüzlerini daha da soğuk bir soluk yaladı. Komiser sözünü tekrarladı:

– Hatırlamanızı istediğim tek bir şey var; göreceğiniz kan değil.

Bir el hareketiyle, Diane'a peşinden gelmesini işaret etti. Genç kadın bir adım attı, olduğu yerde donup kaldı. Gri plastikten büyük teknelerin karşısındaki beyaz beton, üzerine boydan boya kırmızı boya püskürtülmüş gibiydi. Koyu kırmızımsı pıhtılar betona yapışmış, duvarın yüzeyi parlak kızıl çizgilerle dolmuş, kahverengi lekeler kapının önüne kadar ulaşmıştı. Plastik kasalarla dolu, beş metreye beş metre boyutlarındaki oda, gerçek bir katliama sahne olmuş gibiydi. Ama en şaşırtıcısı -en mide bulandırıcısı- soğuğu aşıp insanın burun deliklerini dolduran güçlü meyve kokusuydu.

Patrick Langlois üst üste dizilmiş plastik kasaların en üsttekine uzandı, şeffaf ambalaja sarılmış bir paket alıp Diane'a uzattı.

– Yabanmersini. (Ambalajın üzerindeki etiketten depolama koşullarını okur gibi yaptı.) Kırmızı renkli bir meyve cinsi. Türkiye'den ithal. Anlaşılan Van Kaen oğlunuza yaptığı müdahaleden sonra kendine bir meyve ziyafeti çekmiş.

Diane, titremesinin soğuktan kaynaklandığını düşünmeye çalışarak, odanın ortasına yürüdü.

– Bütün bunların... anlamı ne?

Komiser üzgünce gülümsedi.

– Söylediklerimin dışında, hiçbir şey. Akupunktur seansından sonra Rolf van Kaen'in ilk yaptığı ortadan kaybolmak yerine, buraya gelip paketler dolusu yabanmersini yemek olmuş. (Bakışlarını çevrede dolaştırdı.) Olabilecek en yabanî şekilde.

Diane kekeledi:

– Peki ama... neden öldü?

Langlois plastik ambalajı kutulardan birine fırlattı.

– Bana kalırsa, hazımsızlıktan.

Genç kadına bir göz atıp, konuşmasına devam etti:

– Özür dilerim, pek eğlenceli bir şey değil. Aslında, ölüm nedeni daha bilinmiyor. Ama doğal bir neden olduğundan kuşkumuz yok. Benim "doğal" olarak adlandıracağım bir neden, demek istiyorum. İlk incelememizde, ceset üzerinde darp izine rastlanmadı. Van Kaen belki bir kalp krizi, belki bir damar çatlaması ya da ona benzer bir nedenden öldü.

Langlois yarı aralık kapıyı gösterdi. Odaya boğucu bir sessizlik hâkimdi.

– Bütün bunlar, mutfağın neden karantinaya alındığını açıklıyor. Hastanenin ortasında bir cesedin, belki de bir hasta cesedinin yapacağı etkiyi tahmin edebilirsiniz. Ne de olsa, çocukların yemekleri burada hazırlanıyor. Sizin Alman bu soğuk hava deposuna gelip ölmekle, Necker'i aklınızın alamayacağı bir karmaşaya sürükledi.

Diane plastik kasalardan birine yaslandı. Meyve ve şeker kokusu midesini bulandırıyordu.

– Çıkalım buradan, diye mırıldandı. Gerçekten... burada... fazla dayanamayacağım...

Şafak rüzgârı onu bir ölçüde canlandırsa da, yeniden konuşabilmesi için birkaç dakikanın geçmesi gerekti. Sonunda sormayı başardı:

– Bütün bunları bana neden anlatıyorsunuz?

Langlois kaşlarını ne denli şaşırdığını göstermek istercesine kaldırdı.

– Çünkü siz bu hikâyenin tam ortasında yer aldınız! Bir cinayetle karşı karşıya olmasak da, elimizde sahte hekimlik, hastaneye izinsiz girmek ve –kuşkusuz– sahte kimlik kullanmak suçları var... (İşaret parmağını uzattı.) Bu nedenle, siz bizim için davacı konumundasınız.

Diane birden kendini daha sakin hissetti. Cevap verecek gücü buldu:

– Hiçbir şey anlamamışsınız, Komiser. Kim olursa olsun, ne amaçla hareket ederse etsin, bu adam oğlumun hayatını kurtardı. Bu arada, benimkini de. Kullandığı yöntem beni hiç ilgilendirmiyor. Şu anda en büyük üzüntüm, ona teşekkür edememek, anlaşıldı mı? Üstelik soruşturmanızın bu konuda bana yardımcı olacağını da sanmıyorum.

Langlois böyle cevapları çok işittiğini belirtir bir hareket yaptı.

– Ne demek istediğimi pekâlâ anladınız. Bu olayda birden fazla bilinmeyen var. Bana kalırsa dosya yeni açılıyor. Üstelik ben...

Çağrı cihazının tiz sesi duyuldu. Komiser cihazı kemerinden söktü, ekrandaki mesajı okudu. Çağrı cihazını Diane'a uzatıp, sordu:

– Ne demiştim?

On dördüncü kısım

Diane gerçek olaylarla karşı karşıya kaldığını biliyordu, ama o olayları uzaktan, çılgınlıklarını paylaşmayacak bir mesafeden algılamayı başarmıştı. Yaşadıklarını daha sonra düzene koyacaktı. Daha sonra, olayların ardındaki mantığı araştıracaktı. Şimdilik her bir ayrıntıyı, her bilgiyi, düşteki bir insanın uzaklığıyla ve güçsüzlüğüyle algılıyordu sadece.

Langlois onu yeniden Lavoisier binasına götürdü. Bu kez giriş katında kaldılar. Diane yöneldikleri bölümü hemen tanıdı: Bilgisayarlı Tomografi Merkezi, Lucien'ın ilk incelemeye alındığı yer.

Oraya vardıklarında, içeri girmek istemedi; içeride, korkunç anıların ortasında kalmaktan korkuyordu. Ne var ki komiser genç kadını usulca itti, peşlerinden de kapıyı kapattı. Ürktüğü korkular görünmedi; Tomografi Merkezi'nin görünümü tepeden tırnağa değişmişti de ondan.

Şimdi çevrede eşi görülmemiş bir hareketlilik yaşanıyordu. Üstü monitörlerle ve negatoskoplarla dolu kumanda konsolunun başında, spor ceketler giymiş iki kişi bilgisayar klavyesinin tuşlarına dokunuyor, ekranlarda renkli şekiller oluşturuyordu. Cam bölmenin öte yanındaki puslu aydınlıkta gölgeler gidip geliyor, scanner cihazının çevresinde toplanıyor, krom-çelikten aletlerle ilgileniyordu. Kimileri de yere kablo döşüyor, tavan monitörlerini söndürüyor, hiç görülmedik şekildeki tüp ve optik aletleri ayarlıyordu. Görüldüğü kadarıyla, izlerini silmek derdindeydiler.

Hiçbirinin üzerinde beyaz doktor önlüğü yoktu.

Diane başka tuhaflıklar da gördü. Adamların hemen hepsi otuzundan genç görünüyor, çoğu bellerindeki kemere takılı kılıfta otomatik tabanca taşıyordu.

Aynasızlar.

Binanın ikinci katında neden bu kadar bekletildiğini anlamıştı; polis karargâhını buraya kurmuştu demek. Birkaç saatliğine de olsa tıbbî görüntüleme malzemesine el koyarak. Langlois apansız sordu:

– Paleopatoloji; ne olduğunu biliyor musunuz?

Diane komisere döndü. Bitkin bir sesle cevap verdi:

– Arkeolojide kullanılan bir yöntemdir. Bu yöntemde bir mumya ya da başka organik kalıntılar scanner'a, İRM cihazına ya da herhangi bir görüntüleme aygıtına yerleştirilir, zarar görmeden, bileşimleri belirlenmeye çalışılır. Bu sayede, binlerce yıl önce ölmüş insanların cesetlerini görüntü yoluyla otopsiden geçirmek mümkündür.

Langlois gülümsedi:

– Harikasınız.

– Bilimle ilgileniyorum. Bu alandaki dergileri okurum. Yine de aradaki ilişkiyi...

– Adlî tıp servisimizde, bu konuda uzman biri var. Tek bir sargıyı bile çözmeden bir mumyayı tepeden tırnağa muayene edebilecek küçük bir deha.

Diane dehşet dolu gözlerle cam bölmenin öte tarafına baktı. Makinenin içinde, bir çarşafla örtülmüş bir vücut gördü. Gözlerini kefenden ayırmadan mırıldandı:

– Sakın scanner'daki cesedin...

– Malzeme elimizin altındaydı. (Komiser yine gülümsedi.) Cesedi hastanede bulmanın faydası.

– Delisiniz siz.

– Hayır, acelem var. Bu alet sayesinde, Van Kaen üzerinde sanal bir otopsi yaptık. Artık cesedi adlî tıbba teslim edebiliriz. Üzerinde hiçbir inceleme izi olmadan.

– Nasıl bir polis olduğunuzu anlayamıyorum.

Langlois cevap vermeye fırsat bulamadan, iki bölümün arasındaki kapı açıldı.

– Fena halde yanıldık.

Komiser kapının önünde duran genç adama döndü. Kıvırcık sarı saçlar, gri bir cilt, yakıcı bakışlar; bir puro külüne benziyordu adam. Sözünü tekrarladı:

– Fena halde yanıldık, Langlois.

– Ne?

– Cinayet. Tüyler ürpertici bir cinayet.

Komiser Diane'a baktı. Genç kadın komiserin düşüncelerini okuyup, öfkeyle konuştu:

– Beni peşinizden sürükleyen sizsiniz. Şimdi de sonucuna katlanacaksınız. Buradan bir yere ayrılmayacağım.

Komiserin yüz çizgileri ilk kez gerildi, ama bir saniye sonra yeniden yumuşadı. Kötülük maskesini yerine yerleştirmek istercesine, ellerini yüzüne kapadı.

– Haklısınız. (Adlî tıp uzmanına döndü.) Anlat.

– Tomografide adamın göğüs kafesini incelemeye başladığımızda, o bölgede ölü bir dokuya rastlamayı bekliyorduk. Aşırı miktarda kardiyalji ya da başka birtakım enfarktüs belirtileri...

– Konferans vermeyi boş ver. Ne buldun?

Uzman bir an için sarsıldı. Yine de çok sert, boyun eğmez bir görünüşü vardı. Gözkapaklarını hızla kırpıştırdı, sonra bombasını patlattı:

– Adamın kalbi dağılmış. Kan yüreği doldurmuş, sonra da patlamayla bütün dokuya yayılmış.

Langlois gerçek avcı yanını göstererek kükredi:

– Allah kahretsin. Bana cesette hiç yara yok demiştin!

Hekim başını eğdi. Sarı buklelerinin altından bir tebessüm belirtisi gelip geçti:

– Hâlâ da yok. Her şey içte olmuş. Vücudun içinde. (Bilgisayarı gösterdi.) Resimleri görmen gerek.

Komiser öteki polislerin yüzüne bile bakmadan buyurdu:

– Defolun. HEPİNİZ!

Oda boşaldı. Adlî tıp uzmanı bilgisayar programını çalıştırdı, sonra da Diane'a ve Langlois'ya duman rengi plastik gözlükler uzattı.

– Bunları takmanız gerekecek. Yazılım üç boyutlu çünkü.

Diane iki erkeğin yaptığı gibi plastik çerçeveyi gözlüğünün üzerine taktı ve ana ekrandaki iç karartıcı görüntüye baktı.

Rolf van Kaen'in belden yukarısı çıplak, kılları tıraşlanmış, göbek deliği hizasında kesilmiş profili. Doktor monitörün karşısına geçti, anlatmaya başladı:

– İşte kurbanın üç boyutlu resmi.

Van Kaen'in belden yukarısı kendi çevresinde dönüyor, sonra hemen ilk durumunu alıyordu; tıpkı grafik ortamda gerçekleştirilen bir gösterideymiş gibi.

– Daha önce de söylediğim gibi, diye tekrarladı bilim adamı. Başlangıçta kalp bölgesi üzerinde yoğunlaştık. Tomografide kırk saniyelik bir algılamayla rölyefi oluşturmayı...

– Tamam, tamam. Devam et.

Doktor parmaklarını klavyede gezdirdi.

– İşte bulduğumuz...

Omuzlardan aşağı numaralandırılmış beden, tabaka tabaka kalkmaya başladı. Önce damarlar göründü, sonra da kızılımsı kütleler ile mavimtırak organlar ve lifler. Bütün bunlar, iğrenç bir atlıkarıncaya binmiş gibi, durmadan kendi çevresinde dönüyordu hâlâ. Diane dehşet içindeydi, aynı zamanda da büyülenmiş gibi.

Adlî tıp uzmanının göstermek istediğini kavramak bir saniyesini aldı. Kalbin yerinde patlamış bir kan ve doku yığını vardı. Damar karmaşasının ve akciğer peteklerinin arasına yayılmış kapkara bir leke. Doktor devam etti:

– Görüntüyü ötekilerden ayırabilirim.

Yeni bir tuşa dokundu, kalp dışındaki her şeyi sildi. Patlamış kalp, tüm ayrıntılarıyla ekranda göründü. Kahverengimsi damarları, donup kalmış dallarıyla bir mercan resifini andırıyordu. Şiddetten yaratılmış bir ağaç gibi.

Langlois kısık sesle sordu:

– Bunu nasıl yapmışlar?

Adlî tıp uzmanının sesi, çok daha uzaktan, tüyler ürpertici bir incelemenin derinliklerinden geliyormuşçasına değişti:

– Fizyolojik açıdan, oldukça kolay. Kanın kalpten çıkmasını önlemek için, ana atardamarı sıkıştırmak yeter; hani bahçe hortumlarında olduğu gibi. O andan itibaren, ana toplardamarın ve akciğer toplardamarının getirdiği kan kalbi doldurur, sonunda da taşar.

Klavye üzerinden yeni bir komut gönderdi. Ekranda öteki organlar ve damarlar göründü.

– Sıkıştırma noktası burada açıkça görülüyor. (İmlecinin üzerini tıkladı.) Burada da. (Yeniden tıkladı.)

Langlois duyduklarına inanamıyor görünüyordu:

– Göğsün içinden, atardamara nasıl erişilebilir?

Doktor durdu, yükselen bulantısını, artan korkusunu engellemek istercesine kollarını kavuşturup, Langlois'ya döndü.

– Çılgın olanı da bu ya. Katil elini kurbanının karnından sokup, atardamara kadar uzanmış.

Doktor yine monitöre döndü, farklı bir komut verdi. Van Kaen'in belden yukarısı yeniden toplandı, iç organları gri ve parlak dokuların arasına yerleşti. Resim karın boşluğunda, göğüs kemiği üzerinde dondu. İnce bir iz belirdi.

– İşte yara, dedi ses. Öylesine ince ki, ilk bakışta, kılların arasından göremedik.

– Katil elini oradan mı soktu?

– Hiç kuşkumuz yok. Yara izi on santimden fazla değil. Cildin esnekliğini de düşünürsek, on santim bir kolun geçebileceği kadar büyük. Kısa boylu biri olması şartıyla tabii. Bana kalırsa, bir altmışlık biri.

– Van Kaen dev gibiydi!

– Öyleyse birden fazla katil var. Ya da kurban uyuşturuldu. Bilemeyeceğim.

Patrick Langlois ekrana yaklaşıp sordu:

– Karnı yarıldığında, adam hâlâ canlı mıymış?

– Canlı ve bilinci yerindeymiş, evet. Kalbin patlaması kanıtlıyor bunu. Öteki alçak elini karnına sokmuş araştırırken, paniğe kapıldı ve kalp pompalama işlemini daha da hızlandırdı. Kalbin kanla dolması çok çabuk ve çok şiddetli oldu.

Komiser mırıldandı:

– Bir sorun bekliyordum ama, böylesi bir şey değil...

İki adam aynı anda genç kadının varlığını hatırladı. Aynı anda Diane'a döndüler. Langlois mırıldandı:

– Diane, çok üzgünüm. Gerçekten, biz... Diane? İyi misiniz?

Koyu renk gözlüklerinin ardında, gözleri ekrana çivilenmiş, donup kalmış gibiydi. Buz gibi bir sesle konuştu:

– Oğlum. Oğlumu görmek istiyorum.

On beşinci kısım

O bahçeleri, kendi düşleri gibi biliyordu.

Daha çocukken, bütün öğleden sonralarını yeşilliklerle süslü yolların çevrelediği fıskıyenin yanında geçirmişti. Yine de, Luxembourg Bahçeleri'ni düşünürken, özel bir nostalji duygusuna kapılmıyordu. Park sadece huzur veriyor gibi geliyordu ona.

Mucizenin üzerinden kırk sekiz saat geçmişti. Lucien'ın iyileşme belirtileri de artarak sürüyordu. Çocuk dün sağ elinin işaret ve orta parmaklarını birkaç kez oynatmıştı. Diane oradayken, Lucien'ın sağ bileğinin de hafifçe kıpırdadığına yemin edebilirdi. Tıbbî analizler, beyindeki ezilme belirtilerinin azaldığını kanıtlıyordu. Çocuğun fizyolojik fonksiyonları da normale döner gibiydi. Doktor Daguerre bile Lucien'ın gerçek bir bilinç açılması yolunda ilerlediğini kabul eder gibiydi. Birkaç gün sonra drenleri çıkarmaktan bile söz ediyordu şimdi.

Diane'ın mutluluktan uçması gerekirdi. Oysa şimdi şu cinayet vardı, akıl almaz o şiddet, scanner ekranında patlayıp onu dehşete düşüren o görüntüler vardı. Böylesi bir acımasızlık mümkün müydü? Oğlunu kurtaran adamın, böylesi koşullarda ölmesinin ardında hangi neden vardı, hem de müdahalesinden birkaç saat sonra?

– Oturabilir miyim?

Diane bakışlarını kaldırdı. Komiser Langlois, tıpkı iki gün

önceki haliyle karşısında duruyordu. Siyah palto, siyah blucin, siyah tişört. Adamın böylesi elbiselerden birkaç takıma sahip olduğunu düşünüyordu Diane, dolaba yerleştirilmiş bir o kadar kadavra gibi. Üstelik çevresine tıraş losyonu değil, tuhaf bir kuru temizleme dükkânı kokusu yayıyordu. Cevap vermek yerine, ayağa kalktı:

– Biraz yürüsek?

Komiser başıyla onayladı. Diane yukarılara doğru yürüdü. Tatlı bir meyille yükselen üç hıyaban. Langlois neşeli bir sesle konuştu:

– Burada buluşmak iyi fikirdi.

– Hoşuma gidiyor. Evim hemen yakında.

Taş basamakları tırmandılar. Puslu ışığın altında, patikalar neredeyse tümüyle ıssızdı. Ağaçlar, metro havalandırmalarının üzerinde eteğini tutmaya çalışan kadınlar gibi, serin rüzgârı tutkuyla dallarının arasına alıyordu. Langlois derin bir nefes aldı:

– Böylesinin başıma hiç gelmeyeceğini düşünürdüm.

– Neyin?

– Oturan güzel bir kızın yanına yaklaşacağımı.

– Hey, hey, hey... diye soludu Diane, yarı hoşlanmış, yarı öfkelenmiş bir ifadeyle.

Hem adamın hem de onun yüreği her türlü tasadan, her çeşit tehditten kurtulmuş gibiydi. Birazcık iğrenerek, insanların ölüler karşısında takındıkları bencilliği düşündü. Cilalanmış yapraklar, rüzgârın serinliği, uzaklardan gelen çocuk sesleri tek şimdilerini oluşturuyordu, Van Kaen'in anısının ağır basamadığı gerçeklerini. Komiser anlattı:

– Polis müfettişi okulunda yatılıyken, her hafta sonu kaçar, Sorbonne'da felsefe derslerine katılırdım. Gün biterken de buraya, Luxembourg Bahçeleri'ne gelirdim. O dönemde, doğal bir felaketten, işsizlikten kurtulmuşum gibi gelirdi bana. Oysa çok daha kötü, çok daha korkunç bir felaketle karşılaşacakmışım.

– Hangi felaket?

Belli değil mi der gibi, ellerini iki yana açtı.

– Parisli kızların acımasızlığı. Buralarda gezinir, gözümün ucuyla demir sandalyelerine kurulmuş okuyan, fethedilemez zirveleri oynayan kızlara bakardım. İçimden de, "Bunlara ne söyleyebilirim ki? Yanlarına nasıl yaklaşırım?" diye sorardım.

Diane gülümsedi. Dudaklarının üzerinde, esen yelin de yardımıyla ince bir çizgi.

– Sonra?

– Cevabını hiç bulamadım.

Diane başını yana eğdi, bir sır paylaşır gibi konuştu:

– Oysa şimdi, üç renkli kimliğinizi çıkarabilirsiniz.

– Tamam. Ya da bir manga polisle gelip, herkesi tutuklayabilirim.

Diane bir kahkaha attı. Auguste-Compte Sokağı kapısına doğru yürüyorlardı. Uzakta daha küçük, daha iyi gizlenmiş bahçeler görünüyordu. Langlois konuşmayı sürdürdü:

– Lucien nasıl?

– İyileşmesi sürüyor. Kollarında ve bacaklarında hareket gözlendi.

– Bu gerçekten olağanüstü.

Diane komiserin sözünü kesti:

– Hayat. Ölüm. Bunu bana siz söylemiştiniz.

Langlois hafifçe gülümsedi. Muzip gözleri ona çocukça bir ifade veriyordu. Ciddi bir sesle devam etti:

– Size vermek istediğim haberler var. Esrarengiz doktorun kimliğini bulduk. Van Kaen gerçek adıymış.

Diane sabırsızlığını gizlemeye çalıştı:

– Kimmiş?

– Size doğruyu söylemiş. Die Charité Çocuk Hastanesi'nin Anestezi Bölümü başkanıymış. Necker gibi, dev bir hastane. Bunun yanı sıra, Berlin Hür Üniversitesi'nde de nörobiyoloji kürsüsü varmış. Van Kaen nörostimülasyon ile akupunktur arasındaki ilişkiler üzerinde kolokyumlar düzenliyormuş. Anlaşıldığı kadarıyla, gerçek bir star.

Diane odanın loşluğundaki beyaz saçlı devi, çocuğun vücuduna batırdığı iğneleri döndüren elleri bir kez daha hatırladı. Sordu:

– Akupunktur yöntemini nerede öğrenmiş?

– Kesin olarak bilmiyorum. Ama seksenli yıllarda, Vietnam'da on yıl geçirmiş.

Genç komiser yürümeyi sürdürürken, bir yandan da cebinden karton kapaklı bir dosya çıkarmış, ara sıra elindeki dosyaya bakıyor, bilgisini tazeliyordu:

– Van Kaen, Doğu Alman'dı. Leipzigli. O yüzden, o dönemde dış dünyaya tamamen kapalı olan Vietnam'a girmeyi başarmış.

– Yani orada bir komünist olarak yaşadığını mı söylemek istiyorsunuz?

– Evet. O dönemde bir Doğu Alman için Hô Chi Minh'e yerleşmek, Batı Berlin'e alışverişe gitmekten çok daha kolaydı.

Patrick Langlois elindeki dosyayı karıştırdı:

– Şimdilik, meslek hayatında tek bir karanlık dönem var: 1969 ile 1972 arası. O yıllarda nerede olduğunu kimse bilmiyor. Duvar yıkılınca Almanya'ya dönmüş ve Batı Berlin'e yerleşmiş. Uzmanlığını kanıtlaması uzun sürmemiş, kısa sürede eski Federal Almanya aydınlarınca kabul edilir bir bilim adamı olmuş.

Diane bugüne döndü:

– Cinayetle ilgili bir ipucu bulabildiniz mi?

– En azından, cinayet nedenini bilmiyoruz. O adama herkes hayranmış. Biraz tuhaf biri olsa da.

– Ne anlamda tuhaf?

– Çok çapkınmış. Her baharda, hemşirelerini tavlamak için akla gelmeyecek bir yöntem kullanırmış.

– Ne yöntemi?

– Şarkı söylemek. Opera aryaları. Dediklerine bakılırsa, aryalarıyla hastanenin tüm kadın çalışanlarının gönlünü kazanmış. Gerçek bir Casanova, yani. Ama ben bunun bir kıskançlık cinayeti olduğuna inanmıyorum...

– Ya ne düşünüyorsunuz?

– Bir hesaplaşma. Doğu'da kalmış ailelerinin öcünü alan Batılılar ya da onun gibi bir şey... Aslında, Van Kaen Vietnam'a yerleştiğinden beri bu oyundan çıkmış. Üstelik komünist iktidara yakın olduğunu gösterir hiçbir işaret de yok. Ama hâlâ işin bu yönünü araştırıyorum.

Auguste-Compte Sokağı'na açılan parmaklıklı yüksek kapıdan geçip, Observatoire Parkı'na girdiler. Çevresi yüksek binalarla ve yeşilliklerle çevrilmiş park gölgede ve soğukta çok tenha görünüyordu.

– Aslına bakarsanız, dedi komiser birkaç saniye sonra, beni en azından cinayetin kendi kadar ilgilendiren bir şey de, bu adamın neden oğlunuzu tedavi etmek istediği.

Diane irkildi.

– Cinayet ile Lucien arasında bir ilişki mi görüyorsunuz?

– Daha neler! Sadece müdahalesinin, esrar perdesini biraz daha kalınlaştırdığını söylüyorum... Tedavi etmek istemesindeki nedeni bulabilirsek, adamı daha iyi anlayabiliriz.

– Ne demek istediğinizi kavrayamıyorum.

Langlois bilgiç bir ifade takındı:

– Bakın, karşımızda ülkesinde uzman olarak bilinen tanınmış bir doktor var. Bu doktor ansızın servisini terk ediyor, Berlin Havaalanı'na koşturup Paris'e kalkan ilk uçağa atlıyor. Yolculuğunun bütün ayrıntılarını biliyoruz. Roissy'ye vardığında, doğruca Necker'e gidiyor, sahte bir yaka kartı ediniyor, anahtarları çalıyor, Acil Servis'e kolaylıkla girebilmek için Doktor Daguerre'in katında çalışan hemşireleri uzaklaştırmaktan çekinmiyor...

Diane birden koridorun sessizliğini hatırladı; demek Van Kaen bütün önlemleri almıştı. Komiser devam etti:

– Bütün bunlar neden? Gizemli yöntemini zaman kaybetmeden Lucien üzerinde uygulamak için. Bu bir kurtarma öyküsü, Diane. Başından sonuna dek oğlunuzun üzerinde yoğunlaşan bir kurtarma operasyonu.

Sessizce dinliyordu. Langlois'nın soruları, kendi meraklarıyla çakışıyordu. O Alman Lucien'la neden ilgilendi? Lucien'ın durumunu ona kim bildirdi? Hastane içinde bir yardımcısı mı vardı? Komiser Diane'ın düşüncelerini okumuş gibi sordu:

– Onunla temasa geçen, sizin çevrenizden biri olamaz, değil mi?

Diane beklemeden kafasıyla hayır dedi. Komiser beğeni dolu bakışlarını genç kadından ayırmadı. Langlois'nın gereken araştırmayı yapmış olduğundan emindi. Üçüncü bahçenin kapısını açarken, komiser söze devam etti:

– Necker personelini sorguya çekiyoruz. Doktorları, hemşireleri. Belki onu tanıyan biri çıkar. Kişisel olarak ya da sadece ününden. Alman polisi de kendi hesabına bütün mesajları, telefon görüşmelerini inceliyor. Emin olduğumuz bir şey var; ona haber Lucien'ın son krizinden hemen sonra, Fransız doktorlar umutlarını yitirdiklerinde ulaşmış.

Hâlâ ağaçların gölgesinde yürüyorlardı. Ayakkabılarının

altındaki küçük çakıl taşlarının gıcırtısı, adım sesleriyle uyumluydu. Diane sordu:

– Cinayet yöntemi konusunda yeni bir şey bulabildiniz mi?

– Hayır. Otopsi, gerçek otopsi demek istiyorum, sanal dalışımızın sonuçlarını doğruladı. Cinayet insanı donduracak bir şiddetle işlenmiş. Sanki bir... kurban töreni ya da ona benzer bir şey. Fransa'da daha önce buna benzer bir cinayet işlenip işlenmediğini araştırdık. Hiç işlenmemiş, tabiî. Bunun dışında, ne bir iz ne bir ipucu, hiç. Otopsinin ortaya çıkardığı tek bir yenilik var, o da Van Kaen'in ilginç bir rahatsızlığı olduğu.

– Ne gibi bir rahatsızlık?

– Mide yetersizliği. Yutmadan önce yiyeceklerini iyice çiğnemesi gerekiyormuş. Soğuk hava deposunda, duvarların üzerinde gördüğümüz izleri de açıklıyor bu rahatsızlık. Van Kaen saldırıya uğradığında, kursağındaki bütün yabanmersinlerini püskürtmek zorunda kalmış.

Sanki Langlois'nın her söylediği, küçük korku billurları gibi derisinin altına, etine saplanıyor gibi geliyordu. Benliğine sızan gizli gerçek, giderek bir kâbusa dönüşüyordu.

Observatoire Pınarı'nın yanına vardılar: öfkeli çavlanların altında, şaha kalkmış sekiz taş at. Buraya her geldiğinde, ağaçlar rüzgâra açılıp havadaki su damlacıklarına doyarken, aynı üzüntüyü, aynı boşluğu duyardı. Oysa bugün, özel bir gücü vardı duygularının.

Langlois suyun gürültüsünü bastırmak için genç kadına yaklaştı.

– Diane, son bir sorum var; evlat edindiğiniz çocuk, Vietnamlı olabilir mi?

Usulca Langlois'ya doğru döndü, onu gözyaşlarının perdesi arasından, çok uzakta gördü. Umutsuzluğa kapılmamış, şaşırmamıştı bile. Sadece bu sabah gezintisinin nedenini anlamıştı. Hemen cevap vermedi. Langlois bu sessizlikten, belki de kendi sorusundan rahatsız oldu. Daha yüksek bir sesle devam etti:

– Van Kaen Vietnam'da on yıl geçirdi. Bu gerçeği görmezden gelemem! Lucien belki de tanıdığı bir ailenin üyesiydi, ne bileyim ben.

Diane artık buz gibi duruyordu. Langlois kararlı bir sesle tekrarladı:

– Cevap verin, Diane. Lucien Vietnam kökenli olabilir mi?

Diane yeniden suların içindeki atlara baktı. İnce damlalar yüzüne dokunuyor, gözlüğünü ıslatıyordu.

– Hiç bilemem. Her şey olabilir.

Komiserin sesi biraz alçaldı:

– Öğrenebilir misiniz? Yetimhanedeki insanlara sorabilir misiniz?

Diane uzaklara daldı. Port-Royal Bulvarı'nın ötesinde, yağmur yüklü bulutlar, yeknesak bir geçide hazırlanıyordu. Kendini, hafızasında gerçek cıva alevleri yaratan muson bulutlarını özlerken yakaladı.

– Telefon ederim, dedi sonunda. Sorarım. Size yardım edeceğim.

On altıncı kısım

Dönüş yolu üzerinde, Diane kendini en akıl almaz varsayımlara kaptırdı. Port-Royal Bulvarı'na vardığında, Lucien'ın gerçekten de Vietnam kökenli olduğuna inandırmıştı kendini. Barbusse Sokağı'nda, isimsiz bir çocuk olamayacağına karar verdi. Rolf van Kaen onun ailesini tanımıştı. Küçük çocuk esrarlı bir biçimde terk edilmiş, Alman doktor da çok daha gizemli bir yolla onun Fransa'da olduğunu öğrenmişti. Saint-Jacques Sokağı'nda, çocuğun önemli birinin gizli çocuğu olduğunu, babanın da akupunkturcuyu acilen devreye sokmak zorunda kaldığını düşündü. Sokak kapısının şifresi saçmalamasını kökünden kesti.

Evindeki sükûnet merhem gibi geldi. Üç odalı küçük dairenin yansıttığı tanıdık duygular Diane'ı yatıştırdı. Beyaz duvarlara, maun parkelere, yağmurlu günlerde güneşi belleklerinde tutar görünen lekesiz perdelere uzun uzun baktı. Evini tepeden tırnağa düzene sokup temizlediği günden beri havada asılı kalan cila ve çamaşır suyu kokularını içine çekti. Gerçekten de o mucize gecesinin ertesinde, son iki haftanın üzüntü ve terk edilmişliğinden kalan izleri silmek için, her yeri temizlemişti Diane. Temizlik kokusu onu rahatlattı, kararını daha da pekiştirdi.

Saatine baktı, Tayland ile Fransa arasındaki saat farkını hesaplamaya çalıştı. Paris'te öğlen. Ra-Nong'da akşamın beşi. "Evlat edinme" dosyasını çıkardı, sonra odasına gidip yere oturdu, sırtını yatağına dayadı. Heyecanıyla başa çıkabilmek zorundaydı, gevşemek için kullanılan wing-chun yöntemini uyguladı, nefeslerini batının en altından, göbek deliğinin birkaç santimetre üzerinden almaya çalıştı. Hava karına karışıp o gizemli noktaya ulaştığında, sükûnet içini yatıştırıcı bir boşluk gibi sardığında, hazır olduğunu anladı.

Ahizeyi kaldırdı, Boria-Mundi Vakfı'nın numarasını tuşladı. Birkaç titrek zil sesinden sonra, genizden gelen bir ses duydu. Diane, Térésa Maxwell'le konuşmak istediğini söyledi. İki dakika kadar bekledikten sonra, kapı gıcırtısına benzer bir "Alo" sesi duydu. Diane istediğinden de yüksek sesle sordu:

– Madam Maxwell?

– Benim. Kiminle görüşüyorum?

Bağlantı kötüydü. Müdirenin sesiyse, daha da kötü.

– Ben Diane Thiberge, diye söze girişti. Yaklaşık bir ay önce görüşmüştük. 4 eylül günü yetimhanenize geldim. Ben...

– Altın burun halkalı?

– Tamam.

– Ne istiyorsunuz? Bir sorun mu var?

Diane anlayışlı yüzü, sorgulayıcı gözleri unutmamıştı. Tereddüt etmeden yalan söyledi:

– Hayır, hayır.

– Çocuk nasıl?

– Çok iyi.

– Bana haber vermek için mi telefon ediyorsunuz?

– Evet... Şeyy, tam olarak, öyle denemez. Size birkaç soru soracağım.

Hattın öbür ucundan, parazitten başka bir şey duyulmuyordu. Konuşmaya devam etti:

– Karşılaştığımızda, çocuğun nereden geldiğini bilmediğinizi söylemiştiniz.

– Doğru.

– Ailesini de tanımıyor musunuz?

– Tanımıyorum.

– Annesini hiç görmediniz mi?

– Görmedim.

– Etnik kökeni hakkında da hiçbir fikriniz yok, öyle mi? Ya da neden terk edildiği konusunda?

Térésa Maxwell her sorudan sonra düşmanlık yüklü bir sessizlik yaratmayı başarıyordu. Bu kez sorma sırasının kendine geldiğine karar verdi:

– Bu sorular, neden?

– Ama... ben onun annesiyim. Oğlumu daha iyi anlayabilmem için, bilmek hakkım.

– Bir sorun var. Bana bütün gerçeği anlatmıyorsunuz.

Makinelere, serum tüplerine bağlı, sargılar içindeki küçük varlık yine gözlerinin önüne geldi. Gırtlağı kupkuru, yine de cevap verecek gücü buldu:

– Sizden bir şey sakladığım falan yok! Ben sadece oğlum hakkında birkaç şey öğrenmek niyetindeyim ve...

Térésa Maxwell içini çekti, bu kez daha az saldırgan bir sesle konuştu:

– Sizinle karşılaştığımızda, tüm bildiklerimi anlatmıştım. Ra-Nong sokakları anasız babasız, bakımsız dolaşan küçük çocuklarla dolu. İçlerinden biri gerçekten kötü duruma düşünce, gidip alıyoruz onu, hepsi bu. Lu-Sian da onlardan biriydi.

– Nesi vardı?

– Susuz kalmıştı, bir de tabiî gıdasız.

– Onu almaya geldiğimde, ne zamandır yetimhanenizdeydi?

– Yaklaşık iki ay.

– Onun hakkında hiçbir şey öğrenemediniz mi?

– Biz soruşturma yapmayız ki.

– Ziyaretine gelen oldu mu?

Parazitler çok daha güçlendi. Diane karşısındakinden koparıldığını, tüm bilgi alma imkânlarının elinden alındığını sandı. Karşısındaki ses yeniden gıcırdadı:

– Dikkatli olun, Diane.

Sıçradı. Ses birden çok yakınlaşmıştı. Kekeledi:

– Ne... Neye karşı?

– Kendinize, diye soludu müdire. Daha fazlasını bilmek, Lu-Sian hakkında soruşturma yapmak eğilimine karşı dikkatli olun. O oğlan bundan böyle sizin çocuğunuz. Onun tek kökeni sizsiniz. Ötesini kurcalamayın.

– İyi ama... Neden?

– Hiçbir yere varamazsınız da ondan. Çocuk evlat edinenlerde gerçek bir hastalıktır bu. Hep her şeyi bilmek istediğiniz, aradığınız, soruşturduğunuz bir an gelir. Sanki size ait olmamış gizemli bir anı yakalamak istermiş gibi. O çocukların da geçmişleri var, bunu değiştiremezsiniz. O geçmişleri de onların karanlık tarafları.

Diane bir şey ekleyemeyecekti. Boğazı çok kuruydu. Térésa devam etti:

– Palimpsestus nedir, bilir misiniz?

– Şeyy... sanırım, evet.

Térésa yine de açıkladı:

– Ortaçağ keşişlerinin üzerine yeni metinler yazmak için kazıdıkları Eskiçağ parşömenleri. Bu belgeler yeni metinlerle kaplı olsalar da, derinliklerinde eski mesajı saklarlardı. Evlat edinilmiş bir çocuk da bunun gibidir. Onu yetiştirebilir, bir sürü şey öğretebilir, kültürünüzü aktarabilir, kişiliğinizi verebilirsiniz... Ama unutmayın, altta hep başka bir metin kalacaktır. Çocuk hep kendi kökenini koruyacaktır. Ebeveynlerinin, ülkesinin genetik mirasını. Kendi topraklarında yaşadığı birkaç yılı... Böylesi bir sırla yaşamayı öğrenmek zorundasınız. O sırra saygı duyun. Oğlunuzu gerçekten sevmenin tek yolu, bu.

Térésa'nın kupkuru sesi yumuşamıştı sanki. Diane yetimhaneyi gözünün önüne getirmeye çalıştı. Kokusunu, sıcaklığını, nekahet atmosferini duyuyordu. Oysa öğrenmek istediği şey hakkında en ufak bir bilgisi yoktu. Bu yüzden, sorularına kesin cevaplar almak zorundaydı:

– Bana sadece bir şey söyleyin, dedi sonunda. Lucien... şeyy, Lu-Sian demek istiyorum, Vietnam kökenli olabilir mi?

– Vietnamlı mı? Aman Tanrım! Neden Vietnamlı?

– Şeyy... Vietnam oradan çok uzak değil de...

– Hayır. İmkânsız. Kaldı ki, Vietnamca bilirim. Lu-Sian'ın konuştuğu lehçenin Vietnamca'yla uzaktan yakından ilgisi yok.

Diane mırıldandı:

– Çok teşekkür ederim. Sizi... sizi yine ararım.

Telefonu kapadı, müdirenin sözlerinin, buzdan bir sahındaymışçasına, içinde yankılanmasını dinledi.

İşte o uzak anı, zihninden o sırada geçti.

İspanya'da, bir görev için gittiği Asturias'ta. Diane boş zamanlarından birinde, eski bir manastırı ziyarete gitmişti.

Hâlâ meditasyon ve taş fısıltılar döneminde yaşayan gri ve kaba bir yapı. Manastır kütüphanesinde, onu hayran bırakan bir şey görmüştü. Cam vitrinin ardında, çelik ipliklere asılmış bir parşömen. Pürüzlü ve pembemsi yüzeyi parşömene organik, neredeyse canlı bir görünüm kazandırıyordu. Özenli gotik yazı sık satırlarla ve kimi yerde de zarif bir süsleme için küçük bir boşluk bırakılarak devam ediyordu.

Ama insanı hayran bırakan, bambaşka bir şeydi.

Tepedeki morötesi neon lamba düzenli aralıklarla yanıp sönüyor, yandığında da kara harflerin altındaki, daha akıcı, kırmızımtırak yazıyı gözler önüne seriyordu. Eskiçağ'dan kalma, daha eski bir metnin kalıntıları. Parşömende bırakılmış parmak izleri gibi.

Diane anlıyordu şimdi; eğer çocuğu bir palimpsestus ise, eğer geçmişi yarı silinmiş bir metinse, o zaman o geçmişin bazı kırıntılarının Diane'ın elinde olması gerekirdi. Lu. Sian. Paris'te, bu evde yaşadığı üç hafta boyunca tekrarladığı o birkaç sözcük. Térésa Maxwell'in anlayamadığı o birkaç sözcük.

On yedinci kısım

Ulusal Doğu Dilleri ve Uygarlıkları Enstitüsü'nün bürolarından biri Lille Sokağı'nda, Orsay Müzesi'nin hemen arkasındaydı. Diane'ın gözünde koyu renkli, ciddi görünümlü olan bu yapı, yedinci bölgenin güzel binalarının belirgin özelliği olan görkemli bir görünüşe de sahipti.

Mermer holden geçti, sonra da yolunu bir merdiven ve sınıf labirentinde aramaya koyuldu. Birinci katta Güneydoğu Asya Dilleri Bürosu'nu buldu. Sekreterlerden birine sadece gazeteci olduğunu ve Altın Üçgen'deki etnik gruplar üzerine bir röportaj hazırlamak istediğini anlattı. İsabelle Condroyer'ye görüşmesi mümkün müydü? Bu adı *Pléiade*'ın etnolojiye ayrılmış bir cildinde görmüştü. Condroyer o bölge halkları konusunda uzmanlaşmış bir etnoloji profesörü olarak tanınıyordu.

Sekreter bir tebessümle cevap verdi. Diane talihliydi doğrusu; Madam Condroyer orada verdiği dersi az önce bitirmişti. Diane'ın zemin kata inip, 138 numaralı sınıfta beklemekten başka bir şey yapması gerekmeyecekti. Profesörü haberdar edeceklerdi Diane'ın beklediğinden.

Diane hemen sınıfa indi. Asma kata sıkıştırılmış, buzlu camlı havalandırma pencerelerinin bir iç avlunun zemini hizasına açıldığı ufacık bir oda. Dirsek dirseğe sıralanmış küçük sıralar, karatahta, cilalı ahşabın kokusu Diane'a kendi öğrenciliğini hatırlattı. Eski bir yalnız talebe refleksiyle sınıfin en sonuna oturdu, istemeyerek de olsa fakülte anılarının içine daldı.

Hayatının o dönemini hatırladığında, sınıfta geçirdiği saatleri değil, daha çok doktorasının son yıllarını süsleyen görevleri düşünüyordu. Çalışkan bir öğrenci olmamıştı hiç. Zaten analize ve kurama aşırı yatkınlığı da yoktu. Diane'ın tek tutkusu, saha çalışmasıydı. İşlevsel morfoloji. Otoekoloji. Yaşamsal alanlar topografyası. Nüfus dinamikleri... Bütün bu terimler, bu yöntemler Diane için yola çıkmak, izlemek, gözlemek, yabanî hayatı evcilleştirmek için birer bahaneden öteye geçmemişti.

Daha ilk yolculuğundan beri, tek bir amacı vardı: avın barbarlığını, yırtıcıların şiddetini anlamak. Canlı üzerine atılan bir çene kemiğinin takırtısında özetlenecek bu gizemin tutsağı gibi yaşıyordu. Belki anlaşılacak bir şey de yoktu bunda, belki de sadece yaşanması gereken bir şeydi. Gözlerini avlarına dikmiş, çalıların arasında, çevrelerindeki bitkilere karışacak kadar hareketsizleşen, kendini o anın dokusuna kazıyan büyük yırtıcıları gördüğünde, hep aynı kesin gerçeği düşünüyordu: bu kadar yoğun düşüncenin sonunda bir gün Diane da o yırtıcı hayvan, o izleme, o an olacaktı. O zaman hayvan içgüdüsünü anlamak söz konusu olmayacaktı. Hayvanın içine sızmaktı, gereken. Kendinden başka hiçbir mantık tanımayan o yıkıcı hareket, o kör dürtü olmaktı.

Kapı birden açıldı. İsabelle Condroyer çıkık elmacıkkemiklerini, başka kadınların giydikleri yüksek topuklu ayakkabılar gibi taşıyordu. Kısa kesilmiş kahverengi saçlarının altındaki gözleri hafif çekikti, ama gözbebekleri çay yeşiliydi. Gerçek birer badem gibi, hâlâ dalında, taptaze. Kadının kanına karışan o bir damla Asya iksiri ona egzotik bir güzellikten çok, bir dağ sertliği, bir dağlı dayanıklılığı kazandırıyordu. Diane ayağa kalktı. Etnoloji profesörü hiç beklemeden söze girdi:

– Sekreterim muhabir olduğunuzu söyledi. Hangi gazete?

Diane etnoloji uzmanının kırmızı bluzunun fazla dar olduğunu fark etti. Kumaş üzerinde iyice gerilmişti. Gülümsemeye çalıştı:

– Bakın... Bunu sizinle görüşmek için söyledim.

– Efendim?

– Bazı bilgilere ihtiyacım var. Çok acil bilgilere...

– Alay mı ediyorsunuz? Başka yapacak işim yok mu sandınız?

Diane bir an için aynı ses tonuyla cevap vermeyi düşündü, sonra fikrini değiştirdi. Dövüş tekniklerinden biri de rakibinin hamlesini ona karşı kullanmaktır. Kadının saldırganlığını yatıştırmak için duyarlı tele dokunmaya karar verdi.

– Bir çocuk evlat edindim, diye açıkladı. Tayland'da, Ra-Nong yakınlarında bir yerden. Eminim, nereden söz ettiğimi biliyorsunuz. Çocuk altı ya da yedi yaşında.

– Eee?

– Bir iki cümle mırıldanıyor hep. Hangi dili konuştuğunu, kelimelerin hangi lehçeden geldiğini öğrenmek istedim.

Etnoloji profesörü çantasını sınıfın sıralarına dönük tek masanın üzerine bıraktı. Kollarını kavuşturdu. Bluzu, özellikle sutyeninin üzerinde daha da açıldı. Diane aynı tonda sürdürdü konuşmasını:

– Bir otomobil kazası geçirdik. Çocuk ölmek üzereydi. Hâlâ kendine gelemedi, ama hekimler bilincinin açılacağını söylüyorlar.

Kadın Diane'a değişik bir şekilde bakıyordu. Sanki bir deliyle mi karşı karşıya olduğunu, yoksa böylesi bir öykünün uydurulup uydurulamayacağını bilemiyormuş gibi. Açık ve kesin yalan Diane'ın zihninde şekillenmeye başlamıştı:

– Şimdi durum şu; hekimler, çocuk kendine geldiğinde ona anadilinde hitap etmenin iyi sonuç verebileceğini düşünüyorlar. Paris'e geleli henüz birkaç hafta oldu, anlıyor musunuz?

Söylediği öylesine doğru geliyordu ki, bir an için gerçeği, aslında ilgilenilmesi, düşünülmesi gereken bir şeyi söyleyip söylemediğini düşündü. Profesörün sesi değişti:

– Şu anlattıklarınız... Neyse... Şimdi ne halde çocuğunuz?

– Birkaç gün öncesine kadar, ölmesi bekleniyordu. Oysa bugün, hekimler çok daha iyimser. Komadan çıkacağını gösteren birçok belirti var. Ondan sonra geriye beyindeki hasar sorunu kalıyor.

İsabelle Condroyer oturdu. Yüzü hâlâ aynı sertlikteydi

ama, o sertlikte düşmanlıktan eser yoktu. Ciddiyet vardı. İçini çekti:

– Benimle konuşamadığına göre, hangi dili konuştuğunu nasıl...

– Hep aynı kelimeleri tekrarlıyordu. Özellikle de iki heceyi. Lu-Sian...

– Etnik kökeni hakkında bir şey bilmiyor musunuz?

– Hiç. Sadece bu heceleri.

Profesör karşısındakini uzun uzun süzdü. Diane toprak renginde, belden kemerli bir manto giymiş, boynuna gerdanlık yerine kuvars bir kolye takmış, topuzunu da gümüş bir tokayla tutturmuştu. Sonunda profesör bilgiç ve soğuk bir sesle konuştu:

– Andaman bölgesinde kaç dil ve lehçe konuşulur, biliyor musunuz?

– Pek emin değilim.

– On ikiden fazla.

– Ama ben size çok küçük bir bölgeden söz ediyorum. Haritanın üzerindeki bir noktadan. Yetimhane Ra-Nong'da ve...

– Birmanya'daki çatışmalardan, uyuşturucu savaşlarından, Hindistan'dan ve Altın Üçgen'den gelen göçmenlerden sonra, o bölgede yirmiden fazla dil ve lehçe konuşuluyor olmalı. Belki de otuz.

– Elimdeki tek şey, o iki hece. Her bir lehçenin uzmanını tanıyor olmalısınız. Ben de...

Profesörün sesi sabırsızlık yüklüydü:

– Birkaç hece bizim işimize yaramaz! Özellikle de sizin ağzınızdan. Sadece Tayca'da bile aynı kelime, vurgunun hangi heceye konduğuna, cümlenin neresinde yer aldığına bağlı olarak, birçok anlama gelebilir...

Dışarıda, alacakaranlık iş başındaydı. Buzlu cam, kor kırmızısı bir renkle parlıyordu. Sanki kadının öfkesi camı tutuşturmuş gibi. Kabaca kestirip attı:

– Üzgünüm. Gerçek telaffuz olmadan, isteğiniz saçmalıktan öteye gidemez. Sizin için bir şey yapamayacağım.

Diane'ın yüzünde bir tebessüm belirdi.

– Bunu söyleyeceğinizi biliyordum.

Çantasından parlak kırmızı bir ses kayıt cihazı çıkardı. Lucien'ın kendi şarkılarını kaydettiği karaoke aleti. Diane vurgu ve telaffuz olmadan bir lehçenin belirlenemeyeceğinin bilincindeydi. İşte o zaman, kasete kaydedilmiş sesi hatırlamıştı.

Diane "play" düğmesine bastı. Lucien'ın genizden gelen sesi birden sınıfı doldurdu. Hafifçe boğuk, kesik kesik heceler, akşamın sessizliğinde çocukluğundaki baloncuklar gibi yükseldi. İsabelle Condroyer şaşkınlıktan donup kaldı.

Diane kazanmıştı. Ama zaferinin tadını çıkaramıyordu işte. Çocuğun sesi onu da şaşırtmıştı. Kazadan beri, bu kaseti dinlemeyi düşünmemişti. Burada yükselen, tüm boşluğu dolduran, Diane'ı Lucien'la, Lucien'ın yüzüyle, hareketleriyle kaplayan ses dalgaları, keskin bir bıçak gibi etine işliyordu. Üzüntü bir saniyede özgürlüğüne kavuştu, gözyaşlarının yakıcılığını hissetti.

Başını eğdi, alnını avucunun ardına sakladı. Ağlamak istemiyordu. Ses kızıla batmış sınıfta hâlâ yükselirken, oturduğu yerde dertop oldu.

Birden sessizlik.

Diane bakışlarını kaldırdı. Etnolog, olan biteni anlamış, ses kayıt cihazını durdurmuştu. Diane konuşmak için ağzını açtı, ama profesör çoktan doğrulmuş, elini genç kadının omzuna koymuştu. Daha birkaç saniye önce sert ve buyurgan olan sesi, bir fısıltı gibiydi:

– Kaseti bana bırakın. Neler yapabileceğime bir bakayım.

On sekizinci kısım

Eller yapışık.

Diane'ın en uzman, en hızlı olduğu wing-chun yöntemiydi bu. Vuruş yaparken, rakibin hamlesinden kaçınırken, sürekli olarak onunla temas halinde bulunacak kadar yakın olmayı gerektiren bir yöntem. Yumruklar. Dirsek darbeleri. El kenarıyla yapılan vuruşlar. Darbe yağmuru kaçmaya, geri adam atmaya izin vermeksizin sürüp giderdi; insan düşmanına yapışık gibi.

Diane'ın bunca yoğun temastan iğrenmesi gerekirken, konu dövüş olduğunda, böylesi belirtiler göstermezdi. Tam tersine, böylesine yakın temastan bir çeşit zevk bile alıyordu. Hareketin tümüyle değişmesinden, okşayışın darbeye dönüşmesinden keyif alıyormuş gibi.

Aslında bir sırrı vardı Diane'ın. Böylesine yakın dövüşte ustalaşmasının bir nedeni de miyop olması, kazanmak için tek çarenin düşmanın çok yakınında, her bir ayrıntıyı görüp yakalayacak kadar yakınında durmaya çalışmasıydı. Güçsüzlüğünü güce çevirmiş, hızına güvenerek, rakiplerinin dengesini bozacak şekilde büyük riskler alarak yakın dövüşte uzmanlaşmıştı.

O akşam da Maubert-Mutualité salonundaki antrenman, gün boyu yaşadığı heyecanları yatıştırmanın kusursuz yolu olarak görünüyordu. Térésa'yla konuştuktan, etnologla görüştükten sonra, doğruca hastaneye gitmişti. Lucien'ın ayrıntılı muayeneden geçtiğini söyleyerek yanına girmesine izin vermediler. Önce öfkelendiyse de, Doktor Daguerre'in yarından itibaren drenleri çıkarmayı düşündüğünü duyup, rahatladı.

Yine de eve döndüğünde, iyi haberin keyfini alabildiğince çıkaramadı Diane. Van Kaen'in öldürülmesi her şeyi gölgeliyordu, oğlunun iyileşmesini bile. Cinayetin korkunçluğu aklından çıkmıyordu bir türlü. Alman hekimin iç organlarını parçalayan el de. Duvarlara yapışmış yabanmersinleri de. Akupunkturcunun vücudunu gözler önüne seren parıltılı ekran da. Hepsi, hepsi zihnine doluşuyor, birbirine dolaşıp, karışıyordu. Cinayeti ve çocuğunun iyileşmesini iki ayrı olay gibi düşünemiyordu bir türlü.

Üstelik çocuk hastalıkları binası da üniformalı polis koruması altına alınmıştı. Madam Ferrer'e polislerin burada ne aradıklarını sorduğunda, aldığı tek cevap, "Güvenlik" olmuştu. Hangi güvenlik? Hangi tehlikeye karşı? Yoksa Necker'in koridorlarında hâlâ kol gezen bir katil mi vardı? Gücünü böylesi meraklara harcamaktansa, ter kokusunu ve vuruşları tercih etti. Eller yapışık. Kaygılarından kurtulmanın bir yolu...

Eve döndüğünde, duşa girip sıcak suyun altında yıkandı, sonra telesekreterdeki mesajları dinledi. Hep aynı çağrılar: haber almak isteyen, teselli etmeye uğraşan dostların, tanıdıkların bitmek tükenmek bilmeyen konuşmaları. Annesinin bıraktığı mesajlar da vardı. O nefret ettiği sesi her duyuşunda, telesekreterin "sonraki mesaj" tuşuna basıyordu.

Mutfağa gitti. Saçları sırılsıklam, yanakları alev alev, Darciling çayı dolu demliği, Palmitos kavanozunu ve yoğurtları bir tepsinin üzerine yerleştirdi. Neredeyse yalnız bisküvi ve süt ürünleriyle besleniyordu. Sonra, akşamüstü satın aldığı kitaplarla, yatak odasına yerleşti.

Araştırması gereken bir şey vardı. Belirsiz, dolaylı, ama Diane'ı derinden meraklandıran bir şey: akupunktur. Van Kaen'in Lucien'ın vücuduna ne gibi bir müdahalede bulunduğunu anlamak istiyordu. Anlaşılmaz da olsa, bu yöntemin o korkunç gecenin diğer olaylarıyla bir şekilde ilişkili olduğunu hissediyordu.

Bir saatlik bir okuma, birçok gerçeği anlamasına yetti.

Her şeyden önce, Eric Daguerre haklıydı. Fizyolojik olarak bakıldığında, akupunkturcunun iğne batırdığı belirli bir nokta yoktu. Ne sinirler ne kaslar ne de derinin duyarlı bölümleri; en azından, düzenli olarak yoktu. Vücudun içindeki meridyenler de, fiziksel olarak hiçbir zaman kanıtlanamamıştı. Yapılan araştırmalar iğnelerin bazen endorfinleri -ağrı kesici özellikleri olan hormonlar- serbest bıraktığını gösteriyordu sadece. Başka incelemeler de bazı noktaların elektrik özelliklerini ortaya koymuştu. Ne var ki bu tespitlerden hiçbiri genelleştirilemezdi; üstelik Rolf van Kaen'in vardığı sonuçla karşılaştırıldığında, değinilen bu bulguların sözü bile edilmemesi gerekirdi.

Alman hekim de doğruyu söylemişti. Çin tıbbına göre akupunktur gizemli bir özelliğe sahipti, uygulayıcılarının "yaşamsal enerji" olarak adlandırdıkları, Van Kaen'in bir çeşit ilk atılıma, ilk kaynağa benzettiği bir özellik. Hem sonra, neden olmasın? Sağlam mantığına, biyoloji eğitimine rağmen Diane da Lucien'daki gelişmenin ışığında her şeyi kabule hazırdı. Açık olan bir şey varsa, o da akupunkturcunun fizyolojik mekanizmaları Batı tıp aletlerinin erişemediği bir derinlikten harekete geçirdiğiydi.

Diane okumaya devam etti. Onu şimdi asıl ilgilendiren, bu esrarlı güçlerin coğrafyasıydı. Alman hekim "yer altı sularından" söz etmiş, böylelikle yaşamsal enerjinin insan vücudu içinde "nehirleri" olduğunu söylemişti: bir yer altı topografyası izleyen meridyenler. Diane saatlerce bu karmaşık akımları ve aralarındaki girift ilişkiyi anlamaya çalıştı.

En şaşırtıcı olanı, bu enerjinin aynı zamanda hem vücudun içinde hem de dışında bulunuyor olmasıydı. Yapılması gereken, sadece şu ya da bu meridyeni ısıtmak, yatıştırmak, ya da harekete geçirmek değil, daha da önemlisi bu akımı dış güçlerle dengelemekti. Kısacası akupunkturcunun parmakları arasındaki iğneler evrene uzanan, organizmanın var olduğu sayılan kozmik bir güçle "ahenkleşmesini" sağlayan minicik bağlantı noktaları gibiydi. Diane okumayı kesti, bu kavramlar, kullanılan sözler rahatsız ediyordu onu; bütün bunlar tinselcilerin kendilerine özgü konuşmasını, guruya erişemedikleri için kaybolan ruhlara yapılan çağrıları hatırlatıyordu. Yine de oğlunun derisine saplanmış, o yeşil ve canlı iğneleri unutamıyordu. Bizzat kendi de o anda, gizemli ve anlatılmaz güçlere kurulmuş köprülere, geçitlere benzetmişti iğneleri.

Diane ışığı söndürüp düşünmeye koyuldu. Çin tıbbı hakkındaki bu kitaplar, ona bir tek düşünce dışında, hiçbir şey öğretmemişti; belki de Lucien, kültürel mirası nedeniyle akupunktura herhangi bir çocuktan daha duyarlıydı. Belki de vücudunun bu yönteme daha olumlu tepki vermesini sağlayan genetik bir birikime sahipti. İyi ama, Diane soyaçekim yasaları konusunda ne biliyordu? Bu temelsiz bir varsayım mıydı yoksa? Ne olursa olsun, Lucien'ın doğum koşulları hakkında kesin bir bilgi vermeyen bir varsayım.

Bir kez daha, Van Kaen'in akupunktur seansını bütün ayrıntılarıyla hatırlamaya çalıştı. Durmadan aklına gelen bir cümle vardı. O gecenin kargaşasında dikkat etmediği, ama bu akşam özel bir yankıyla hatırladığı bir cümle. Yanından ayrılmadan, "Bu çocuk yaşamalı, anlıyorsunuz değil mi?" demişti Alman doktor. O sırada bu cümle akupunkturcunun kararlılığını gösteriyor gibi gelmişti Diane'a. Ama aynı cümle, Diane'ın henüz bilmediği bir nedenle, Lucien'ın ne pahasına olursa olsun yaşaması gerektiği anlamına da gelebilirdi.

Alman doktor bir sır, çocukla ilgili bir gerçeği bilen biri gibi konuşmuştu. Belki de Diane'ın bu öğleden sonra düşlediği gibi, olağandışı bir aile kökeni. Ya da fizyolojik bir özellik. Ya da Lucien'ın daha ileriki yaşlarda başarması gereken bir görev, tamamlaması gereken bir misyon...

Saçma teoriler hastalığına yeniden yakalanmak üzereydi. Aynı zamanda da uzaktan gelen bir yankı gibi, Alman doktorun sesini duyuyordu. Doktorun akupunktur seansı sırasında gizlemeye çalıştığı olağanüstü gerginliği, kaygıyı hissediyordu. O adam bir şeyler biliyordu. Lucien diğerleri gibi bir çocuk değildi. Langlois da polis içgüdüsüyle bu durumu fark etmişti. İşte Lucien'la, Lucien'ın kökleriyle böylesine ilgilenmesinin nedeni de buydu.

Çılgınlıksa çılgınlık, Diane birden yepyeni bir olasılığı düşünmeye başladı.

Çocuğu kurtarmak için ileri sürülen böylesine buyurucu

bir neden, aynı zamanda da Lucien'ı yok etme sebebi olabilirdi... Ya Van Kaen de küçük çocuğu uyandırmaya başladığı için öldürüldüyse?

Ya Lucien tehlikedeyse?

Birden durdu. Gerçek aniden soluğunu kesmeye başlamıştı.

Ya bu tehlike gerçekleştiyse?

Ya çevre yolundaki kaza rastlantı değilse?

II- Gözcüler

On dokuzuncu kısım

11 ekim pazartesi.

Diane Suresnes'de, Valérien Tepesi'nin yamaçlarını arşınlıyordu.

Önce beyaz haçlarla süslü Amerikan mezarlığını boydan boya geçmiş, sonra da Boulogne Ormanı'na hâkim bayırları dolaşmıştı. Bu yol doğru değildi kuşkusuz, Saint-Cloud Köprüsü yakınlarında bir yerlerde şaşırmış olmalıydı. Şimdi kiralık arabasının direksiyonunda Bas-Rogers Sokağı'ndan iniyor, kentin grisiyle yeniden buluşuyordu. Yağmurun altında, renksiz caddeleriyle, üşümüş gibi birbirine yakınlaşmış dar sokaklarıyla iç karartıcı banliyönün ortasındaydı.

Diane tüm gücüyle soruşturmanın içine dalmıştı. Hafta sonu tatilinden yararlanarak birkaç araştırma yürütmüş, şimdi de sorularının merkezine varmayı umuyordu. Granitten bir sukemerinin altından geçti, gururla Belvédère Mahallesi'nin girişini haber veren kavşağın çevresinden döndü, sonra da sağında Gambetta Caddesi'ni gördü. Kenarından demiryolu geçen cadde, asırların yıpratıcı etkisine direnmiş gibi görünen, birbirine yaslanarak sıralanan küçük evlerle çevriliydi.

58 numara iki katlı, pis ve dökük, tuğla duvarlı, balkonları siyah demirden bir binaydı. Diane güçlük çekmeden park yeri buldu ve binaya girdi. Karşısına bakımsız bir sahanlık, leş gibi posta kutuları, koyu renge boyanmış bir mer-

diven çıktı. Çöp tenekelerinden yayılan kokular bile genel görüntüyle ahenk içindeydi; binanın tüm öyküsünü özetleyen, merdiven altına gizlenmiş, homurtulu ve şiddetli bir acıydı.

Merdiven otomatiğine bastı, ışığın yanmadığını -yanmayacağını- gördü. Üzerinde kiracıların adlarının yazılı olduğu küflenmiş karton parçasına yaklaştı, sokaktan sızan ışığın yardımıyla aradığını, Patrick Langlois'nın evine bir gece önce telefon ederek öğrendiği adı buldu.

Gıcırtılı basamaklar, tozlu merdiven tırabzanı... Bildik, beklenen duygular birbirini izliyordu. Diane her adımda hışırdayan, petrol mavisi uzun bir yağmurluk giymişti. Omuzlarında küçük yağmur damlaları parıldıyor, bu parıltılar da ona güven veriyordu. İkinci kata varıp soldaki kapıyı çaldı.

Cevap yoktu.

Bir daha çaldı.

Bir dakika daha geçti. Diane geri dönmek üzereydi ki içeriden bir sifon sesi duyuldu.

Kapı sonunda açıldı.

Karşısında genç bir adam duruyordu. Kapüşonlu, renksiz ve şekilsiz bir jogging eşofmanı giymişti. Diane karanlıkta adamın yüzünü iyi seçemedi. Görebildiği kadarıyla adam, hatırladığından daha gençti. Otuzunda, daha fazla değil. Daha da zayıf. Dikkatini asıl çeken, aralık kapıdan süzülen kenevir kokusu oldu. Anlaşılan adam tam da hafif bir uyuşturucu seansının tam ortasındaydı. Sifon sesinin nedeni, işte. Diane sordu:

– Marc Vulovic'siniz, değil mi?

Gölgeli yüz kıpırdamadı. Sonra genizden çıkan bir ses duyuldu:

– Ne var?

Diane gözlüğünü düzeltti. Bu nezleli ses, en kötüsünün habercisiydi; karşısındaki herif sadece esrarla yetinmiyordu anlaşılan.

– Adım, Diane Thiberge.

Adamda sessizlik. Diane devam etti:

– Kim olduğumu anladınız, değil mi?

– Hayır.

– Kaza gecesi 4 x 4'teki bendim.

Vulovic bir şey söylemedi. Bir dakika geçti. Ya da belki sadece birkaç saniye. Diane, içinde bulunduğu gerginlikten olacak, hiçbir şeyden emin değildi. Adam buyurdu:

– Girin.

Diane duvarlara dizilmiş CD'lerle ve video kasetlerle dolu minicik bir holden geçti, sağında muşamba ve formika kaplı bir mutfak gördü. Adam bir el hareketiyle mutfağa girmesini işaret etti.

Grimsi perdelerin arasından iç karartıcı bir ışık sızıyordu. Bir musluk, bir su ısıtıcısı: yıkanmamış bulaşıkların altında boğulan iki donuk leke. Bir de havayı kaplayan uyuşturucu kokusu. Diane yarı aralık pencerenin yanında bir iskemle gördü. Yağmurluğundan yeni hışırtılar çıkararak, hızla iskemleye oturdu.

Adam masanın öte tarafındaki tabureye çöktü. Alnının üzerine indirdiği sarımtırak kapüşonun altından uzun ve kupkuru bir yüz görünüyordu. Ördek kuyruğu kesimli sarı saçlar, mısır püskülü gibi kıvırcık keçi sakalı. Artık sargıları yoktu. Sadece alnında ve kaşlarında kahverengi birkaç kabuk. Kafası öne eğik, mırıldandı:

– Hastaneye gelmek istiyordum ama...

Durdu, kafasını kaldırdı. Yeşil gözleri buzdan bir denize açılmış küçük lombozları hatırlatıyordu. Sordu:

– Şimdi... yani, çocuk demek istiyorum... şimdi...

Diane adamın kimseden bir haber almadığını anladı:

– Daha iyi. İnanılır gibi değil ama, düzelme yolunda. Onun için bu konuyu bir kenara bırakalım, tamam mı?

Vulovic karşısındakini kararsızlıkla süzdü, yavaşça başını salladı. Çarpık çurpuk bir vücudu, büzülmüş omuzları vardı. Kendi kişisel rahatsızlığının tutsağı bir uyuşturucu kurbanı. Vulovic sordu:

– Ne istiyorsunuz?

– Kazanın ayrıntılarını konuşmak. Direksiyondayken başınızdan neler geçtiğini öğrenmek.

Kamyon şoförü irkildi. Gözbebeklerinden yıldırım hızıyla bir güvensizlik geçti. Diane adama konuşacak zaman bırakmadı:

– O gece, Porte-d'Auteuil Caddesi'ndeki park yerinden geldiğinizi söylediniz. Orada ne yapıyordunuz? Dinleniyor muydunuz?

Adam istemeye istemeye gülümsedi. Gözlerinde mende-
burca bir parıltı.

– Oradan hiç geçmediniz mi? Yani, akşamları?

Diane çevre yolu ile Roland-Garros Stadı arasında sıkış-
mış, doğruca Boulogne Ormanı'na açılan hiçbir özelliği ol-
mayan bir cadde canlandırdı gözünün önünde. Birden aynı
görüntünün gece halini düşündü ve korkularının o güne ka-
dar sakladığı gerçeği anladı: orospular. Adam sadece oros-
puya gitmişti.

Diane'ın düşüncesini okumuş gibi başını salladı Vulovic.

– Yola çıkmadan önce herkes yapar bunu. Hollanda'ya gi-
decektim. Hilversum. Gidişgeliş. Yirmi dört saatlik yol.

Diane sözüne kaldığı yerden devam etti:

– Tamam. Sürücü dikkati konusunda yapılan istatistikle-
ri gördüm. Uykuya bağlı ağır vasıta kazalarının yüzde doksa-
nı gece on bir ile sabaha karşı bir arasında meydana geliyor.
Aynı istatistiklere göre, çevre yolunda bu tip kazalara kesin-
likle rastlanmamış. Başkentin yakınında olmak, şoförleri do-
ğal olarak "uyandırıyor". Siz park yerinden çıktığınıza göre...

– Soruşturma mı yapıyorsunuz? diye birden araya girdi
adam, saldırgan bir tavırla.

– Sadece anlamaya çalışıyorum. Geceyarısı, bir fahişeyle
birlikte olduktan sonra, yirmi dört saat sürecek bir yola çık-
tığınız bir sırada, nasıl uyuduğunuzu anlamak istiyorum.

Vulovic kıvrandı. Parmakları masanın üzerine vuruyor-
du. Diane kendi gerginliğini gemledi ve birden yön değiştirdi:

– Uyanık kalmak için ne yaparsınız?

– Kahve içerim. Termoslarımız var.

Diane burun deliklerini titretti, leş gibi mutfağa hâkim
kokuya sessiz bir gönderme.

– Sigara da içiyorsunuz, değil mi?

– Herkes gibi.

– Ya ot?

Adam cevap vermedi. Diane devam etti:

– Bunun sonunuz olacağını hiç düşünmediniz mi? Sizi
uyutacağını?

Vulovic boynunu uzattı. Derinin altındaki damarlar kıpır-
dıyordu.

– Dayanabilmek için, bütün şoförler duman alır. Herkesin kendine göre bir planı var. Anlaşıldı mı?

Diane masanın üzerine eğildi. Böylesi diklenmeler onu hiç etkilemiyordu. Senli benli konuşmaya başladı:

– Başka bir şey içmiyor musun?

Kamyon şoförü biraz daha sessizliğe gömüldü. Diane ısrar etti:

– Amfetamin, kokain, eroin?

Adam Diane'a yan yan baktı. Dumanlı gözkapaklarının altında, mermi gibi parlak, iki demir bilye. Dudakları hafif bir tebessümle ayrıldı.

– Anladım. Başıma dert açmak istiyorsunuz. İşten atıldım. Ehliyetim alındı. Kodese tıkılabilirim ama, bütün bunlar size yetmiyor. Hemen tutuklanmamı istiyorsunuz. Yıllarca yatmamı.

Diane adamı bir hareketle susturdu.

– Ben sadece gerçeği arıyorum, hepsi bu.

Vulovic haykırdı:

– Gerçek, aynasızların raporunda yazılı işte! Alkol testinden geçtim. Hastanede muayene edildim. Bir şey bulamadılar. Allah kahretsin, temizdim. Yemin ederim, kaza anında temizdim!

Doğruyu söylüyordu. Yapılan testlerden Diane'ın da haberi vardı.

– Tamam, dedi, biraz daha alçak sesle. Öyleyse o gece neden uyuyakaldın?

– Bilmiyorum. Hiçbir şey hatırlamıyorum.

Diane doğruldu.

– Nasıl yani?

Adam tereddüt etti. Yüzünden kocaman ter damlaları akıyordu. Mırıldandı:

– Yemin ederim. Beynimi istediğim kadar zorlayayım, Auteuil Kapısı'ndan sonra hiçbir şey hatırlamıyorum... Karıya bir fişek atıp atmadığımı bile. Olağanüstü bitkin olmalıyım. Bilmiyorum. Çarpma anına kadar hiçbir şey hatırlamıyorum...

Diane yerin altından bir gerçeğin yükseldiğini görüyordu. Daha önce hiç kuşkulanmadığı, şimdiyse gözlerinin önünde şekillenen bir gerçek. Sordu:

– Kahvene dokunan oldu mu?

– Saçmalıyorsunuz! Neden dokunsunlar ki?

– Park yerinde kimseyle konuştun mu?

Kafasıyla hayır işareti yaptı adam. Kapüşonu terden sırılsıklamdı.

– Başladığımız yere geldik. Hiçbir şey hatırlamıyorum. Allah kahretsin. Bu bir kaza. Olanları tuhaf bulsam da daha fazla araştırmanın bir yararı yok.

Diane iskemlesini çekip yaklaştı. Islak saçlarına, ensesindeki yağmura rağmen, cildi alev alevdi.

– Bunun benim için ne kadar ciddi olduğunu anlayamıyor musun? Hatırlamaya çalış.

Vulovic mutfak masasının çekmecesini açtı. Bir sigaralık sarmak için gerekli malzemeyi çıkardı: sigara, OCB kâğıdı, alüminyuma sarılı esrar plakası. Sarılacak çifte kâğıdı eline alırken, konuştu:

– Kapı arkanızda.

Diane elinin tersiyle masanın üzerindekileri yere fırlattı. Adam yumruğunu sıkarak ayağa kalktı.

– Dikkatli ol, orospu!

Diane herifi duvara yapıştırdı. Ondan daha uzundu. Bin kat daha tehlikeli. İçinde tebessüm gibi bir şey hissetti. Aslında istediği de buydu. Herifin ona tokat atmasını, vurmasını tercih ederdi. Oğlunu öldürmek için, bir alçaktan yararlanmış olmalarını tercih ederdi. Sesini yükseltmeden konuştu:

– Beni iyi dinle, salak. Dokuz gün boyunca oğlumun beyni şişti, kendi kanında boğulur gibi oldu. Dokuz gün boyunca, nabzındaki ölümü izledim. Bugün, bilincinin hangi koşullarda açılacağı hâlâ bilinmiyor. Belki herkes gibi biri olacak. Ya da ötekilerden daha yavaş. Ya da sadece bir lahana. O zaman nasıl bir hayatımız olacağını bir düşün.

Kamyon şoförü başını eğdi. Diane'ın elleri arasında eriyordu. Adamın tabureye yığılmasına izin verdi. Üzerine eğildi, aynı sakin sesle devam etti:

– Onun için, eğer o kazadan önce dikkatini çeken bir şey olduysa, beyninin bir köşesinde en ufak bir kuşku, bir tereddüt varsa, Allah kahretsin, şimdi söylemenin tam sırası.

Başı öne eğik, yanakları gözyaşı ve terden sırılsıklam, adam fısıldadı:

– Bilmiyorum... bilmiyorum... Bana bir oyun oynadılar sanıyorum.

– Nasıl bir oyun?

– Bilmiyorum. Birden uyuyakaldım... Sanki...

– Sanki ne?

– Sanki uzaktan kumandayla... O zaman duyduğum, buydu.

Diane soluğunu tuttu. Önünde hem karanlık bir çukur hem de bir ışık vardı. Beyninde bir şimşek çaktı: herif şu ya da bu şekilde, etki altına alınmıştı. Aklına hipnoz geldi. Bu çapta bir müdahalenin mümkün olup olmadığını bilmiyordu ama, eğer düşündükleri doğruysa, programlanmış davranışı harekete geçiren bir işaret olmalıydı.

– Radyo mu dinliyordun?

– Hayır.

– Walkman'in var mı?

– Hayır!

– Yol kenarında bir şey gördün mü?

– Tabii ki hayır!

Diane bir adım geriledi. Daha güçlü olmak için, bir adım.

– Polislere anlattın mı?

– Hayır. Emin değildim ki. Bana neden böyle bir şey yapsınlar? Neden böylesi bir oyun oynasınlar?

Vulovic her şeyi anlatmıyordu. İçinde bir yerde, kıpırdanan bir dehşet çekirdeği vardı. Sonunda, mırıldandı:

– Bütün olanları düşündüğümde, gördüğüm tek bir şey var.

– Ne?

– Yeşil.

– Renk mi?

– Haki yeşil. Sanki... askerî kumaş gibi.

Diane düşündü. Bu ipucundan nasıl yararlanacağını henüz kestiremiyordu ama, duyduklarının bir gerçeğin başlangıcı olduğundan emindi. Adam ellerini şakaklarına yapıştırmış, sarsılarak ağlıyordu.

– Tanrım... Sizin ufaklık... Her gece onu düşünüyorum... Beni bağışlayın. Allah kahretsin, sizden özür diliyorum!

Hareketsiz Diane cevap verdi:

– Bağışlanacak bir şeyin yok.

– Ben Ortodoksum, diye sürdürdü adam. Onun için Aziz

Sava'ya dua ediyorum, sonra...

– Tekrar ediyorum, Bağışlanacak bir şeyin yok. Anlaşılan bu kazada hiçbir suçun yok.

Kamyon şoförü kafasını kaldırdı. Gözyaşları bakışlarını bulanıklaştırmıştı.

– Ne... ne demek istiyorsunuz?

Diane mırıldandı:

– Ne söylediğimi bilmiyorum. Henüz bilmiyorum.

Yirminci kısım

Sabahın o saatinde, Porte-d'Auteuil Caddesi'ndeki park yerinin göze çarpan bir özelliği yoktu. Roland-Garros Stadı'nın binaları, yasak bir kentin duvarları gibiydi. Çevre yoluna gelince, korkuluktan bakıldığında görünmemekle birlikte, aşağılarda bir yerde homurdanıyordu. Oysa Diane arabasını öğlene doğru otoparkta durdurduğunda, gece olunca oradaki havanın nasıl değişebileceğini kolaylıkla anlayabilmişti. Farların aydınlattığı vücutlar, av peşindeki otomobiller, gerilerde bir yerlere sinmiş otomobillerin, özgür bırakılmış güdülerin üzerine kapanmış, gölgeli şoför mahalleri. Ürperdi. Karanlık arzuları duyabiliyormuş gibi geliyordu; kamburu çıkmış tehditkâr hayvanlara benzeyen, iç içe geçmiş bu arzular sanki asfalt boyunca akıp gidiyordu...

Saatini çıkarıp, otomobilinin direksiyonuna astı, kronometresini harekete geçirip, motoru çalıştırdı. Caddeyi tırmanıp, sağa saptı. Önce Poètes Meydanı, sonra da Auteuil seraları, bahçeleri boyunca ilerleyip Molitor Kapısı'na vardı. Kabul edilir bir hızla gidiyordu: gecenin ortasında, ağır vasıta hızıyla. Sonunda çevre yoluna ulaştı ve Maillot Kapısı/Rouen Otoyolu yönüne girdi.

Hareket etmesinden bu yana, iki dakika yirmi saniye geçmişti.

Sağ şeritte kalarak hızlandı. Rastlantı sonucu çevre yolu akıyordu, tıpkı kaza gecesi gibi. Saatte doksan kilometre.

Kazadan beri ilk kez çevre yolunda araba kullanıyordu. Elleri direksiyona kilitlendi; içindeki rahatsızlığa teslim olmak istemiyordu.

Passy Kapısı. Üç dakika on saniye. Hızını daha da artırdı. Saatte yüz kilometre. Marc Vulovic'in kamyonu bundan da hızlı gidemezdi. Dört dakika yirmi saniye. Muette Kapısı tüneline daldı.

Bir nehir gibi akıp giden ışıkları, şampanyanın bulanıklaştırdığı düşüncelerini hatırlıyordu.

Yeniden açık havaya çıktı.

Yedi yüz metre daha ileride, yeni bir tünele girdi.

Beş dakika on saniye.

Diane, Dauphine Kapısı'ndan önceki son tüneli gördüğünde, yeni bir gerçeğin eşiğinden geçtiğini anladı. Bir de, kendi suçluluğunun altında bir sırrı olabileceğini...

Tünelin girişine yüz metre kala, gözlerini yumdu ve direksiyonu hızla sola kırdı. Lastik sesleri, korna gürültüleri duydu. Gözlerini son anda açtı, çevre yolunun çift yönünü birbirinden ayıran bariyerlerin hemen yanında durdu.

Kronometresini durdurdu.

Beş dakika otuz yedi saniye.

Tam kaza yerindeydi şimdi. Bariyerlerin çarpılmış bölümleri değiştirilmişti ama, tünelin girişindeki taşlarda çarpan kamyonun bıraktığı çatlaklar hâlâ görülüyordu.

Beş dakika otuz yedi saniye.

Gerçeğin birinci bölümü buydu işte.

Yeniden trafiğin arasına daldı, Maillot Kapısı'na kadar ilerleyerek kuzey çevre yolundan çıktı, hızla meydanı geçti, ve yine çevre yoluna, bu kez ters yönde girdi. Molitor Kapısı'na kadar devam etti. Otoyoldan çıkıp Suchet Bulvarı'na girdi. Yetmiş iki numaranın -annesinin evinin- hizasına yaklaşınca yavaşladı. Yeni bir rahatsızlık, yeni bir anı baskını bekliyordu. Hiçbir şey olmadı. O akşam otomobilini nereye park ettiğini hatırlamaya çalıştı. Ayrıntılar belleğinde beliriyordu: Auteuil Hipodromu'nun yanında, Maréchal-Franchet-d'Espérey Caddesi.

Yavaşça caddeye girdi, otomobilini park ettiğini hatırladığı yere gelince durdu ve kronometrenin düğmesine bastı. Zaman kaybetmeden iki yanı ağaçla kaplı caddeyi geçti, bir kılometre ileride, Passy Kapısı Meydanı'nda sağa saptı. Tıpkı o lanetli gece yaptığı gibi. Sonra çevre yoluna çıktı.

Kronometreye bir bakış: iki dakika otuz üç.

Toyota Landcruiser'ın ortalama hızını geçmemeye çalıştı. Saatte yüz yirmi kilometre. Muette Kapısı. Dört dakika.

Rusya Federasyonu Büyükelçiliği'nin çevre yoluna hâkim upuzun sıralanan binalarını gördü.

Dört dakika elli saniye.

Paris Üniversitesi'nin yapıları.

Beş dakika on...

Sonunda, o uğursuz tünel. Diane bu kez yolun sağ tarafındaki emniyet şeridinde durdu, dörtlü filaşörlerini yaktı. Ne bir gürültü ne de bir fren sesi. Oysa saatini eline aldığında, parmaklarının titrediğini gördü: beş dakika otuz beş saniye.

Bundan daha kusursuz bir eşzamanlılık düşünemezdi. Porte-d'Auteuil Caddesi park yerinden olsun, Maréchal-Franchet-d'Espérey Caddesi'nden olsun, kaza noktasına varmak için beş dakika otuz beş saniye gerekiyordu. İki aracın Dauphine Kapısı'ndan önceki son tünelin önünde karşılaşmaları için, Diane ve oğlu kendi otomobillerine binerken, henüz anlaşılamayan bir yöntemle "programlanmış" Marc Vulovic'in otoparktan ayrılması yeterliydi.

Diane bir tuzak olasılığını ciddiyetle düşünmeye başladı. Uyku, yağmur ve son hızla ilerleyen araçlara dayalı bir tuzak. Böylesi bir tuzak için, Suchet Bulvarı'ndaki apartmanın yakınında Diane'ın yola çıkışını gözetleyen bir nöbetçi ile aynı anda, hipnozla ya da başka bir yöntemle Marc Vulovic'i "harekete geçirecek" bir başkası gerekliydi. İki adamın arasında telsiz -ya da sadece cep telefonu- bağlantısı bulunması yetiyordu. Buraya kadar, her şey mümkün.

Ondan sonra, Toyota'nın tam kamyonla karşılaştığı noktada bir uyutma işlemi gerekiyordu. İşte Diane'a bir tuzak kurulduğunu düşündüren de bu ayrıntıydı; eğer genç kadın düşüncesinde haklıysa, katiller buluşma noktasını hesaplamış, karşılaşma bölgesine de kamyon şoförünü uyutacak bir işaret yerleştirmişlerdi...

Diane gözlerini kapadı. Çevre yolundan son hızla geçen otomobillerin öfkeli homurtusunu duyuyordu. Belki serap görmenin en son noktasındaydı, belki zaman kaybediyordu, yine de mantığının en uç noktalarında, böylesi bir tuzağın mümkün olabileceğini biliyordu.

Geriye olmazsa olmaz son bir ayrıntı kalıyordu. Baştan beri, bir türlü yerine oturmayan bir ayrıntı. Diane sol sinyalini yaktı, yeniden trafiğin içine daldı.

Hızla vites değiştirerek Champerret Kapısı'na doğru ilerlemeye koyuldu.

Yirmi birinci kısım

– İlla birinin kafasını şişirmek niyetindeyseniz, şefin gelmesini bekleyeceksiniz, Küçükhanım.

Diane tamirhaneyi büro camının ötesinden görebiliyordu. Duvarlar öylesine siyahtı ki, tavandan gelen ışığı içiyor gibiydi. Uzakta demir aletler şaklıyordu. Bir yerlerde hidrolik krikolar hırıldıyordu, tıpkı acı çeken ciğerler gibi. Tamirhanelerden ve garajlardan oldum olası hoşlanmazdı. İnsanın kemiklerini donduran buz gibi havadan, burun deliklerini dolduran yağ ve gres kokusundan. Kesici ve soğuk aletler kullanan kapkara ellerden. İnsanların ellerini sabunla değil, kumla yıkamak zorunda kaldıkları bu iç karartıcı yerlerden hoşlanmıyordu.

Mavi tulum giymiş şişman adam, tezgâhın arkasında, gözde cümlesini tekrarlıyordu:

– İzin vermek benim işim değil. Şefle görüşmeniz gerek.

– Ne zaman döner?

– Yemeğe gitti. Bir saat sonra burada olur.

Diane çok güç durumda kalmış görünmeye çalıştı. Aslında, oraya gitmek için, şimdi karşısında duran gibi yetkisiz biriyle konuşmak amacıyla öğle vaktini beklemişti. Karşı tarafın eksperi henüz gelmediğinden, otomobiline yaklaşmasının tek yolu buydu. İçini çekti:

– Bakın. Oğlum hastanede. Ağır yaralı. Yanına gitmem gerekiyor, ama ondan önce, otomobildeki teknik bir belgeyi almak zorundayım!

Tamirci ağırlığını bir ayağından ötekine verdi. Bu durumdan nasıl kurtulacağını bilemez görünüyordu.

– Maalesef. Eksper gelmeden, kimse arabaya yaklaşamaz. Sigortanın şartı bu.

– İyi ya işte! Belgeyi isteyen de sigorta!

Adam hâlâ tereddüt ediyordu. Üzerinde kaza geçirmiş bir otomobil taşıyan bir çekici rampayı tırmandı, gaz homurtuları arasında, büronun birkaç metre ötesinde durdu. Diane rahatsızlığının arttığını hissetti. Adam sonunda poflayarak sordu:

– Anahtarınız var mı?

Diane cebindeki anahtarları şıngırdattı. Adam homurdandı:

– 58 numara. İkinci bodrum. En dipteki park yeri. Acele edin. Eğer patron siz oradayken gelirse, yanarız...

Diane arabaların arasından süzüldü, sonra tamirhaneyi boydan boya geçti. Koyu beton duvarlar boyunca ilerledi, yağ birikintilerinin üzerinden atladı. Neonların ışığı, karanlıkta gizli, dünya dışı -gündüz aydınlığının tam tersi- bir anlam taşır gibiydi.

Hafif meyilli bir rampadan inip, ikinci bir garaja vardı. Arabalar madenî bir uykuya yatmış, soğuk canavarları andırıyordu. Diane içindeki huzursuzluğun giderek arttığını hissediyordu. Ayakkabılarına yapışan yağlar. Gırtlağına sinen yanık yağ kokusu. Zemindeki silinmek üzere olan numaraları izledi. Parçalanmış Toyota'yla karşılaşma düşüncesi bile midesini bulandırıyordu. Ama o ayrıntıyı kontrol etmeliydi.

Emniyet kemeriyle ilgili ayrıntıyı.

Çocuk, o emniyet kemeri bağlı olmadığı için koltuğundan fırlamıştı. Demek ki katiller, eğer katiller varsa, bu konuda kendilerine çok güveniyorlardı. Diane'ın çocuğun kemerini bağlamayacağını, böylesi bir güvenlik önlemini es geçeceğini nasıl biliyorlardı?

Toyota Landcruiser birkaç metre ötede göründü. Diane göçmüş kaputu, ezilmiş ön camı, korkunç kıvrımlarla bükülmüş sol çamurluğu gördü. Bir sütuna yaslanmak zorunda kaldı. Eğilip kusacağını sandı ama, kan eğik kafasına hücum etti, böylelikle genç kadına hiç beklemediği bir denge, bir güç kazandırdı. Tüm kuvvetini toplayarak doğruldu, arabaya yaklaşıp, sağ arka kapının yanına gitti.

Çantasından halojen el fenerini çıkarıp sağ arka kapıyı açtı. Yeni bir şok. Çocuk koltuğunun kenarında kara ve kurumuş kan lekeleri. Bütün arka koltuğa yayılmış cam inciler.

Kafasında birbiriyle örtüşen iki zıt görüntü vardı.

Lucien'ın koltuğunun yanında emniyet kemerinin örgülü kayışını, güvenlik tokasını görüyordu. Anlaşıldığı kadarıyla, kullanılıp takılmamış bir kemerdi bu. Aynı zamanda kendini çocuğu koltuğuna oturtup, emniyet kemerini takarken de izliyordu. Hem yeni bir şey de değildi bu. Gün geçtikçe, kanıtlar tam tersini söylesede, inancı daha güçlenmiş, daha belirginleşmişti; kemeri taktığından emindi artık. Şimdi, arabanın karşısındayken, hiç kuşkusu kalmamıştı.

Bu iki gerçek birbiriyle nasıl bağdaşacaktı? El fenerini dişlerinin arasına sıkıştırıp otomobilin içine girdi. Bağlantı sistemini dikkatle gözden geçirdi. Artık bir sabotajdan kuşkulanıyordu: zayıflatılmış bir kemer, eğelenmiş bir perçin... Ama hayır, hiçbir şeye dokunulmamıştı. Arka koltuğa oturdu. Koltuğun üzerinde yaptığı çalışmaların fotokopilerini tıktığı dosyalar, içi ataçlarla dolu plastik kutucuklar, haki renkli bir battaniye vardı. Bütün bu eşyalar, çarpma anında koltuğun arkalığına gelip dayanmıştı. Her birine teker teker baktı, inceledi, yerlerinden kaldırdı. Bir şey bulamadı.

Aramaya devam etti. Bir dizini koltuğa dayadı, arkalığın üzerinden bagaja uzanmaya çalıştı. Çarpmanın şiddeti bagajın kapağını koparmıştı. Diane kapağı ensesinde hissettiğini hatırladı. Bagaj boşluğunun üzerine eğilerek, fenerin ışığını gezdirdi: yine dosyalar, eski bir bez torba, yürüyüş ayakkabıları, benzine bulanmış bir parka. Göze çarpan, değişik görünen bir şey yoktu.

Oysa kafasında yavaş yavaş bir düşünce oluşmaya başlıyordu. İmkânsız, ama elinin tersiyle süpürüp atamayacağı bir varsayım. Feneri söndürüp ön koltuğun arkalığına yaslandı. Aklındakini doğrulamak için, olayın tek tanığını sorgulamak gerekecekti.

Bizzat kendini.

Aklını kaybedip kaybetmediğini, bu olayın mantık sınırla-

rını aşıp aşmadığını anlamak için, hafızasının derinliklerine
inmek zorundaydı.

Ne var ki insanın kendi içinde böylesi bir dalış yapmasını
sağlayacak tek bir yöntem vardı.

Ona yardım edecek de tek bir insan.

Yirmi ikinci kısım

Restoran mermerli bir holden sonra, koyu renk kadifelerle kaplı beyaz sütunların süslediği büyük bir salona açılıyordu. Yarım daire şeklindeki çıkıntılarda birkaç masa vardı. Loş ışıkta piyanonun cilası parlıyor, tablolar altın gibi pırıltılar saçıyor, yere kadar inen pencerelerin ötesinde de Champs-Elysées Bahçeleri'nin zarif yeşilliği ve aydınlığı restoranın görkemine yanıt veriyordu. Portakal rengi gökyüzü, hafif parıltılı salonun yumuşaklığına uygun, sedefli ve pürüzsüz bir ışık saçıyordu bugün. Bu ışık ve renk sadeliğine bir de seçkin sessizliğini, kristal ve gümüş çınlamalarını ölçülü gülüşlerle bölünen mırıltıları eklemek gerekirdi.

Diane metrdotelin peşinden yürüdü. Geçerken, bakışların bir an üzerinde toplandığını hissetti. Müşterilerden çoğu, koyu renk elbiselere bürünmüş, donuk tebessümler takınmış erkeklerdi. Görüntüye kanmaması gerektiğini biliyordu: bu yumuşak atmosferin, bu sakin yüzlerin gerisinde iktidarın gizli yüreğinin çarptığının farkındaydı. Bu restoran, her öğlen ülkenin siyasal ve ekonomik kaderinin belirlendiği seçkin mekânlardan biriydi.

Metrdotel büyük pencerelere en yakın son çıkıntının önünde durdu. Charles Helikian oradaydı. Gazete okuyordu. Yan masada oturan işadamıyla da konuşmuyordu. Bekliyordu, sadece bekliyordu. Bu kadarı ona yetiyor gibiydi. Diane bu dolaylı saygı belirtisinden dolayı içinin minnetle dolduğunu hissetti.

Tamirhaneden çıkarken, üvey babasını cep telefonundan aramıştı. Paris'te bu numarayı en fazla on kişi biliyordu. Olabildiğince çabuk görüşmek için ısrar etmişti adamcağıza... Charles küçük bir çocuğun kaprisine cevap verir gibi sadece gülmekle yetinmiş, müşterilerinden biriyle yiyeceği yemekten sonra, bu restoranda, buluşmayı önermişti. Diane ancak eve dönecek, saçlarındaki esrar ve yanık yağ kokularından kurtulacak, buraya gelirken de gerekli duyarsızlık ve rahatlık havasına bürünecek zamanı bulabilmişti.

Charles ayağa kalktı, Diane'ı çıkıntının içindeki kanapeye oturttu. Diane yağmurluğunu çıkardı. Şimdi üzerinde dar ve kolsuz, dikişi bile yok dedirtecek kadar sade siyah bir elbise vardı. Boynuna taktığı, köprücükkemiklerinin üzerinde parıldayan inci gerdanlık, kulaklarından sarkan küpelerle birer su damlası kadar benzeşiyordu. Diane'ın tarzına göre, büyük gösteriş.

– Çok...

– Muhteşem miyim?

Charles gülümsedi. Diane devam etti:

– Harika?

Tebessüm yayıldı. Kusursuz dişler yüzünün esmerliğini böldü. Diane devam ediyordu:

– Çekici? Seksi? Baş döndürücü?

İçini çekti, parmaklarını kenetleyip çenesini ellerinin üzerine yerleştirdi.

– Öyleyse neden kendimi çirkin bir sırık gibi görüyorum?

Charles Helikian ceketinin iç cebinden bir puro çıkardı.

– Sebebini bilmiyorum ama, annenin kabahati olmadığı kesin.

– Öyle bir şey dedim mi?

Kahverengi yaprakları parmaklarının arasında çıtırdattı.

– Son... konuşmanızdan söz etti bana.

– Yanlış yapmış.

– Birbirimizden saklayacağımız bir şey olamaz. Kazadan beri sana telefon ediyor, mesaj bırakıyor, sonra...

– Onunla konuşmak istemiyorum.

Diane'a çok ciddi baktı.

– Bu tutumun çok saçma. Önce sana acımasını bile reddettin. Şimdi de Lucien iyileşirken, hiçbir haber vermiyorsun ve...

– Bu konudan bahsetmeyelim olmaz mı? Buraya bunun için gelmedim.

Charles beyaz bir bayrak gibi, açık avucunu kaldırdı. Sonra garsonu çağırıp, siparişlerini verdi. Kendisi için kahve. Diane için çay. Sonra kısık sesiyle konuştu:

– Benimle konuşmak istiyordun, üstelik çok acelen olduğunu söyledin. Ne istiyorsun?

Diane üvey babasına yan gözle baktı. Öpücüğün anısı yüreğini doldurdu. İçini bir huzursuzluk kapladı, yanaklarının alev alev yandığını hissetti. Rahatsızlığını kovmak için aklını kelimelere vermeye çalıştı:

– Bir gün, benim yanımda, hipnozdan bahsetmiştin. Müşterilerini tedavi etmek için, bazen bu yöntemden yararlandığını anlatmıştın.

– Doğru. Ürkeklik ya da rahat konuşamama durumlarında. Ne olmuş?

– O gün hipnozun bir insanın belleğini araştırmada sınırsız güce sahip olduğunu söylemiştin.

Charles'ın bakışları alaycıydı:

– Bazen uzman gibi görünmeye çalışıyorum.

– O günü bütün ayrıntılarıyla hatırlıyorum. Hipnoz sayesinde insanın kendi hafızasını anılarına yönelik bir kamera gibi kullanabileceğini söyledin. Farkında olmasak da, yaşadığımız olayların bütün ayrıntılarını bilinçaltımızda sakladığımızı ekledin. Bilincimizin hiç erişemediği ama (işaret parmağıyla şakağına dokundu) buraya, aklımıza kazınan ayrıntıları.

– O gün çok formdaymışım.

– Şaka etmiyorum. Dediklerin doğruysa, hipnoz insanın geçmiş olayları yeniden yaşamasına, istediği anın üzerinde durmasına, herhangi bir ayrıntıyı incelemesine imkân veriyor. Kendi zihnini bir video kamera gibi kullanmasına. İstediği yerde durmasına, görüntünün şu ya da bu noktasını zumlamasına...

Charles'ın yüzündeki tebessüm kayboldu:

– Sözü nereye getireceksin?

Diane soruyu duymazdan geldi.

– Bir psikiyatrdan söz etmiştin. Sana göre, Paris'in en iyi hipnotizmacısı. Bu tip seanslarda uzman biri.

Charles soruyu daha yüksek sesle tekrarladı:

– Sözü nereye getireceksin?

– Adresini öğrenmek istiyorum.

Garson masanın üzerine ağır bir gümüş tepsi bıraktı. Kahvenin siyah pırıltısı. Earl Grey'in kızılımsı yumuşaklığı. Kokular servisin zarafetini sararken, renkler incelikle karışıyordu. Beyazlı adam çekildi. Charles hemen sordu:

– Neden?

Diane sakince cevapladı:

– Hipnozla kaza sahnesini yeniden yaşamak istiyorum.

– Çıldırmışsın sen.

– Annem hastalığını sana da bulaştırmış. Benimle konuşurken en sevdiği cümle, bu.

– Neyin peşindesin?

Marc Vulovic'in bomboş bakan gözlerini, saat tutma çalışmasını hatırladı. Varsayımını bir kez daha gözden geçirdi: birçok insanın düzenlediği, kazaya benzetilmeye çalışılmış bir cinayet girişimi. Soruyu basitçe yanıtladı:

– O kazada, birbirine uymayan ayrıntılar var.

– Hangi ayrıntılar?

Cevap verdi:

– Emniyet kemeri. Bağladığımdan eminim.

Charles neredeyse rahatlamış görünüyordu. Yatıştırıcı bir sesle konuştu:

– Dinle. Bu hikâyenin aklından çıkmamasını anlıyorum, ama...

– Hayır. Dinleyecek olan, sensin.

Diane iki dirseğini masaya dayayıp, eğildi:

– Samimi ol, gerçekten çılgın olduğuma mı inanıyorsun?

– Asla.

– Böylesi rahatsızlıklardan dolayı birkaç defa tedavi gördüğümü biliyorsun. Evlat edinme dosyamda klinikte geçirdiğim günlerin görünmemesini sağlayan, bizzat sendin. Onun için, şimdi beni nasıl bulduğunu bilmek istiyorum. Sana göre, tamamen iyileşmiş sayılır mıyım?

– Evet.

Cevabın tonunda küçük bir tereddüt saklıydı.

– Ama?

– Biraz... şey kaldın... tuhaf.

– Senden açık bir cevap bekliyorum. Rahatsızlıklarımın izlerini taşıdığımı düşünüyor musun? Yoksa, tam tersine, gerçekten dengemi bulduğum söylenebilir mi?

Charles purosunun dumanını üfleyerek zaman kazanmaya çalıştı.

– Evet, dedi sonunda, tamamen iyileştin. Gerçek dengene kavuştun. Eksantrik, dengesiz biri değilsin. Ayakların yere basıyor. Gerçekçi. Düzenli olması gereken şeyler konusunda, neredeyse manyak. Gerçek bir uzman.

Diane ilk kez gülümsedi. Charles'ın tüm içtenliğiyle konuştuğunu biliyordu. Sözün gerisini getirdi:

– Öyleyse, çocuğun kemerini takmamamı nasıl açıklıyorsun?

– Çok içmiştik, çok geç olmuştu, biz...

Diane masaya vurdu. Fincanlar şangırdadı. Son müşteriler başlarını çevirip merakla baktı.

– Lucien tüm hayatımın kararı, diye bağırdı. Karar verecek yaşa geldiğimden bu yana yaptığım en iyi şey. Birkaç kadeh şampanyadan sonra, bu en basit güvenlik önlemini mi unutacağım? Onu arabanın arkasına basit bir sırt çantası gibi mi yerleştireceğim?

Charles parmaklarıyla purosunu sıktı.

– Bütün bunlara geri dönmekle doğru yapmıyorsun. Sayfayı çevirmen...

Diane yağmurluğuna uzandı.

– Tamam. Sana güvenebileceğimi sanıyordum ama, yanılmışım. Rehbere bakıp bir...

– Adı Paul Sacher.

Charles tepesi fildişinden yapılmış kocaman dolmakalemini çıkardı, kendi kartvizitlerinden birinin arkasına adamın adresini, telefon numarasını yazdı.

– Başını kaşıyacak zamanı yok ama, benim adımı verirsen seni hemen alır. Dikkatli ol; çok çapkındır. Ders verirken, hep sınıfın en güzel kızını kapardı. Öteki öğrencilerin ağızlarını kapatmaktan başka yapacak bir şeyi kalmazdı. Gerçek bir sürübaşı.

Diane kartviziti cebine soktu. Teşekkür etmedi. Küçük bir tebessüm bile. Bütün bunların yerine, konuştu:

– O gece, beni rahatsız eden bir şey daha vardı.

– Ne?

– Beni öpmen, merdivenlerde.

Kaşlar kararsızlık belirtir gibi havaya kalktı. Charles Helikian çember sakalını sıvazladı.

– Ha, şu... diye mırıldandı.

Diane gözlerini ondan ayırmıyordu.

– Beni neden öptün?

İşadamı pahalı takım elbisesinin içinde kımıldadı.

– Bilmem... Öylesine gelen bir şeydi işte.

– Charles Helikian, ünlü psikoloji danışmanı. Daha inanılır bir şey bulmaya çalış.

Üvey babası giderek daha rahatsız görünüyordu.

– Hayır gerçekten, o ana ait bir hateketti. Uyuya kalmış o çocuk, loş ışıkta dimdik sen, her zamanki gibi cesur ve kararlı. Her zamankinden çok farklı olduğun o gece... Çok... özgür olduğun. Sana iyi şanslar dilemek istemiştim, hepsi bu.

Diane çantasını alıp ayağa kalktı.

– Öyleyse iyi yapmışsın, diyerek konuşmaya son noktayı koydu. Hissedebildiğim kadarıyla, şansa çok ihtiyacım olacak.

Topuklarının üzerinde dönerek İran kralını tahtında yalnız bıraktı. Birkaç adımda salonu baştan başa geçti. Koca restoran şimdi ıssız görünüyordu. Yarıkaranlıkta sadece yaldızlı tablolar ile yağmurun kamçıladığı camlar parlıyordu.

– Diane!

Mermer hole varmıştı bile. Arkasına döndü. Charles aceleyle geliyordu.

– Hey Tanrım, neyin peşindesin? Bana her şeyi anlatmadın.

Cevap vermeden önce, Charles'ın yanına varmasını bekledi:

– Sadece bilmek istiyorum. O kemer sorununu çözmek.

– Hayır! dedi Charles. O kazayı, bir kaza olmadığını düşündüğün için, yeniden yaşamak istiyorsun.

Diane birden psikolog üvey babasına büyük bir hayranlık duydu. Üzerinde samankâğıdından bir elbise varmış gibi, tüm düşüncelerini okumuştu. Mantığın ötesinde de olsa, aklındakileri anlamıştı. Doğruladı:

– Haklısın. O kaza ile Van Kaen'in ölümü arasında bir ilişki olduğunu düşünüyorum. Nasıl düşünmem? Bu kadarı rastlantı olamaz. Lucien'ın henüz anlaşılmaz bir olayın ortasında bulunduğundan eminim.

Charles soludu:

– Aman Tanrım...

– Sakın deli olduğumu söyleme bana.

Kıvırcık saçlı, yanık tenli adamın benzi sararmış gibiydi.

– O kaza... bir cinayet girişimi mi?

– Tüm kanıtları toplayamadım daha.

– Hangi kanıtları?

– Sabırlı ol.

Diane topuklarının üzerinde döndü. Charles yetişip kolundan tuttu. Gözkapakları kelebek kanatları gibi titreşiyordu.

– Beni dinle. Sen ve ben, birbirimizi on altı yıldır tanıyoruz. Eğitimine hiç karışmadım. Annenle ilişkine hiç karışmadım. Ama bu kez, saçmalamana izin vermeyeceğim. Bu kadar saçmalamana.

Yaramaz kız çocukları gibi, terbiyesizce, saygısızca güldü.

– Eğer bütün bunlar sadece düşümdeyse, korkacak bir şeyin yok demektir.

– Küçük salak! Belki ateşle oynuyorsun, ama oynadığının farkında bile değilsin!

Haykırmıştı. Diane sol tarafında, hareketsiz duran garsonların bakışlarını hissetti: kuşkusuz Charles Helikian'ı ilk kez böyle görüyorlardı.

– Sen yaptığının farkında değilsin, dedi daha alçak bir sesle. Haklı olduğunu kabul etsek bile... dikkat et, kabul etsek bile, diyorum, bu işe karışamazsın. Bu polisin işi.

Cevap verme fırsatı bırakmadan, sordu:

– Ya o emniyet kemeri? O kemer nasıl bir kanıt olabilir ki? Emniyet kemeri takılmamış, eksperin raporu bu konuda en ufak bir kuşkuya yer bırakmıyor. Öyleyse ne...

– Kemeri taktığımdan eminim.

Kopkoyu bir gölge Charles'ın yüzünü kararttı.

– Ne yani? Kemeri Lucien mı?..

– Lucien mışıl mışıl uyuyordu. Dikiz aynamdan bakıyordum ona.

– Neler saçmalıyorsun? Kemer kendi kendine mi açıldı?

Diane yaklaştı. Charles genç kadının ancak omuzlarına geliyordu. Diane bir sır verir gibi fısıldadı:

– Ne derler bilirsin; bütün mümkün olanlar sıralanıp bir kenara bırakıldıktan sonra, geriye ne kalır? İmkânsız olan.

Charles parlak alnını, kapkara bakışlarını Diane'a çevirmişti.

– Hangi imkânsız?

Diane biraz daha eğildi. Gözlerinin önünden arabanın içini geçirdi: kan, cam, karanlık bölgeler, buruşuk battaniye. Sesi hem korku yüklü hem de tatlı ve yumuşaktı:

– İmkânsız, o arabada benden başka birinin daha olması.

Yirmi üçüncü kısım

Dışarıda, Champs-Elysées Bahçeleri bir ışık ve yağmur halkası oluşturuyordu. Sağanak güneş ışınlarını daha da parlaklaştırıyordu. Yapraklar rüzgârda hışırdıyor, sicim gibi yağan yağmura zarif yeşil kıvrımlarla karşılık veriyordu. Diane güneş gözlüğünü taktı, setin üzerinde tereddüt etti.

Varsayımını yüksek sesle açıklamaktan rahatsız olmuştu. Arabada, büyük bir ihtimalle battaniyenin altına ya da bagaja saklanıp, çevre yolundayken Lucien'ın kemerini çözen bir adam varsayımını. Küçük çocuğun herhangi bir güvenlik önleminden yararlanmayacağından emin olmak için sac kıskacın içinde ölmeye hazır, bir çeşit intihar komandosu.

Bütün bunlar mantıksızdı tabiî. Kim kendini böyle bir tehlikeye atar ki? Tuzağın içine hapsolmayı kabul ederek, kim kendini kurban eder? Üstelik, kazadan sonra, üçüncü bir yolcunun izine de rastlanmamışken. Diane yine de düşündüklerine sıkı sıkıya tutunmaktan alamadı kendini. Park sorumlusu göründü. Aceleyle konuştu:

– Arabanızı hemen getiriyorlar, Madam.

Sesinin tonu, yüzünün çizgileri söylediklerinin tam tersini anlatıyordu. Diane sordu:

– Ne oluyor?

Üniformalı adam otoparka doğru umutsuzca baktı.

– Arkadaşınız. Her şeyle kendi ilgileneceğini söyledi.

– Hangi arkadaşım?

– Sizi bekleyen uzun boylu bey. Arabayı buraya kadar getireceğini söyledi ama... (şaşkın bakışlarını çevrede dolaştırdı)... onu göremiyorum...

Diane otuz metre uzaktaki ıhlamur ağacının gölgesinde, otomobilini gördü. Çakıl taşlı seti uzun adımlarla geçti. Koyu renk ön camın ardında, kontak anahtarıyla boğuşan Patrick Langlois'nın gölgesini seçti. Cama vurdu. Polis komiseri irkildi, sonra şaşkınca gülümsedi. Kapıyı açtı.

– Kiralık arabaların güvenlik şifresi olduğunu unutmuşum. Özür dilerim.

Diane içindeki duygunun öfke olup olmadığından pek emin değildi.

– Öte tarafa geçin, dedi.

Dev adam güçlükle sağ koltuğa geçti. Diane arabaya girip sordu:

– Burada ne arıyorsunuz? Yoksa peşime adam mı taktınız?

Polis komiseri hakarete uğramış gibi baktı.

– Birlikte öğle yemeği yememiz için adamlarımdan birini göndermiştim. Evinize vardığında, gitmek üzere olduğunuzu görmüş. Mesajımı iletmemiş. Sizi buraya kadar izledikten sonra, beni aradı.

– Neden restorana girmediniz?

Langlois yakasını gösterdi.

– Kravat. Kravat takmayı düşünmemiştim.

Diane gülümsedi; anlaşılan içindeki öfke değildi. Komiser konuşmasına davet etti.

– Biliyorum, kimliğimi göstermeliydim. Güç kullanarak içeri girmeliydim.

Genç kadın kahkahayla güldü. Bu adamın, gözle görülür derecedeki aldırmazlığı kendini çok daha hafif, çok daha duru hissetmesini sağlıyordu: sanki tüm tasalarından arınmış gibi. Oysa Langlois restoranı göstererek sordu:

– Üvey babanızla iyi anlaşır mısınız?

Sorudaki vurgu Diane'ın hoşuna gitmedi.

– Aklınızdan neler geçiyor?

Adam parmağının ucuyla yan camı tıkırdattı, dalgın gözlerini bahçeye dikti.

– Hiçbir şey geçmiyor. Çok şey görürüm, hepsi bu. (Gözlerinin içi gülüyordu.) Bizim işimizde, demek istiyorum.

Diane da gözlerini bahçeye çevirdi. Sağanak, yoldan geçenleri, çocuklu anneleri, pul satıcılarını kaçırmıştı. Geriye sadece gölgelerle hareketlenen, pırıltılı bir görüntü kalmıştı. Hareketsiz birikintiler. Salınan yapraklar. Yağmurla cilalanmış taş cepheler. Suların çekildiği bir kıyı düşündü. Birden içinde karşı konulmaz bir yumuşaklık, nekahet, şekerleme ve naneli bonbon özlemi duydu. Sordu:

– Beni neden görmek istiyordunuz?

Komiserin elinde bir dosya beliriverdi.

– Size bazı haberler vermek istemiştim. Varsayımlarımı sizinle paylaşmak.

Kâğıtlarını karıştırdı. Langlois, teknolojinin günlük hayatı esir almasına direnen o snop ve çağdışı yeni polislerden birine benziyordu. Spiral ciltli not defterlerine gömülüp, cep telefonu taşımaya direnen o aynasız tipine. Söze girişti:

– Bu olayda, bize saçma gelen çok fazla şey var. Önce, cinayetin vahşeti. Katilin belirgin gücü. Aynı zamanda da, boyu hakkındaki varsayımlar: en çok bir altmış. Ama bir sır daha var. Tümüyle anatomik.

Langlois durakladı. Yağmur arabanın tavanında hafif bir İspanyol havası tutturmuştu. Diane bir baş hareketiyle devam etmesini istedi.

– Katilin, iç organların arasında el yordamıyla atardamarı nasıl bulduğu meçhul. Adlî tıp uzmanlarımıza göre, deneyimli bir cerrah bile başaramazmış bunu... (Yeni bir soluk alıp, devam etti.) Bu kadar imkânsızlık fazla. Onun için yöntem değiştirdim. Bunun bir törene, örneğin Vietnam'da uygulanan bir kurban merasimine benzeyip benzemediğini düşündüm.

– Ve ne buldunuz?

– Başta, elle tutulabilir hiçbir şey. En azından, Güneydoğu Asya'da. Ama İnsanlık Müzesi'ndeki bir etnolog beni Orta Asya'ya yöneltti. Sibirya, Moğolistan, Tibet, Çin'in kuzeybatısı... Başka uzmanlarla karşılaştım. İçlerinden birine göre, katilin kullandığı yöntem, o ülkelerde uygulananlarla benzerlik gösteriyormuş.

– Ne demek istiyorsunuz? Bir kurban etme yöntemi mi?

– Hayır. Çok daha kaba. Hayvanları böyle öldürürlermiş.

Göğüs kafesinin altında bir yer yarılıyor, sonra açılan yarıktan çıplak el sokularak hayvanın ana atardamarı sıkıştırılıyormuş.

Diane'ın beyninde bir şimşek çaktı. Bütün bunlar belirsiz anılar çağrıştırmıştı. Langlois anlatmaya devam ediyordu:

– Etnoloğun dediğine göre, bu yöntem Moğolistan'da çok sık kullanılıyormuş. Bir damla kanı ziyan etmeden bir koyunu ya da bir ren geyiğini öldürmenin en iyi yoluymuş bu. Soğuk ülkelerde, hayvan enerjisinin en küçük kırıntısına bile özen gösteriyorlar. Bir de kandan bir çeşit korkuları varmış. Tabu gibi bir şey.

Diane kuşkulu bir sesle sordu:

– Katil Orta Asya'dan mı gelmiş yani?

– Belki. Ya da orada bir süre kalmış, geleneklerini öğrenmiş olabilir. Adli tıp uzmanına bakılırsa, insan anatomisi koyununkinden pek farklı değil.

– Bütün bunlar bana oldukça belirsiz geliyor, diye mırıldandı Diane.

– Bana da. Bir ayrıntının dışında.

Genç kadın Langlois'ya döndü. Komiser, Diane'a Almanca yazılmış, bir turizm şirketinin adını taşıyan bir formun fotokopisini uzattı.

– Rolf van Kaen Moğolistan'a gitmeye hazırlanıyormuş.

– Ne diyorsunuz?

– Almanya'da BBK –Federal Cinayet Masası– soruşturmasını sürdürüyor. Doktorun bütün telefon konuşmalarını incelediler. Van Kaen, Ulan-Bator'a giden uçaklar hakkında bilgi toplamış, Ulan-Bator...

– Moğolistan Halk Cumhuriyeti'nin başkenti.

Komiser Diane'a şaşkınlıkla baktı.

– Bilir misiniz?

– Sadece adını.

– Akupunkturcu bununla da kalmamış, iç hat seferleri hakkında da bilgi istemiş, özellikle de ülkenin en kuzey ucundaki küçük bir kente giden uçuşlar hakkında... (Elindeki notlara baktı) Tsagaan-Nuur. Anlaşıldığı kadarıyla, kararlaştırmadığı tek ayrıntı, hareket tarihi. Kısacası, kullanılan yönteme bakılınca, arada bir ilişki kurmak mümkün. Zayıf ama, ne de olsa bir bağlantı işte...

Langlois durdu, sonra yumuşakça sordu:

– Ya siz? Sizin bana vereceğiniz haberler var mı?

Diane omuzlarını silkti, bakışlarını yeniden bahçeye çevirdi. Yağmur dalgalar halinde iniyordu camlara.

– Hayır. Yetimhaneyi aradım. Hiçbir şey bilmiyorlar.

– Hepsi bu kadar mı?

– Uzmanlara Lucien'ın anadilinde söylediği bir şarkının kasetini bıraktım. Bir ihtimal, nereli olduğunu bulabilirler.

– İyi yapmışsınız. Başka?

Diane kaza süsü verilmiş cinayet varsayımını, arabasına gizlenmiş kamikaze katili düşündü.

– Hepsi bu, diye cevap verdi.

Langlois sordu:

– Benden kamyon şoförünün adresini neden istediniz?

Diane irkildi, ama komisere hiçbir şey belli etmemeye çalıştı.

– Onunla konuşmak istiyordum, hepsi bu. Lucien'ın durumunu anlatmak.

Langlois içini çekti. Sessizliği metale düşen sağanak yağmurun sesi bölüyordu.

– İnsanlar tecrübelerimizi hiç önemsemez.

Diane şaşkınlıkla döndü.

– Bunu neden söylediniz?

– Size ne düşündüğümü açıklayayım; siz kendi kişisel soruşturmanızı yürütüyorsunuz.

– Benden istediğiniz de buydu, öyle değil mi?

– Aptal görünmeye çalışmayın. Ben size Van Kaen'in ölümüyle ilgili soruşturmadan söz ediyorum.

– Neden böyle bir şey yapayım ki?

– Sizi az da olsa tanımaya başladım Diane, onun için, sizin de neden aynı şeyi yapmadığınızı merak ediyorum doğrusu.

Diane sessiz kaldı. Polis komiserinin sesi ciddiydi:

– Dikkatli olun. Bu işin yüzde onunu bile bilmiyoruz. Her şey bir anda suratımızda patlayabilir. Hem de hiç beklemediğimiz bir şekilde. Onun için detektif Alice'çilik oynamayı bırakın.

Diane başını kaderine razı bir çocuk gibi salladı. Langlois kapıyı açtı. Arabanın içini bir yağmur sağanağı doldurdu. Komiser inerken konuştu:

– Gelecek sefer, yemeği ben ısmarlayacağım.

Arabadan inip, ekledi:

– Polisler Paris'in en iyi fast-food restoranlarını bilir. Bütün milk-shake'lerin tadı aynı değildir, haberiniz var mı? Aralarında bir sürü küçük fark var.

Diane neşeli bir ifade takınmaya çalıştı:

– Sizi utandırmamaya çalışırım.

Langlois yağmur damlaları sırtını döverken eğildi:

– Şunu unutmayın; dikkatsizlik, küçük kız kahramanlıkları yok. En küçük bir şeyin yolunda gitmediğini görürseniz, beni arayacaksınız. Tamam mı?

Diane son bir tebessümle cevap verdi ama, kapanan kapının sesi, kulağına tabutun çarpan kapağı gibi geldi.

Yirmi dördüncü kısım

Ona bir ışık kaynağı gibi, ama kendi karanlıklarının içinden bakıyordu.

Pansuman yapılmıştı. Daha sıkı, daha ince; sargılar kafatasını basit bir gazlı bez gibi sarıyordu şimdi. Drenler ise, kuşkusuz daha o sabah çıkarılmıştı. Önemli bir adımdı bu. Lucien artık beyin kanaması tehlikesini atlatmıştı.

Koltuğunu yaklaştırdı, işaret parmağının ucuyla çocuğun alnını, burnunu, dudak kenarlarını okşadı. Birlikte geçirdikleri ilk geceleri hatırladı, alçak sesle masallar anlattığı, karanlıkta elinin, nefes almasına uyarak kalkıp inen yorgun vücudun çizgilerine dokunduğu geceleri. Kendini o minicik tepelerin üzerinde, gizemli vadilerin çukurunda yapılacak yolculuğa hazır hissediyordu yine... Sargılı vücuttaki hayatın kıpraştığını, belirginleştiğini, yerleştiğini büyük bir keyifle hissediyordu.

Ne var ki bir acı, diğerini saklayamaz. Ölüm tehlikesinin uzaklaştığı şu anda, içinde yeni kaygılar büyüyordu. Ana kanamanın durduğu bir vücutta ağrıların kendini göstermesi gibi, üzüntüsünün yeni boyutlarıyla karşılaşıyordu. Çocuğunun her yarasını, her beresini öfke ve çaresizlik içinde, kendi vücudunda hissediyordu. Diane yeni bir umutsuzlukla tanışıyordu, vekâleten acı çekmenin umutsuzluğuyla.

Kafasından atamadığı bir gerçek vardı; çevrelerinde bir yerde, tehlike kol geziyor, onları tehdit ediyordu. Bu gerçek, giderek saplantıya dönüştü. Bilmecelerin çözümlenmesine katkıda bulunamazsa, asla geleceğe bakamayacaktı. İşte kararlılığı bu nedenle daha güçlenmişti. İşte hipnotizmacı Paul Sacher'den aynı akşam saat altıdaki randevuyu bu yüzden almıştı.

Birden yatağın ayak ucuna asılmış, üzerine her gün Lucien'a verilen ilaçların ve ateşinin işlendiği tabelayı gördü. Milimetrik karelere bölünmüş kâğıdı koparıp aldı. Kurşunkalemle çekilmiş çizgi dün gece on bir ile bu sabah on arasında üç ateş yükselmesi gösteriyordu. Öyle sıradan yükselmeler değil; her üçü de kırk derecenin üzerindeydi.

Diane duvardaki telefonu kaldırdı, Eric Daguerre'in numarasını tuşladı. Cerrah ameliyathanedeydi. Bu kez Madam Ferrer'in numarasını aradı. Bir dakika kadar sonra, koridor camlarının ardından gri saçlar göründü. Diane daha ağzını açmaya fırsat bulamadan, hemşire tarafından uyarıldı:

– Doktor Daguerre size bundan söz etmememi istedi. Sizi boşuna endişelendirmemek niyetindeydi.

Diane öfkeden köpürüyordu:

– Öyle mi?

– Ateş sadece birkaç dakikalığına yükseldi. Buna selim bir tepki diyor.

Diane ateş çizelgesini uzattı.

– Selim mi? Kırk bir derece mi selim?

– Doktor Daguerre ateş yükselmesinin çocuğun geçirdiği şokun etkisi olduğuna inanıyor. Metabolizmanın normal işlevine başladığının dolaylı belirtisi olarak görüyor bunları.

Diane asabi bir hareketle eğildi, çarşafın kenarlarını şiltenin altına sıkıştırdı.

– En ufak bir değişiklikte bana haber verirseniz iyi olur. Anlaşıldı mı?

– Tabii. Ama bir kez daha söylüyorum. Bunun bir önemi yok.

Diane çarşafları düzeltiyor, kâğıt önlüğü yerleştiriyordu. Birden isterik bir kahkaha attı:

– Önemsiz, öyle mi? Yine de Doktor Daguerre'in benimle görüşmek istediğini sanıyorum.

– Ameliyattan çıkar çıkmaz.

Yirmi beşinci kısım

– Her şey yolunda Diane. Size bunu söyleyebildiğim için çok mutluyum.

Şimdiye kadar duyduğu en kötü söze girişti bu.

– Ya yükselen ateş? diye sordu.

Eric Daguerre soruyu aldırmıyormuşçasına karşıladı. Çalışma masasının ardında, üzerinde beyaz doktor gömleğiyle duruyordu.

– Hiçbir şey değil. Lucien'ın durumu iyiye gidiyor. İyileştiğini doğrulamayan tek bir belirti yok. Bu sabah drenlerini çıkardık. Yakında başka bir servise alacağız onu.

Bu neşede kulağa sahte gelen bir şey vardı. Diane bakışlarını cerrahın gözkapaklarının altında parlayan gözbebeklerine dikti. *Anna Karenina*'nın anarşistleri, hani şu prenslerin yoluna bomba atanların gözleri de böyle parıldıyor olmalıydı. Ortaya öylesine bir soru attı:

– Bana söyleyeceğiniz başka ne var?

Doktor ellerini cebine soktu, birkaç adım attı. Gece ya da gündüz, odası hep aynı yoğunlukta aydınlatılıyordu.

– Sizi Didier Romans'la tanıştırmak istiyordum, dedi sonunda. Antropologdur.

Diane o ana kadar görmezden geldiği üçüncü kişiye dönmeye tenezzül etti. Daguerre'den daha genç biri. Esmer, zayıf, yirmi santimlik bir cetvel kadar dik. İfadesiz yüzüne siyah çerçeveli bir gözlük takmıştı. Onu görenin bir denklem ya da soyut bir formül düşünmemesi mümkün değildi.

Doktor devam etti:

– Didier bir antropolog. Bir biyometri ve topluluk genetiği uzmanı.

İfadesiz adam başını salladı. Çekingen bir tebessüm yüzüne yayılmaya çalıştı, ama kısa sürede geri çekilmek zorunda kaldı. Daguerre Diane'a sordu:

– Bunun ne demek olduğunu biliyor musunuz?

– Aşağı yukarı.

Daguerre bilim adamına dönüp gülümsedi.

– Sana söylemiştim, inanılmaz biridir.

Sesindeki neşe kulağa giderek daha sahte geliyordu. Devam etti:

– Didier'ye Lucien'dan bahsettim. Ondan birkaç analiz yapmasını istedim.

Diane elektriklendi:

– Analiz mi? Umarım...

– Klinik analizlerden söz etmiyorum tabii. Sadece çocuğunuzun bazı fizyolojik özelliklerini, daha genel olarak adlandırabileceğimiz bazı ölçütlerle karşılaştırdık.

– Hiçbir şey anlamıyorum.

Antropolog araya girdi:

– Benim uzmanlık alanım polimorfizm, Madam. Dünyanın çeşitli topluluklarının özelliklerini belirleme konusunda çalışıyorum. Her halkta, her etnik toplulukta, ötekilerine oranla daha sık rastladığımız bazı özellikler var. Topluluğun tüm üyeleri bu özellikleri taşımasa da, bir etnik ailenin genel portresini çıkarmamıza imkân veren ortalamalara sahibiz.

Daguerre oturdu, Romans'ın bıraktığı yerden devam etti:

– Lucien'ın fizyolojik özelliklerini geldiği bölgede bulunan toplulukların ortalamalarıyla karşılaştırmanın ilginç olacağını düşündük. Belki de bu yöntemle nereden geldiğini öğrenme fırsatını buluruz... kesin kökenini, demek istiyorum.

Diane'ın öfkesi biraz daha arttı, ama bu kendine yönelik bir öfkeydi. Bunu daha önce nasıl düşünmemişti? Yetimhaneyle temasa geçmişti. Bir uzmana Lucien'ın söylediği sözleri vermişti. Onu kurtaran yöntemi daha iyi anlamaya çalışmıştı. Bütün bunlara rağmen, en belirgin işareti araştırmayı, vücudunu inceletmeyi düşünmemişti. Üyesi olduğu etnik grubun belirlenmesini sağlayacak, çok küçük de olsa bazı fizyolojik benzerlikler gösterecek vücudu.

Romans'a dönüp, çok daha sakin bir sesle sordu:

– Ne buldunuz?

Antropolog çantasından bir tomar kâğıt çıkardı.

– Eğer isterseniz, boyuyla başlayalım. Hastaneye geldiğinizde, Lucien'ın altı ya da yedi yaşında olduğunu belirtmişsiniz. Ne var ki dişlerine bakıldığında, süt dişlerinden hiçbirinin düşmediği görülüyor. Bunun anlamı da, oğlunuzun beş yaşında olduğu.

Başka bir belgeye geçti. Diane kaza gecesi doldurduğu giriş formunu tanıdı.

– Burada Lucien'ın Andaman Denizi kıyısındaki etnik gruplardan geldiğini belirtmişsiniz.

Diane ellerini yana açtı.

– Bilmiyorum ki. Yetimhane müdiresine göre, Lucien'ın söylediği kelimeler ne Tayca'ya ne Birmanca'ya ne de o bölgenin bilinen herhangi bir lehçesine benziyormuş.

Romans gözlüklerinin üzerinden kısa bir bakış attı, sonra sordu:

– Yine de oğlunuzun dünyanın o bölümünden yani Birmanya, Tayland, Laos, Vietnam ve Malezya arasında kalan bölgeden geldiğini düşünüyorsunuz, değil mi?

Diane tereddüt etti:

– Ben... evet, tabiî. Başka bir şey düşünmek için nedenim yok.

Antropoloğun bakışları bir satır gibi indi.

– Eğer dikkatimizi Andaman Denizi kıyısında sıralanan bölgelere çevirirsek, hatta araştırmamızı Tayland Körfezi'ne ve Çin Denizi'ne kadar yayarsak, sadece tropikal bölgelerde ve ormanlarda yaşayan etnik gruplarla karşılaşırız.

Yine Diane'a kısa bir bakış.

– Eric etolog olduğunuzu söyledi. Bu nedenle doğal ortamın insanların boyu üzerinde büyük etki yaptığını biliyorsunuzdur. Ormandaki insan ve hayvanlar, başka çevredekilere, örneğin ovalarda yaşayanlara göre çok daha kısa ve küçüktür.

Diane adamın bakışına karşılık verdi. Gözlüğe karşı gözlük. Romans notlarının üzerine eğildi.

– Güneydoğu Asya'nın tropiklerarası ormanlarında yaşayan bir insanın boyu, yüz kırk iki ile yüz altmış beş santim aralığındadır. Bu ölçüden hareketle, böylesi ailelerin beş yaşındaki çocuklarının yaklaşık yetmiş santim boyunda olduğu sonucunu çıkarabiliriz.

Çerçevenin üzerinden bir bakış daha.

– Oğlunuzun boyunu biliyor musunuz, Madam?

– Sanırım bir metrenin üzerinde.

– Tam olarak söylemek gerekirse, bir metre on iki santim. Yani, ortalamanın kırk iki santim üzerinde.

– Devam edin.

Romans yeni bir kâğıt çıkardı.

– Cilt rengine geçelim. Halkların derisi üzerinde bir sürü araştırma yapıldı, bu ölçütün açıklaması karmaşık, kullanılması tehlikeli de olsa, size bir şeyler anlatacağım. Genellikle, derinin yansıttığı ışığı özel bir yöntemle ölçeriz: reflektometre yöntemiyle. Kişinin cildine bir ışık gönderir, cildin yansıttığı fotonları ölçeriz. Derinin rengi açıldıkça, yansıyan ışık da artar.

Diane sabırsızlıktan ne yapacağını bilemiyordu. Romans'ın nereye varmak istediğini anlamaya başlamıştı.

– Bu testi Lucien'a uyguladık, diye devam etti bilim adamı. Yüzde yetmiş ile yetmiş beş arasında değişen sonuçlara vardık. Kısacası oğlunuzun cildi, ışığın hemen tümünü yansıtıyor. Cildi parlak bir beyazlıkta. Tropiklerarasının koyuluğundan çok uzak. Fikir vermek için söyleyeyim, Andaman bölgesinin ortalaması yüzde elli beş dolaylarında.

Diane çocuğun aşırı solukluğunu hatırladı; Lucien'ı yıkarken altından incecik damarları görünen, neredeyse şeffaf cildini. Hayranlık nedenleri nasıl da birden korku kaynağına dönüşmüştü? Adam sayfalarını çevirerek devam ediyordu:

– İşte başka bir inceleme daha. Lucien'ın fizyolojik mekanizmalarıyla ilgili. Tansiyon. Kalp atışları. Kan şekeri. Soluk hacmi...

Diane adamın sözünü kesti:

– Bütün bu konularda istatistiğe sahip misiniz?

Antropolog gururla gülümsedi.

– Ve daha birçok konuda da.

– Bunları oğlumunkilerle karşılaştırdınız, öyle mi?

Romans başıyla onayladı.

– Lucien bu incelemelerden birinde bizi şaşırtan bir sonuca ulaştırdı. Nekahet döneminde olmasına rağmen, soluk alma hacmini ölçmeyi başardık. Dikkat çekici bir göğse sahip olduğunu söyleyebilirim. Sizin de bildiğinizden eminim, ama bir insanın soluk alma hacmi yaşadığı yerin yüksekliğine doğrudan bağlıdır. Örneğin dağ insanları, vadilerde yaşayanlara oranla çok daha yüksek bir soluk alma hacmine ve çok daha güçlü bir alyuvar oranına sahiptir. Bu özellikler onların doğdukları ortama uyum göstermelerini sağlar.

– Peki, peki, sonuca gelin.

Bilim adamı başını salladı.

– Bütün bu saydığım konularda, Lucien yüksek irtifada yaşamı anımsatan oranlara ulaşıyor. Deniz kıyısında ya da ormanda yaşayanlarla en ufak bir ilgisi olmayan oranlara.

Sessizlik Diane'ın şakaklarında atıyordu. Ne kelimelere ne de tahminlere dönüşemeyecek bir sessizlik. Didier Romans yeknesak sesiyle devam ediyordu:

– Eğer boyuyla, cildinin rengiyle ve fizyolojik yetenekleriyle ilgili verileri bir araya getirirsek, yaylaları, soğuğu ve yüksekliği birleştiren bir denkleme varırız...

Diane boğuk sesle sordu:

– Hepsi bu kadar mı?

Adam bütün kâğıtlarını bir araya getirip kaldırdı.

– Bu elli sayfa boyunca böyle sürüp gidiyor. Her şeyi inceledik: kan grubu, doku grupları, kromozomlar. Vardığımız hiçbir sonuç -tekrar ediyorum, hiçbir sonuç- Andaman Denizi çevresinin ortalamasıyla en ufak bir benzerlik taşımıyor.

Diane soluk soluğa sordu:

– Ve elde ettiğiniz sonuçların sizi bambaşka bir yöne çevirdiğini tahmin ediyorum...

– Türk-Moğol, Madam. Çocuk Uzakdoğu Sibirya halklarının taşıdığı bütün özelliklere sahip. Lucien tropikal bölgelerin çocuğu değil; o tayganın evladı. Bana kalırsa onu nüfusunuza geçirdiğiniz yerden binlerce kilometre uzakta doğdu.

Yirmi altıncı kısım

Diane'ın arabasını bulması, yirmi dakikasını aldı.

Sèvres Sokağı'nı boydan boya geçip, Général-Bertrand Sokağı'na girdi. Önce Duroc ve Masseran sokaklarından, sonra da Duquesne Caddesi'nden geçti. Soluğu kesiliyor, yüreği sanki aralıklı çarpıyordu. Düşünmeye çalışıyordu. Boşuna. Gereğinden fazla soru, bir tek cevap yok. Türk-Moğol kökenli bir çocuğun yolu nasıl olur da Birmanya sınırındaki, Ra-Nong'a düşer? Rolf van Kaen gibi biri çocuğun can çekişmekte olduğunu nereden öğrenir? Üstelik tam da dünyanın o bölgesine hareket etmeye hazırlanırken? Ve en önemlisi beş yaşında küçücük bir çocuk nasıl olur da Diane'ın kuşkulandığı karanlık komploların hedefi olabilir?

Sonunda arabasını Breteuil Meydanı yakınlarında bir yere park etti. Meydana, bir sığınağa koşar gibi girdi. Kafasındaki düşünceler karmakarışık, altüsttü. Hiçbir sonuca varmayan, sessiz darbeler.

Yine de bütün bu titreşimlerin arasında bir ışık görüyordu.

Birden, gerçeğin içinde ilerlemenin yolunu bulmuştu. Aklına İspanyol manastırındaki tecrübe geldi. Palimpsestus üzerindeki gizli yazıyı belirli aralıklarla gözler önüne seren morötesi ışık. Lucien'ın gizli yüzünü görmek için, kendine özgü bir ışığa sahipti Diane da. Cep telefonunu çıkardı, İsabelle Condroyer'nin, oğlunun konuştuğu lehçeyi bulup çıkarmasını rica ettiği etnoloğun numarasını tuşladı.

Etnolog Diane'ın sesini hemen tanıdı:

– Diane? Bilgi almak için henüz çok erken. Güneydoğu Asya'da araştırma yapan bir sürü bilim adamıyla temasa geçtim. Kasetin çevresinde bir toplantı yapıp...

– Yeni gelişmeler var.

– Gelişmeler mi?

– Şimdi anlatması çok uzun sürer ama, Lucien'ın onu evlat edindiğim tropikal bölgenin yerlisi olmama ihtimali çok yüksek.

– Neler söylüyorsunuz siz?

– Çocuk büyük olasılıkla Orta Asya'dan gelme. Moğolistan'dan ya da Sibirya'dan bir yerden.

Etnolog homurdandı:

– Bu, her şeyi değiştirir... söylediğiniz bölge, ne benim ne de çalışma arkadaşlarımın uzmanlık alanına giriyor...

– Yine de o bölgelerde çalışma yapan dilbilimcileri tanıyorsunuzdur?

– Laboratuvarları Nanterre Fakültesi'nde ve...

– Onlarla temasa geçebilir misiniz?

– Evet. Tesadüfen, içlerinden birini de tanıyorum.

– Öyleyse, lütfen temasa geçin. Tamamen size güveniyorum.

Telefonu kapadı. Düşüncelerinin hızı giderek azalıyordu. Saatine baktı. On yedi otuz. Vakit gelmişti.

Kendi içine dalmanın zamanı.

Çevre yolundaki kazayı bütünüyle ve tüm ayrıntılarıyla yeniden yaşamanın zamanı.

Yirmi yedinci kısım

Paul Sacher altmışlarında olmalıydı. Uzun boylu, sıska, seçkin, neredeyse gösterişli bir zarafetle giyinen biri. Üzerinde baltanın keskin kenarı gibi ışıldayan, koyu gri bir takım elbise vardı. Ceketin altından siyah bir gömleğin parıltıları ve ipek kravatının yumuşak çizgileri seçiliyordu. Yüzü de giyimine uygundu: çok belirgin kırışıklıklar, ama soylu bir kanın bütün iddiasını, bütün aldırmazlığını taşıyan dikey çizgiler. Çalı gibi kaşlarının altından görünen canlı ve yeşil gözleri siyahla çerçevelenmiş ve saydamlaştırılmış gibiydi. En şaşırtıcı olanı, favorileriydi; adam yanaklarında doğrudan XIX. yüzyıldan kalma, şakaklarda küçük çengellere dönüşen kıvırcık uzantılar taşıyordu. Bütün bunlar varlığıyla yarattığı rahatsızlığı ve şaşkınlığı daha da artıran hayvanımsı, ormanımsı bir görüntü veriyordu ona.

Diane içinden kahkahaların yükseldiğini hissetti. Kapıdaki adam, korku filmlerinde görülen hipnotizmacılara tıpatıp benziyordu. Eksik olan, siyah pelerini ile gümüş saplı bastonuydu sadece. Böyle birinin, Charles'ın en önemli müşterilerini gönderdiği, ciddi bir uzman olması mümkün değildi. Diane öylesine şaşkındı ki, adamın ilk cümlesini anlayamadı bile.

– Efendim? diye kekeledi.

Adam gülümsedi. Favorilerinin uçları sallandı.

– Size sadece içeri girmenizi önermiştim.

Üstüne üstlük, Slav aksanıyla konuşuyordu Sacher. "R" harflerini Walpurgis kentinin sisli gecesinde sokakta dolaşan eski bir at arabası gibi yuvarlıyordu ağzında. Diane bu kez bir adım geriledi.

– Hayır, dedi. Teşekkür ederim. Aslında kendimi hiç de formda...

– Girin. Rica ederim, girin. Bütün yolu boşuna tepmiş olmayın...

Bütün yol; Diane evinden topu topu dört yüz metre ötede, Saint-Germain Bulvarı yakınında Pontoise Sokağı'ndaki muayenehaneye varmak için attığı adımları böyle tanımlamazdı kuşkusuz. Ciddiyetini toplamak için, elinden geleni yaptı; telefon ettiği gün onu kabul etme inceliği gösteren bu adamı üzmekten korktu birden.

Eve girdiğinde, hafif de olsa bir rahatlama duydu. Siyah perde falan yoktu. Ne egzotik eşyalar ne de iç kararıtcı heykelcikler. İçerisi tütsü ya da küf de kokmuyordu. Açık tütün rengi boş duvarlar, beyaz ahşap kaplamalar, modern ve sade mobilya. Yaşlı adamın peşinden yürüyüp koridora girdi, bekleme odasının önünden geçip muayene odasına vardı.

Tüm oda ikindi güneşiyle aydınlanmıştı. Odanın içinde camdan bir çalışma masası ve çok düzenli bir kütüphane vardı. Diane bu kez buraya stresten kaynaklanan sorunlarından kurtulmaya gelen siyasetçileri, büyük şirket yöneticilerini canlandırabiliyordu gözünün önünde.

Hipnotizmacı oturdu, yine gülümsedi. Diane adamın pırıltılı giysilerine ve guru gözlerine alışmaya başlamıştı bile. Bu kez içinden gülmek gelmedi. Artık Paul Sacher'nin gizli güçlerini düşünüp bir ürküntü bile duyuyordu. Belleğini araştırmasına gerçekten yardımcı olabilecek miydi? Beynini gerçekten adamın eline terk edecek miydi? Doktor "r"leri yuvarlayarak konuştu:

– Galiba sizi eğlendiriyorum, Madam.

Diane tükürüğünü yutmaya çalıştı.

– Yani... Böylesi bir...

– Bu kadar tuhaf birini beklemiyordunuz, değil mi?

– Pekâlâ... (ne diyeceğini bilemediğinden, gülümsemek zorunda kaldı.) Çok üzgünüm. Bugün yeterince ve...

Sesi kendiliğinden kısıldı. Doktor siyah reçineden yapılmış bir kâğıt ağırlığını eline alıp oynamaya koyuldu.

– Yaşlı büyücü tavrının fazla lehime olmadığını ben de biliyorum. Oysa, rasyonalistim. Üstelik hipnozdan daha rasyonel bir şey olamaz.

Diane gırtlaktan gelme konuşma tarzının yavaşça gerilediğini düşündü; ya da belki o alışıyordu bu konuşmaya. Adamın çekiciliği sudaki halkalar gibi etkiliyordu insanı. Şimdi artık duvara asılı çerçevelerin farkına varıyordu: Sacher'nin tek egemen öğretici olarak göründüğü grup fotoğrafları. Her seferinde de yanında ona hayranlıkla bakan, güzel bir kız öğrenci. Hem zaten Charles, "Tam bir sürübaşı" dememiş miydi?

– Size ne gibi bir yardımım dokunabilir? dedi adam kâğıt ağırlığını usulca masanın üzerine bırakırken. Charles arayacağınızı bildirdi.

Diane dikildi.

– Size ne anlattı?

– Hiç. Onun için çok değerli biri olduğunuzun ve... size karşı çok dikkatli olmam gerektiğinin dışında, hiç. Onun için, sorumu tekrarlıyorum; size ne gibi bir yardımım dokunabilir?

– Önce size hipnozla ilgili açık bir soru sormak istiyorum.

– Sizi dinliyorum.

– Bir insana iradesine aykırı bir hareket yaptırmak mümkün müdür?

Psikiyatr dirseklerini koltuğunun paslanmaz çelik kollarına dayadı. Parmaklarında bir sürü yüzük vardı: firuze, ametist, yakut.

– Hayır, diye cevap verdi. Hipnotizma asla bir bilinç iğfali değildir. Tüm o hipnoz edilmiş katil, kandırılmış kadın öyküleri, birer masaldan öteye gidemez. Hasta her an direnebilir. İradesi dimdik, ayaktadır.

– Ama... birini uyutmak? Bu yöntemden yararlanarak, birini uyutabilirsiniz, değil mi?

Sacher dudak büktü. Favorileri de bu hareketi izledi.

– Uyutma bambaşka bir sorundur. Burada hipnotizma transına çok yakın bir teslimiyetten söz ediyoruz. Bu dediğiniz, tamam; bunu gerçekleştirebiliriz.

– Uzaktan da mı? Birini uzaktan uyutabilir misiniz?

– Ne demek, "uzaktan?"

– Bir kişiyi telkin seansından belirli bir süre sonra, siz artık orada değilken uyuyacak biçimde programlayabilir misiniz?

Adam başıyla onayladı:

– Evet. Bu mümkün. Seans sırasında belirlenen işareti vermek yeterli.

Diane sordu:

– Nasıl bir işaret?

– Madam, sorularınızın amacını pek anlayamıyorum.

– Nasıl bir işaret?

– Peki, örneğin bu bir anahtar sözcük olabilir. Seans sırasında bu sözcüğü kişinin bilinçaltına yerleştirir ve sözcük ile uyuma durumu arasında bir ilişki kurarız. Daha sonra, yeniden uyuma haline geçmek için, bu kelimeyi tekrarlamak yeter.

Diane Vulovic'in sözlerini hatırladı: "Bütün olanları düşündüğümde, gördüğüm tek bir şey var... Yeşil... Haki yeşili... Sanki... askerî kumaş gibi..." Sordu:

– İşaret sadece gözle ilgili olabilir mi?

– Tabiî.

– Bir renk?

– Kesinlikle. Bir renk, bir eşya, bir hareket, ne isterseniz.

– Kişi daha sonra ne hatırlar?

– Bu seans sırasında, hipnotizma çalışmasının derinliğine bağlıdır.

– Her şeyi unutabilir mi?

– Çok derin hipnoz durumunda, evet, ama beni çalışmalarımızın en aşırı uçlarına götürüyorsunuz. Ahlak kurallarımız son derece katıdır ve...

Diane artık dinlemiyordu. Etinin liflerinde, gerçeğe yaklaştığını hissediyordu. Birinin Porte-d'Auteuil Caddesi otoparkında Marc Vulovic'i hipnotizmayla uyutması pekâlâ mümkün görünüyordu. Gücünün doruğunda olan Rolf van Kaen'i de düşündü, hiçbir direniş göstermeden karnının yarılmasına izin veren o dev gibi adamı. Neden hipnoz altında olmasın? Adam konuşmasını sürdürdü:

– Charles bana sizin bir...

– Doğru. Telkin durumuna girmek istiyorum.

– Ne konuda? Sorularınız oldukça tuhaf da. Genelde hastalarımın ya sigarayla sorunları vardır ya da bir alerjiyle...

– Hayatımın belirli bir dönemini yeniden yaşamak istiyorum.

Sacher gülümsedi. Yeniden uzmanlık alanına dönmüştü. Koltuğuna rahatça yerleşti, başını –modelini inceleyen bir ressam gibi– bir yana eğdi ve sordu:

– Söz ettiğiniz dönem ne? Çok eski bir anı mı?

– Hayır. Olay geçeli daha iki hafta bile olmadı. Oysa bilinçaltımın bazı ayrıntıları gizlediğini düşünüyorum. Charles gerçekleri hatırlama konusunda bana yardımcı olabileceğinizi söyledi.

– Hiç sorun değil. Bana önce genel çevreyi bir anlatın, sonra da...

– Bir dakika.

Diane zihnini bu adama açmaktan korktuğunu anlamıştı. Biraz daha süre kazanabilmek için sordu:

– Önce siz anlatın... Belleğime nasıl gireceksiniz?

– Hiç endişeniz olmasın, bir takım çalışması olacak.

– Takım çalışması güvene dayanmalı. Beynime nasıl gireceğinizi ayrıntılarıyla anlatın.

Sacher diklendi:

– Size anlatamamaktan çekiniyorum.

– Neden?

– Kullanılan yöntemi ne kadar bilirseniz, o kadar direnme eğilimi gösterirsiniz de ondan.

– Buraya kendi isteğimle geldim.

– Ben bilinçaltınızdan söz ediyorum. Sizden bazı bilgileri saklayan bilinçaltınızdan. Eğer ona kendini savunacak silahlar verirseniz, inanın bana, silahları kullanacaktır.

– Ben... size beynimi böylesine açamam.

Psikiyatr sessiz kaldı. Konunun Diane için önemini ölçmeye çalışır gibiydi. Yeniden kâğıt ağırlığını eline aldı, sonra yerine koyup mırıldandı:

– Hipnoz çok güçlü bir konsantrasyon seansından başka bir şey değil. Birlikte dikkat yeteneğinize hâkim olabilecek fiziksel duygularınıza –örneğin kan dolaşımınıza– değineceğiz. O duyguların dışında her şeyi unutacaksınız. Çevrenizi çok uzaktan algılar olacaksınız. Böylesi bir "bağ koparma" günlük hayatta da yaşanır. Örneğin, bütün dikkatinizi bir dosyarın incelenmesine verdiğinizde, aklınız çalışmanızın emrine girer. Bir böcek gelip, sizi sokar; farkına bile varmazsınız. Hipnoz durumundasınız, trans halindesiniz demektir bu. Bedensel yıkıma uğranılan dinî törenlerde de karşılaşılır bu durumla. Beyin acı mesajını "alamaz" bir süre sonra.

– Bilinçaltının engellerini bu hipnoz durumu sayesinde mi kaldırıyorsunuz?

– Evet, çünkü savunma hatları kuran, bilinçaltı değil, bizzat bilincin kendisidir. Ama belirli bir konsantrasyona eriştiğimizde, artık mantık kapısını kullanmayız. Her şey hipnotizmacı ile kişinin bilinçaltı arasında özel bir ilişkiye dönüşür.

Diane gençliğinde başından geçen olayı düşündü. Yaşamının bir bölümünü bu anıyı unutmaya, belleğini kapalı bir kasaya dönüştürmeye ayırmıştı. Sordu:

– Bu şekilde ne kadar eskiye gidilebilir?

– Bir sınır yok. Bu koltuğa oturup, bebeklik günlerini yeniden yaşayan hasta sayısını bir bilseniz, şaşarsınız. Bebek gibi konuşmaya başlarlar. Bakışları tıpkı birkaç günlük bir bebek gibi, dengesizdir. Daha eskiye bile gitmek mümkün.

– Daha eskiye mi?

– İçimizde sakladığımız belleğin başlangıcına kadar. Yani, bundan önceki hayatlarımızın hatıralarına.

Diane gülmeye çalıştı:

– Üzgünüm, dedi. Reenkarnasyona inanmıyorum.

– Ben belirli hayatlardan miras kalan anılardan söz etmiyorum. Benim bahsettiğim, alıcısı olduğumuz doğal bellek. Aslına bakarsanız, genetik de bir çeşit bellektir. Gelişmemizin etimize işlemiş belleği.

– Bu da bir anlatım. Ama biz somut anılardan söz ediyorduk...

– Çok somut anılar olabilir bunlar! Doğar doğmaz yüzmeye başlayan bebekleri bir düşünün. Yeni doğmuş bir bebeği suya batırın, ilk refleksi ses tellerini kapatmak olacaktır. Bu refleks nereden geliyor?

– Hayatta kalma içgüdüsünden.

– Birkaç günlükken mi?

Diane gözlerini kırptı. Hipnotizmacı söze devam etti:

– Bu refleks insanın insan değil, karada ve denizde yaşayan bir yaratık olduğu tarihöncesi dönemlerden geliyor. Çocuk suya değer değmez, o dönemi hatırlıyor. Daha doğrusu, o dönemi bilincin ötesinde hatırlayan, çocuğun vücudu. Hipnozun bu gibi anıları daha yakına, bilincimize getiremeyeceğini kim iddia edebilir?

Diane içini bir rahatsızlığın kapladığını hissetti. Burada kalıp büyük sıçrayışı yapmak istediğinden hiç de emin değildi. Genç kadını gerçekten sarsan bir başka ayrıntı daha vardı, güneş batmış, muayenehane loşluğa gömülmüştü. Oysa hipnotizmacının gözleri o ana dek hiç bu kadar güçlü parıldamamıştı. Diane adamın gözbebeklerinde, retina ile gözakı arasında ışığı daha iyi algılamayı sağlayan gümüşümsü tabakalar bulunan gece hayvanlarının, mesela kurtların gözlerindeki gibi şimşekler çaktığını düşündü. Sacher'de aynı gümüşlü bakışlar vardı... Genç kadın gitmeye hazırlanırken, hipnotizmacı sordu:

– Artık bana yeniden yaşamak istediğiniz sahneden bahsetseniz?

Diane hızla düşündü. Kendini birkaç saat önce, hastane odasında, buraya gelme kararı verirken gördü. Koltuğuna iyice büzülüp, sakin bir sesle anlatmaya başladı:

– Çocuğum ve ben 22 eylül çarşamba akşamı geceyarısına doğru, çevre yolunda Dauphine Kapısı yakınında bir otomobil kazası geçirdik. Ben kazadan yara almadan kurtuldum, ama oğlum on beş gün boyunca yaşam ile ölüm arasında gidip geldi. Bugün artık bu durumdan sıyrılacağını sanıyorum ama... Tereddüt etti.

– Kazadan önceki dakikaları yeniden yaşamak istiyorum, diyebildi sonunda. Her hareketi, her ayrıntıyı yeniden yaşamak istiyorum. Hiçbir hata yapmadığımdan emin olmak istiyorum.

– Sürücü hatası mı?

– Hayır. Kazaya kayarak bütün yolu kaplayan bir kamyon neden oldu. Benim hiç suçum yok. Ama... biraz içkiliydim. Bir de oğlumun emniyet kemerini taktığımdan emin olmak istiyorum.

Birkaç saniyelik bir duraklama, sonra:

– Kaza anında, kemerin bağlı olmadığını belirtmek zorundayım.

Sacher ellerini masasının ayna gibi yüzeyi üzerinde kenetleyip Diane'a doğru eğildi. Gözbebekleri parlıyordu.

– Kemer bağlı olmadığına göre, demek takmamışsınız, öyle değil mi?

– O kemeri taktığımı biliyorum. Şimdi de bunu, hipnozla doğrulamak istiyorum.

Doktor düşünüyor gibiydi. Kuşkusuz, en az Charles Helikian kadar şaşkındı o da.

– Kemeri bağladığınızı varsayalım, dedi. Kemerin kazadan sonra açık olmasını nasıl açıklayacağız?

– Kemerin yolculuk sırasında açıldığını düşünüyorum.

– Küçük oğlunuz tarafından?

Söylemek zorundaydı. Varsayımını açıklamak zorundaydı. Kısık sesle anlattı:

– Başka birini düşünüyorum. Arabama gizlice binmiş birini. Kazanın bütün ayrıntılarıyla hazırlandığını, planlandığını, gerçekleştirildiğini düşünüyorum.

– Şaka etmiyorsunuz ya?

– Şaka ediyormuşum gibi davranıp, beni hipnotize edin.

– Saçmalık bu. Birileri bu kadar zahmete neden girsin?

– Beni hipnotize edin.

– Adamın biri, kaza anında, sizinle aynı arabada bulunma riskini almış olabilir mi?

Diane psikiyatrdan hiçbir şey elde edemeyeceğini anladı. Eşyalarını toplayıp ayağa kalktı.

– Bir dakika, dedi Sacher.

Sonra nazik bir hareketle koltuğu işaret etti. Sevgiyle gülümsüyordu ama, Diane adamın titrediğini fark etti.

– Oturun, dedi Sacher. Başlayacağız.

Yirmi sekizinci kısım

İlk hissettiği, suydu.

Ruhu sulu bir ortamda yüzüyordu. Bir yük gemisinin su dolu ambarında unutulmuş bir balya düşündü. Fazla olgunlaşmış bir meyvenin içindeki çekirdeği. Kendi kafatasının içinde yüzüyordu şimdi.

İkinci hissettiği, iki kişi olduğuydu.

Ya da çift.

Sanki bilinci, biri diğerini izleyebilen, iki parçaya bölünmüş gibi. Düş görüyor, kendini düş görürken izleyebiliyordu. Yoğunlaşıyor, uzaktan kendini yoğunlaşırken seyredebiliyordu.

– Diane, beni duyuyor musunuz?

– Sizi duyuyorum.

Hipnoz çok çabuk gerçekleşmişti. Paul Sacher önce duvara çizilmiş kırmızı bir çizgiye konsantre olmasını, sonra da kol ve bacaklarının ağırlığını hissetmesini istemişti. Diane yoğun bilinçlilik durumuna geçivermişti bir anda. Ellerinin, ayaklarının hareketsizliğini hissetmişti. Kol ve bacaklarının ağırlığı her an biraz daha artarken, zihni hafifliyor, havalanıp özgürleşiyordu.

– Şimdi kaza anlarına döneceğiz.

Diane, sırtı dimdik, elleri koltuğun kollarına dayanmış, başını sallayarak onayladı.

– Annenizin evinden çıkıyorsunuz. Saat kaç?

– Geceyarısına yakın.
– Tam olarak neredesiniz, Diane?
– Suchet Bulvarı'nda, 72 numaranın girişindeyim.

Sağanağın tıpırtıları. Işıklı çizgiler. Asfaltın kara yüzeyinde bin-
lerce kertik. Parıltılı taştan yüksek cepheler. Nefes nefese kal-
mış gibi buhar soluyan, mavimtırak sokak lambaları.

– Kendinizi nasıl hissediyorsunuz?
Gözleri kapalı, cevap vermeden önce gülümsedi.

Damarlarında, dışarıdaki fırtınayla alay edercesine, yer altı ne-
hirleri gibi dolaşan şampanya. Diane ensesine vuran küçük ve
sık damlaları duyuyor. Kendini iyi hissediyor. Kendini buğulu
hissediyor. Yemek sırasındaki öfkesini unuttu. Charles'ın öpü-
cüğünü. Sadece o ana sarılıyor.

– Diane, söyleyin; kendinizi bu dakikada nasıl hissediyor-
sunuz?
– Çok iyi.
– Yalnız mısınız?

Kollarının arasında, çocuğun sıcaklığı billurlaşıyor. Yağmurun
bölemediği uykusundaki sakinlik.

– Lucien'la birlikteyim, nüfusuma geçirdiğim oğlumla.
– Şimdi ne yapıyorsunuz?
– Bulvarı geçiyorum.
– Trafik nasıl?
– Bulvar ıssız.
– Arabanız, nerede duruyor?
– Auteuil Hipodromu hizasında.
– Tam adresi hatırlıyor musunuz?
– Maréchal-Franchet-d'Espérey Caddesi.
– Başka ayrıntılardan söz edin. Arabanızın markası ne?
– Bir arazi arabası. Eski model. Seksenli yıllardan kalma
bir Toyota Landcruiser.
– Şimdi arabanızı görüyor musunuz?
– Evet.

Otomobil birkaç metre ötede, sağanakta beliriyor. Diane şimdi bir önsezinin etkisi altında, rahatsız. Bir pişmanlık, bir acı duyuyor. İçtiği için pişman. Kendini, nefret ettiği bu törene kurban ettiği için. Zaman yitirmeden kusursuz bir zihin açıklığına dönmek, her saniyeyi bütünüyle yaşamak isterdi.

Sacher'nin hem uzak hem de yakın sesi odaya yayıldı:
– Şimdi ne yapıyorsunuz?
– Kapıyı açıyorum.
– Hangi kapıyı?
– Sağ arka kapıyı. Lucien'ın kapısını.
– Sonra?
Düşüncelerini düzene koymaya fırsat bulamadan, cevabı vücudundan aldı. Çok kesin, çok şiddetli duygular.

Sırtını kamçılayan yağmur. Ceketinin yakasından yükselen sıcaklık. Kollarında Lucien'la arabanın içine doğru eğilen vücudu.

Hipnotizmacının sesi daha güçlüydü artık:
– Şu anda ne yapıyorsunuz, Diane?
– Lucien'ı çocuk koltuğuna yerleştiriyorum...
– Bu an çok önemli, Diane. Bana her hareketinizi bütün ayrıntılarıyla anlatın.

Parmaklarının arasında, kısa süren bir tıkırtı. Emniyet kemerinin tokasından çıkan "tık" sesi. Daha o anda, ne kadar önemsiz olursa olsun, çocuğunu korumaya yönelik hareketlerini tamamlayan o inatçı, gizli, bencil zevki yaşıyor.

Birkaç saniye daha. Sonunda Diane'ın sesi yükseldi:
– Ben... emniyet kemerini taktım.
– Emin misiniz?
– Kesinlikle eminim.
Sacher'nin kalın sesi tüm benliğini dolduruyor:
– Şimdi bu anınızda durun. Dikkatle arabanızın içine bakın.
Diane'ın bilinçli yarısı, beynindeki kameranın işe koyulduğunu anladı. Şimdi artık gözlerini ezberlenmiş resmin üzerinde gezdiriyordu.

Arabanın içi karanlık. Üzerleri çeşitli eşya dolu, yıpranmış koltuklar. Yerdeki buruşuk, haki renkli battaniye. Üzeri eski dergilerle dolu bagaj kapağı. Kaplamasız, kumaşsız sac kapı içleri...

Gerçekten de belleğini parçalara bölebiliyor, içinde gezip, arşınlayabiliyordu. O anda farkına varamadığı, ama belleğinin ondan habersiz kaydettiği ayrıntıları inceleyebiliyordu.

– Ne görüyorsunuz, Diane?

– Hiçbir şey. Dikkat çekecek bir şey göremiyorum.

Paul Sacher'nin sessizliği gergindi. Belli belirsiz, psikiyatrın dikkat kesildiğini hissediyordu Diane. Adam sordu:

– Devam ediyor muyuz?

– Ediyoruz.

Ses eski kayıtsızlığına döndü:

– Şimdi çevre yolunda mı ilerliyorsunuz?

Diane başıyla onayladı.

– Lütfen yüksek sesle cevap verin.

– Çevre yolunda ilerliyorum.

– Ne görüyorsunuz?

– Işıklar. Işık dizileri.

– Daha açık konuşun. Tam olarak ne görüyorsunuz?

Şakaklarının iki yanında, camdan kalkanları ardında ışıklar geçip gidiyordu. Diane sodyumun portakal rengi ışığıyla alevlenen camların dokusunu neredeyse algılayabiliyordu.

– Neon dizileri, diye mırıldandı. Gözlerimi kamaştırıyor.

– Şimdi neredesiniz?

– Muette Kapısı'nın yanından geçiyorum.

– Yolda başka araç var mı?

– Çok az.

– Hangi şerittesiniz?

– Dördüncüde, en solda.

– Süratiniz kaç?

– Bilmiyorum.

Sesin kıskacı daraldı:

– Kadrana bakın.

Diane belleğinin içindeki hız göstergesine baktı.

– Saatte yüz yirmi kilometreyle gidiyorum.

– Çok iyi. Yolda, çevrenizde dikkatinizi çekecek bir şey görüyor musunuz?

– Hayır.

– Hiç arkaya, oğlunuza doğru bakmıyor musunuz?

– Bakıyorum. Dikiz aynamı onu görecek biçimde ayarladım.

– Lucien uykuda mı?

Çocuk koltuğunda hafif ve saydam gölge. Uykunun yoğunluğu, derinliği. Karanlıklara karışmış siyah saçlar. Bir bebeğinki gibi gür ve dağınık saçlar.

– Derin uykuda.

– Hareket etmiyor mu?

– Hayır.

– Arkada hiç hareket yok mu?

Diane dikiz aynasının görüş alanını taradı.

– Hayır, yok.

Yeniden yola dönün. Neredesiniz?

–⁻Dauphine Kapısı'na yaklaşıyorum.

– Kamyonu görebiliyor musunuz?

Bedenin içinde bir korku.

– Evet. Ben...

– Neler oluyor?

Sağanağın kargaşasında, yolun paralel çizgileri eksenlerinden çıkıyor. Hayır, çıkanlar çizgiler değil. Kamyon. Kamyon şeridinden çıktı; peşinden tüm yolu da sürükler gibi. Sinyal yok. Hiçbir işaret yok. Yağmur ve ışık çizgilerinden çapraza geçiyor...

Diane koltuğunda doğruldu. Sacher'nin sesi bir perde yükseldi:

– Ne oluyor?

– Kamyon... kamyon... kamyon... sola doğru kayıyor.

– Sonra? diye sordu hipnotizmacı.

– Dördüncü şeride geliyor.

– Ne yapıyorsunuz?

– Frene basıyorum!

– O zaman ne oluyor?

– Tekerlerim su birikintilerinde ilerlemiyor. Kayıyorum, ben...

Diane bir çığlık attı. Anının gücünden yırtılmak üzereydi.

Kamyon bariyere çarpıyor. Bir demir gürültüsü içinde, kendi çevresinde dönüyor. Şoför mahalli dönüyor, farlarıyla Diane'ın ön camını yıkıyor.

– Ne görüyorsunuz?

– Hiç, artık hiçbir şey göremiyorum! Sağanak yağmur görüşümü engelliyor. Fren... fren... frene basıyorum!

Ağır kamyon tekerlekleri üzerinde yalpalıyor. Öfkeli buhar solukları. Fren sesleri. Kaostan fırlayan demir parçaları...

Diane omzunu sıkan bir el hissetti. Sacher'nin sesi, çok yakınında:

– Ya Lucien, Diane? Ona hiç bakmıyor musunuz?

– Tabiî bakıyorum!

Belleği billur duruluğunda geri geldi. Darbeden hemen önce, tüm gücüyle bariyere çarpmadan tam önce, Diane çocuğuna bakmak için dönmüştü.

Uykudaki yüz. Birden açılan gözkapakları. Aman Tanrım. Uyanıyor. Neler olduğunu görecek...

– Bana onu görüp-görmediğinizi söyleyin!

– Uy... uyanıyor. Uyandı!

Sacher artık bağırıyordu:

– Kemeri görüyor musunuz? Hâlâ bağlı mı?

Çocuğun yüzündeki korku... fal taşı gibi açılmış gözleri... korkudan büyümüş gözbebekleri...

– Diane, kemere bakın! Lucien kemerini açmaya çalışıyor mu?

– BAKAMIYORUM!

Diane artık gözlerini Lucien'ınkilerden ayıramıyordu. Sac-

her'nin sesi, korkudan çatlak:
— Yola bakın, Diane! Yola dönün!
Bir refleksle, önüne döndü. Gırtlağından bir çığlık yükseldi. Onu koltuğundan fırlatacak güçte bir çığlık:
— HAYIR!
Penceredeki jaluzilere çarptı. Sacher, Diane'ın üzerine atıldı:
— Ne görüyorsunuz, Diane?
Yine haykırdı:
— HAYIR!
— NE GÖRÜYORSUNUZ?
Diane cevap veremiyordu. Psikiyatrın ses tonu değişti. Daha sakin, ama tümüyle kilitlenmiş, buyurdu:
— Uyanın.
Diane jaluzilerin dibine çökmüş, kasılıyor, ürperip sarsılıyordu.
— UYANIN! EMREDİYORUM, UYANIN!
Diane gerçek bilince döndü. Gözlerini kırpıştırıyordu. Jaluzilerden birine kötü çarpmış olmalıydı; yüzünden akan kan, gözyaşlarına karışıp tatlı bir nehre dönüşüyordu. Sacher genç kadının üzerine eğilmişti.
— Sakin olun, Diane. Artık buradasınız, benim yanımda. Her şey yolunda.
Diane konuşmaya çalıştı, ama ses telleri direniyordu.
— Ne gördünüz? diye sordu doktor.
Genç kadının dudakları titredi, hiç ses çıkaramadı. Hoşgörü dolu bir sesle yeniden sordu doktor:
— Arabanızda bir adam mı vardı?
Saçlarını sallayarak, başıyla hayır dedi.
— Arabada değil, hayır.
Psikiyatrın yüzü şaşkınlığını gösteriyordu. Diane devam etmeye çalıştı, ama kelimeler boğazında düğümleniyordu.
İşte o zaman, son görüntü belleğini kamçılamaya başladı.
Tam yeniden yola baktığı sırada, görmüştü; sağ tarafında, yüz metre kadar ötede, çevre yolunun çalılıklarının arasında, yağmurun altında bir adam duruyordu. Haki renkli geniş bir parkaya bürünmüş, kapüşonunu çıkık elmacıkkemikli yüzünün üzerine devirmiş, işaret parmağını kamyona

doğru uzatmış bir adam. Sanki tek hareketiyle korkunç kazayı tetiklemiş gibi.

Diane adamın yeşil paltosunu tanıdığından emindi; Rus ordusunun radyoaktiviteye karşı kullandığı parkaydı bu.

Yirmi dokuzuncu kısım

– Böyle mi?

Bilgisayar operatörü robot portreye çıkık elmacıkkemikleri ekledi. Diane başıyla onayladı. Geceyarısı olmuştu. İki saatten bu yana, çevre yolundaki kişinin robot portresini çizmek amacıyla Quai des Orfèvres'deki fizyonomi uzmanıyla birlikte çalışıyordu. Hipnoz seansından sonra, Paul Sacher'nin ısrarlı sorularına rağmen, Diane psikiyatrın yanından ayrılmış, doğruca cinayet polisine gitmişti.

– Ya ağzı?

Diane ekranda birbirini izleyen çeşitli dudak resimlerine baktı. Etli hareler. Küçük ovaller. M şekilliler. Dümdüz, çizgileri belirgin, ince bir dudak seçti.

– Gözler?

Ekranda yeni bir resim geçit. Diane gözkapakları düşük baklava şekillide karar kıldı, gözbebekleri için de, çocukların kalem kutularında şıkırdayan ağır mürekkep hokkaları gibi koyu ve mavimtrak bir renk seçti. Yüz metre öteden gördüğü bir yüzü böylesine ayrıntılı tarif etmek mantıksız görünüyordu. Ne var ki, bu konuda yemin etmeye hazırdı, tıpkı bilinçaltına kazıdığı öteki ayrıntılar gibi. Katilin gözleri tıpatıp böyleydi işte.

– Peki, kulaklar?

Diane cevap verdi:

– Kapüşonu vardı.

– Nasıl bir kapüşon?

– Yağmurluk kapüşonu. Yüzünün etrafında ipleri sıkıca bağlanmış.

Uzman ekrandaki yüzün çevresine kusursuzca kapüşonu andıran koyu bir gölge çizdi. Diane biraz geriledi, gözlerini kıstı; ekrandaki yüz şekilleniyordu. Açık ve geniş bir alın. Kırışıklıkların ortasında, çakmaktaşı gibi elmacıkkemikleri. Gözkapaklarının tembelliği altından akik parıltılar saçan mavi-siyah gözler. Diane ekrandaki yüzde bir canavarlık, bir acımasızlık belirtisi görmeye çabalıyordu ama, çizgilerin güzelliğini kabul etmek zorunda kaldı.

Patrick Langlois göründü. Ekrana bir göz attıktan sonra, Diane'a döndü. Yüzünde endişeli bir ifade.

– Buna mı benziyor? diye sordu.

Diane başıyla onayladı. Polis komiseri robot portreye fazla inanmaksızın baktı. Gecenin onunda bürosuna gelmeyi, portreyi oluşturmak için bir fizyonomi uzmanı çağırtmayı kabul etmişti. Elindeki karton dosyayı göğsüne bastırarak, masanın bir köşesine ilişti.

– Üzerinde asker parkası vardı diyorsunuz, öyle mi?

– Evet. Sovyet paltosu. Radyoaktiviteye karşı kullandıklarından.

– Nasıl bu kadar emin olabiliyorsunuz?

– Bundan beş yıl kadar önce, Sibirya'nın doğu ucunda, Kamçatka'da bir göreve gitmiştim. Bir askerî kampa yerleştirilmiştik, tesadüfen bir nükleer alarm tatbikatı izledim. O zaman bu paltoları yakından inceleme fırsatı buldum. Çapraz bağlanıp, yakayı da...

Polis komiseri bir işaretle konuşmasını kesti. Bilgisayar başındaki uzmana portreyi basmasını söyleyip, Diane'a döndü:

– Benimle gelin.

Aralık kapıların, karanlık pencerelerin açıldığı koridorlardan geçtiler. Loş odalar, hâlâ bazı polislerin çalıştığı karmakarışık köşeler gördü.

Langlois kadife kaplı bir kapının kilidini açtı. İçeri girip, halojen bir lamba yaktı. Eski kâğıtlar, yıpranmış deri eşyalar bir mübaşir odasını andırıyordu. Diane'a bir koltuk gösterip, masanın karşı tarafına oturdu. Bakışlarını kaldırmadan önce, bir süre parmaklarıyla masaya vurdu.

– Bana haber vermeliydiniz, Diane.

– Emin olmak istiyordum.

– Oysa sizi uyarmıştım; detektif Alice'çilik oynamak yok, demiştim.

– Lucien hakkında araştırma yapmamı siz istediniz.

Komiser bir omuz hareketiyle paltosundan kurtuldu, konuşmasına devam etti:

– Özetleyelim isterseniz. Size göre, geçirdiğiniz kaza bir cinayet girişimi, öyle mi?

– Evet.

– Kamyon şoförü bir dış güç ya da ne olduğunu anlamadığım bir şey tarafından komutla uyutuldu...

– Hipnozla.

– Diyelim ki hipnozla. Öyleyse siz dördüncü şeritte giderken, çarpışmanın tam o noktada gerçekleşmesi nasıl sağlandı?

– Uzaklıkları ölçtüm. Kamyon Boulogne Ormanı'nda Porte-d'Auteuil Caddesi'ndeki bir otoparktan yola çıktı. Ben motorumu çalıştırmadan, parktan çıkması yeterliydi. Her ikimizin hızı hesaplandığında, nerede buluşacağımızı kestirmek güç değil.

– Ya şoförün uyutulması? Tam o anda uyutulması mümkün olabilir mi?

– Bir insanı, bir işaret gördüğü anda birden uyumak üzere koşullandırmak mümkün.

– Bizim durumumuzda, nasıl bir işaret?

Diane alnını ovuşturdu.

– Şoför yeşil bir renk hatırlıyor. Belki de asker parkasından söz ediyordur. Yeşil parkalı adam tünel girişinde duruyordu.

Komiser gözlerini Diane'dan ayırmıyordu. Siyah gözleri kır saçlarının altından parlıyordu.

– Demek size göre, katiller ekip halinde çalışıyorlar?

– Evet, öyle düşünüyorum.

– Askerî bir operasyon gibi.

– Askerî bir operasyon. Tamamen öyle.

– Ve bütün bu operasyon, nüfusunuza aldığınız çocuğu ortadan kaldırmak için düzenlendi?

Diane başıyla onayladı, bir taraftan da kendi yorumunun ne denli saçma olduğunun farkındaydı. Langlois ona doğru eğildi, delici bakışlarını Diane'ın yüreğine sapladı:

– Size göre, onu neden öldürmek istediler?

Perçemlerini yana atıp mırıldandı:

– Bilmiyorum.

Langlois yeniden koltuğuna dayandı, yeni bir bölüm açmak istercesine, farklı bir tonla konuştu:

– Bir de Lucien'ın Taylandlı olmadığını söylüyorsunuz, öyle mi? Gerçekte Sibirya'dan ya da Moğolistan'dan geldiğini? Andaman kıyısına nasıl gelmiş peki?

– Bilmiyorum.

Kısa bir sessizlik sonra, sıkıntılı bir sesle devam etti Langlois:

– Diane, size nasıl söyleyeceğim...

Genç kadın gözlüğünün üzerinden baktı.

– Deli olduğumu düşünüyorsunuz, değil mi?

– Söyledikleriniz konusunda en ufak bir kanıtınız yok. Bütün bunlar sadece düşünüzün ürünü olabilir.

– Ya şoför? Nasıl uyuyabildiğini hâlâ anlamıyor ve...

– Aksini nasıl söyleyebilirdi ki?

– Ya adam? Parkalı adam; onu da uydurmadım ya?

Komiser başka yöne dalmayı tercih etti.

– Hikâyenizi kabul ettik diyelim, Rolf van Kaen'i öldürenler de aynı kişiler mi?

Diane yine tereddüt etti.

– Bana kalırsa, evet, katiller Lucien'ı kurtardığı için Van Kaen'i bir şekilde cezalandırdı.

– Akupunkturcuya kazayı kim bildirdi?

– Bilmiyorum.

– BBK'daki polisler hâlâ oğlunuzla ilgili bir çağrının ya da mesajın izine rastlamadılar. Anlaşılan Van Kaen'i çağıran, Kutsal Ruh.

Diane daha ne ekleyebilirdi ki? Langlois önce genç kadının sessizliğine saygı gösterdi, sonra alçak sesle konuştu:

– Sizin hakkınızda bilgi topladım.

– Ne demek bu?

– Arkadaşlarınıza, ailenize, sizi tedavi eden doktorlara telefon ettim.

Diane tükürür gibi konuştu:

– Bunu nasıl?..

– Benim işim bu. Bu olayda da başlıca tanığımsınız.

– Alçak.

– Psikoterapi seanslarına katıldığınızı, hastaneye yatırıldığınızı, uyku tedavisi gördüğünüzü bana neden söylemediniz?

– Üzerimde bir pankart mı taşıyacaktım?

– Size bu soruyu daha önce de sorabilirdim ama... Lucien'ı neden evlat edindiniz?

– Sizi ilgilendirmez.

– O kadar gençsiniz ki...

Yüzü utangaç bir tebessümle buruştu. Kırışıkları çekingenlik ifadesini daha da artırdı.

– Tamam, o kadar güzelsiniz ki. Söylemek istediğim buydu. (Parmaklarını havada döndürdü.) Böylesi kelimeleri söylemekte hep güçlük çekmişimdir. Diane, neden bu evlat edinme girişimine atıldınız? Neden daha önce... neyse, ne anlatmak istediğimi biliyorsunuz; bir koca bulmadınız, bir yuva kurmadınız, klasik yoldan gitmediniz?

Diane cevap vermeden kollarını kavuşturdu. Langlois sırtını kamburlaştırdı, dua ediyormuş gibi ellerini kenetledi; tıpkı hastanede yaptığı gibi.

– Annenize kalırsa, güçlük çekiyormuşsunuz... bağlanmakta.

Cümleyi havada bıraktı, birkaç saniye bekleyip devam etti:

– Ona göre, hiç nişanlanmamışsınız.

– Bu bir tür terapi falan mı?

– Anneniz...

– Annemin cehenneme kadar yolu var.

Komiser sırtını duvara yasladı, ayağını çöp sepetine dayayarak gülümsedi:

– Ben de öyle anlamıştım, evet... Ya babanız?

– Aradığınız ne?

Langlois oturuşunu değiştirdi, yine toparlandı.

– Ben babamı hiç tanımadım. Annem altmışlı yıllarda komün hayatı yaşıyordu. Gruptaki tiplerden birini seçip kendini tohumlatmış. Aralarında anlaşarak. Adam beni hiç aramadı. Adını bile bilmiyorum. Annem beni babasız bir çocuk olarak yetiştirmek istedi. Evlilik boyunduruğundan, maço baskısından kaçış... O çağın fikirlerini taşıyordu. İnançlı bir feministti.

Diane ekledi:

– Bir de baba mesleğini sürdüren çocuklar vardır. Ben bir şaşkınlık ürünüyüm.

Polis komiserinin yüzünden Diane'ın o çok sevdiği alaycı gülümseme geçti. Yasak bir manzaraya baktığını bildiğinden, adamın ifadesi Diane'ın yüreğini sızlattı. Birden kendini kırağıdan bir hapishanede, buzulun tutsağı gibi hissetti. Komiser üzüntüsünü görmüş olmalıydı; elini uzattı, Diane uzatılan elden kaçtı.

Langlois hareketsiz kaldı, birkaç saniyenin geçmesini bekledi, sonra saldırılarının nedenine geldi:

– Diane, "tokamak" sözcüğü sizin için bir anlam ifade ediyor mu?

Genç kadın şaşkınlığını gizlemeye çalışmadı:

– Hayır. Ne demek?

– Bir kısaltma. Anlamı, akımlı manyetik oda. Aslında, Rusça.

– Rusça mı? Bunu... bana neden söylüyorsunuz?

Langlois dosyasını açtı; en üstte bir faks vardı. Diane Kiril alfabesiyle yazılmış faksta çok iyi çıkmamış bir kimlik fotoğrafı gördü.

– Belki hatırlamıyorsunuz ama, Van Kaen'in yaşımında kara deliğe benzer bir dönem var.

– 1969 ile 1972 arası, evet.

– BBK görevlileri bu sabah doktorun Berliner Bank'taki kasasını açtılar. Kasanın içinde sadece bunlar vardı.

Fotokopiyi havaya kaldırdı.

– Alman doktorun o dönemde bir tokamakta çalıştığını kanıtlayan Sovyet kimlik belgeleri.

– Ama... bunun anlamı?

– Bir devrimci araştırma merkezi. Nükleer füzyon laboratuvarı.

Diane katilin radyoaktivite geçirmez parkasını düşündü:

– Nükleer parçalanma laboratuvarı demek istiyorsunuz, diye düzeltti.

Komiser hayranlığını saklamadı.

– Gerçekten şaşırtıcı bir insansınız, Diane. Haklısınız, bu konuda bilgi topladım; nükleer santralların temeli atomların parçalanmasına dayanır ama, burada başka bir yöntemden, füzyona dayalı bir teknikten söz ediliyor. Sovyetler'in altmışlı yıllarda bulduğu doğrudan güneşten etkilenen bir yöntem bu. Rusları iki milyon dereceye kadar çıkabilecek fırınlar inşa etmeye zorlayan, olağanüstü boyutta bir proje. Bütün bunların benim uzmanlığımı aştığını söylemek gereksiz tabii.

Diane sordu:

– Bugün olanlarla ilgisi?

Fotokopiyi Diane'a doğru çevirdi, anlaşılmayacak bir şey yokmuş gibi baktı.

– Van Kaen'in çalıştığı tokamak ya da kod adıyla TK 17, Rusların şimdiye kadar yarattıklarının en önemlisiydi. Tümüyle gizli bir yer. Nerede olduğunu bir tahmin edin bakalım? Moğolistan Halk Cumhuriyeti'nin en kuzeyinde, Sibirya sınırında. Van Kaen'in gitmeye hazırlandığı yerde, Tsagaan-Nuur'da.

Diane çok iyi çıkmamış belgeye baktı, bakışı kararlı, Van Kaen'in yüz çizgilerini gördü. Langlois yüksek sesle düşünüyordu:

– Oraya neden dönmek istedi? En ufak bir fikrim yok ama, elimizdekiler bir bütün oluşturuyor. Bu çok açık.

Operatör kapıyı vurup, girdi. Tek bir kelime etmeden robot portreden birkaç nüshayı masanın üzerine bırakıp, çıktı. Komiser resimdeki yüze bakıp, sözünü tamamladı:

– Bakalım dosyalarımızın içinde bu herife uyan biri var mı? Fazla umudum yok ama, bilinmez ki. Aynı zamanda, Paris'teki Türk-Moğol toplumunda da araştırmalara başlayacağız. Giriş vizelerini gözden geçirmek, falan. Tek iyi haber, Paris'te bunlardan çok fazla olduğunu sanmıyorum.

Ayağa kalkıp saatine baktı:

– Gidip uyuyun, Diane. Saat biri geçmiş. Lucien'ın kaldığı odanın çevresindeki güvenlik önlemlerini artıracağız; endişelenmeyin.

Diane'ı kapıya kadar geçirdi. Pervaza dayanarak ekledi:

– Gerçeği söylemek gerekirse, çılgın olup olmadığınıza karar veremiyorum, Diane, ama ne olursa olsun, bu hikâye sizden çok daha çılgın.

Otuzuncu kısım

Beyaz odalar. Pastel tablolar. Telesekreterin kırmızı ışığı. Diane ışık yakmadan evini boydan boya kat etti. Odasına girdi, yatağın üzerine yığıldı. Yanındaki telesekreterin nar çiçeği renkli ışığı, bir gölge denizinin üzerindeki fener boyutları almaya başlamıştı. Hipnoz seansından önce cep telefonunu kapadığını hatırladı. Belki de bütün bu zaman boyunca onunla konuşmak isteyenler olmuştu?

Mesaj dinleme tuşuna bastı ve sadece son mesajı duydu: "Ben İsabelle Condroyer. Saat dokuz. Diane, inanılmaz bir şey. Lucien'ın konuştuğu lehçeyi belirledik! Beni arayın."

Etnolog evinin adresini, ev ve cep telefonlarını da bırakmıştı. Diane karanlıkta birinci numarayı ezberledi, sonra tuşladı. Telefon uzun uzun çaldı -saat sabahın ikisi olmalıydı- sonra uykulu bir ses duyuldu:

– Alo?

– İyi akşamlar. Ben Diane Thiberge.

– Diane, ah, evet... (düşlerinden sıyrılmaya çalışıyor gibiydi), saatten haberiniz var mı?

Özür dilemeye ne niyeti ne de gücü vardı.

– Eve yeni döndüm, dedi sadece. Çok merak ettim.

– Tabii... (Sesi biraz açıldı.) Oğlunuzun lehçesini yakaladık.

İsabelle düşüncelerini toparlamak için biraz durakladı, sonra açıklamaya girişti:

– Çocuk sadece Tsagaan-Nuur bölgesinde kullanılan Samoyed kökenli bir lehçe konuşuyor. Moğolistan Halk Cumhuriyeti'nin en kuzeyinde bir kent bu.

Lucien nükleer laboratuvarın yapıldığı bölgede doğmuştu. Bunun anlamı ne? Diane kafasını toparlayamıyordu bir türlü. İsabelle Condroyer meraklandı:

– Diane, beni duyuyor musunuz?

– Duyuyorum, evet.

Etnolog devam etti. Sesi heyecanını belli ediyordu:

– İnanılmaz bir şey. Danıştığım uzman, bunun nüfusu çok azalmış bir topluluk olan Tsevenler tarafından kullanılan ve çok ender rastlanan bir lehçe olduğunu söylüyor.

Diane mezar kadar sessizdi. Condroyer yine sormak zorunda kaldı:

– Beni dinliyor musunuz, Diane? Ben sizin çok daha...

– Dinliyorum.

– Bir de küçük oğlunuzun kasette durmadan tekrarladığı o iki hece var, Lu ve Sian. Meslektaşımın görüşü kesin; bu iki hece Tseven kültüründe çok önemli bir sözcüğü oluşturuyor. Bunun anlamı: "nöbetçi" ya da "gözcü".

– Göz... gözcü mü?

– Kutsal bir terim. Seçilmiş bir çocuk belirtiyor. Halkı ile ruhlar arasında aracılık görevi üstlenen bir çocuk, özellikle de av mevsiminde.

Diane kararsız bir sesle tekrarladı:

– Av mevsiminde.

– Evet. Çocuk o dönemde halkının rehberi oluyor. O hem ruhların iyiliğini çağıran hem de ormandaki mesajları alan kişi. Örneğin, av bölgelerini o belirliyor. Çocuk önden gidiyor, avcılar da onu epey geriden izliyor. Bir izci, kutsal bir izci gibi.

Diane yatağına uzandı. Paul Klee'nin duvara sıralanmış pastel tablolarını seçiyordu, uzakta, çok uzakta, tehlikesiz günlük hayatın oralarda bir yerde. Etnolog Diane'ın sessizliği karşısında meraka kapılmış gibiydi. Birkaç saniyenin sonunda, konuştu:

– Bir sorun olduğunu düşünüyorum.

Diane, ensesi çözük saçlarına gömülmüş, cevap verdi:

– Taylandlı normal bir çocuk evlat edindiğimi sanıyordum. Doğuştan talihsiz küçük bir çocukla bir yuva kurduğumu. Oysa şimdi kendimi orman ruhlarını gözleyen Türk-Moğol bir şamanla yüz yüze·buluyorum. Burada bir sorun görmüyor musunuz?

İsabelle Condroyer içini çekti. Umudu kırılmıştı. Bütün heyecanı sönüp gidivermişti. Öğretmen sesini kullandı:

– Çocuğunuz rolünü ezberleyecek kadar kalmış olmalı halkının arasında. Ya da en azından rolünün adını. Bu olağanüstü bir öykü. Kaseti çözen etnolog sizinle tanışmak istiyor. Onunla ne zaman görüşebilirsiniz?

– Bilmiyorum. Sizi yarın sabah ararım. Cep telefonunuzdan.

Diane kabaca vedalaşıp telefonu kapadı. Duvara dönüp, bir av köpeği gibi büzüldü. Karanlık bir serabın etkisindeydi. Çevresini gölgelerin sardığını hissediyordu. Yağmurun altında onu izleyen, hareketlerini gözleyen radyoaktivite geçirmez parkalar giymiş gölgeler canlandı gözünde. Kimdi bu adamlar? Lucien'ı, küçük "gözcü"yü neden ortadan kaldırmak istiyorlardı? Şaman çocuk ile nükleer laboratuvar arasında ne tür bir bağ olabilirdi?

Bu karanlık görüntüden kurtulabilmek için, müttefiklerini hatırlamaya çalıştı. Patrick Langlois'nın yüzünü çağırdı, ama hiçbir şey göremedi. Doktor Eric Daguerre'i hatırlamaya çalıştı, ama hiçbir yüz belirmedi. Yüksek sesle Charles Helikian'ın adını söyledi, ama beyninde hiçbir yankı duymadı. Kendini yalnız, umutsuzluk verecek kadar yalnız hissediyordu. Ne var ki uykunun derinliklerine dalmadan önce, gerçeği görüp sarsıldı. Bu kadar yalnız olamazdı. Böylesine büyük bir sıkıntı çekemezdi.

Biri, bir yerde, onun kâbusunu paylaşıyor olmalıydı.

Otuz birinci kısım

Yıllar önce, çekingenliğini kırıp, insanlarla ilişki kurabilmek için bir tiyatro kursuna yazılmıştı. Sonuç hüsran olmuştu. Yine de o günleri bir çeşit özlemle hatırlıyordu. Talaş ve toz kokan dekorlar. Karanlığa gömülmüş, biraz ürkütücü salonun ucunda, tiyatrocu adaylarının Sofokles ya da Feydeau'dan metinleri neredeyse aynı ses tonuyla tekrarladıkları aydınlatılmış sahne. Arkadaşlarının çabalarını anlayışla ve dikkatle izleyen öteki öğrenciler. Böylesi bir disiplinin gizli, ritüeli andıran bir yanı vardı. Sanki bütün bu provalar, sadece sahte sözlerle ve taklit tavırlarla çağrılabilecek gizemli güçleri, bilinmedik tanrıları harekete geçirmek istermiş gibi.

Diane, Paris X-Nanterre Üniversitesi'nin Edebiyat Fakültesi'nde, A Bloku'nun zemin katındaki 103 numaralı dershaneye girdiğinde, devrini tamamlamış o tapınaklardan birinde bulunduğunu hemen anladı. Yirmi metre uzunluğunda, penceresiz, katlanıp sağdaki duvara dayanmış iskemlelerin dışında neredeyse bomboş bir odaydı burası. Dipte, siyah perdelerle çevrili, toz parçacıklarıyla yüklü bir aydınlığın içinden dekor parçalarının seçilebildiği, koyu renkli yüksekçe bir sahne. Bir masa, bir iskemle, koyu polistirenden oyulmuş, bir ağacı, bir kayayı, bir tepeyi temsil eden belirsiz şekiller.

Saat sabahın onuydu.

İsabelle Condroyer, Türk-Moğol lehçeleri uzmanı etnolog

Claude Andreas'la buluşabilmesi için bu adresi vermişti sadece.

Sahnenin önünde birbirleriyle konuşan birkaç oyuncuya sormaya karar verdi. İçlerinden biri, aradığı kişiydi. Uzun boylu ve zayıf, siyah renkli uzun bir don ve fanila giymiş biri. Diane dikkatle dürülmüş bir parşömene benzetti adamı; en anlaşılmaz simya sırlarından bazılarını barındıran bir parşömene. Adam özür diler gibi gülümsedi:

– Dövüş kıyafetimi bağışlayın. *Godot'yu Beklerken*'i prova ediyoruz.

Andreas sağ taraftaki masayı gösterdi:

– Gelin. Size o bölgenin bir haritasını göstereyim. Sizin hikâyeniz gerçekten... inanılmaz.

Cevap vermiş olmak için, başını salladı Diane. Bu sabah, her şeyi onaylayacak durumdaydı. Birkaç saatlik uykuya rağmen, hâlâ derin güçlerini -var olmasını sağlayan o asabiyet ve saldırganlık karışımını- ayaklandıramamıştı.

– Kahve? diye sordu adam elindeki termosu kaldırarak.

Diane başıyla hayır dedi. Andreas ona bir iskemle uzattı, kendine bir fincan doldurdu ve iki destek üzerine oturtulmuş masanın öteki tarafına oturdu. Diane adamı izliyordu. Yüzü çocukların suluboyayla yaptıkları resimleri andırıyordu: birbirinden çok ayrık turkuvaz gözler, kalkık bir burun, sanki tek bir çizgiyle çizilmiş gibi ince bir ağız. Bütün bunların çevresinde de, bir Play-Mobil kahramanının kaskını andıran kırlaşmış gür ve dağınık saçlar.

Fincanı masanın üzerine bırakıp bir harita açtı. Bütün adlar Kiril alfabesiyle yazılmıştı. İşaret parmağını haritanın en üstünde, bir sınır çizgisinin yakınındaki bölgeye bastırdı.

– Çocuğunuzun lehçesinin Dış Moğolistan'ın en uç noktasındaki bu bölgeye ait olduğunu düşünüyorum.

– İsabelle bana etnik bir gruptan, Tsevenlerden söz etmişti...

– Aslında bu kadar emin olmak güç. Yaklaşık yüz yıldan beri Sovyet hâkimiyetindeki bu bölgelere girmek, neredeyse imkânsızdır. Ama yine de, telaffuz ve bazı sözcüklerin kullanımına dayanarak, evet, konumuz Tseven lehçesi diyeceğim. Samoyed kökenli bir halk. Nesilleri kaybolmak üzere olan, ren geyiği yetiştiricileri. Hâlâ Tseven kaldığını görmek, şaşırttı beni. Böyle bir çocuğu nereden buldunuz? Bu...

– Bana gözcü geleneğinden ve avdan söz edin.

Andreas kaba davranış karşısında gülümsedi. Bugün soruları soranın kendisi olmayacağını anlamış gibiydi. Merakı için özür diler gibi bir hareket yaptı. Bir gölge oyununun yumuşaklığına sahipti.

– Tsevenler yılda bir kez, sonbaharda, büyük bir av düzenler. Her av kesin kurallara uymak zorundadır. Gruptaki erkekler genç bir izcinin peşinden gider. Çocuk bir gece önce oruç tutar, ertesi sabah şafakla birlikte, tek başına ormana girer. İşte avcılar o gözden kaybolunca harekete geçip "gözcü"yü izlerler. Tseven lehçesinde, "lüü-si-an" denen gözcüyü.

Etnoloğun kelimeleri Diane'ın zihninde yitip gidiyordu. Gözlerini haritadan ayıramadı. Yeşillik. Bazı yerleri göllerin mavisiyle delinmiş, uçsuz bucaksız yeşillikler. Lucien'ın kanında dolaşan çayırlar, sonu gelmez çam ormanları ve dupduru göllerdi. Çocuğun gelip koltukaltına sokulduğu o tadına doyulmaz anları hatırladı. O anlarda aklından hep aynı büyülü kelime "uzaklar" geçerdi. Andreas'ın açıklamaları, uzaklarda bir yerde kırılan bir dalga sesi gibi, kulaklarına ulaştı.

– Eğer oğlunuz gerçekten de gözcü ise, eğer kendi halkı tarafından seçilmişse, bunun anlamı sezgilerinin çok güçlü olduğudur. İngilizce ESP ya da *extrasensory perception* tanımı altında sınıflandırılmış yeteneklerden biridir bu; anlamı da duyuüstü algılama.

– Bir dakika.

Diane karşısındakini donuk gözlerle izliyordu.

– Bu etnik grubun böylesi çocukların üstün yeteneklere sahip olduğuna inandığını mı söylemek istiyorsunuz?

Adam gülümsedi. Diane'ı sabırlı olmaya davet etmek için yaptığı işaret genç kadını sinirlendirdi.

– Hayır, diye mırıldandı. Söylemek istediğim bu değildi. Hiç değildi. Ben gözcülerin gerçekten de böylesi yeteneklere sahip olduklarını düşünüyorum. Çok güvenilir insanların anlattıklarına göre, insanın beş duyusuyla kesinlikle algılayamayacağı olayları yakalayabiliyorlar.

İşte talihi yine aynı oyunu oynamış, karşısına bir zırdeli

çıkarmıştı. Batıl inanç sahibi gruplar arasında gereğinden fazla kalmış biri. Sakin olmaya çalıştı:

– Ne gibi olaylardan bahsediyorsunuz?

– Lüü-si-anlar, örneğin ren geyiklerinin göç yollarını önceden bilebilirler. Yıldız kaymaları ya da gezegenler gibi çok daha dikkat çekici oluşumları tahmin edebilirler. Ya da iklim değişikliklerini. Hiç kuşku yok, bunlar bir kâhin gibidir. Üstelik yetenekleri de çok küçük yaşta ortaya çıkar...

Diane adamın sözünü kesti:

– Neler söylediğinizin farkında mısınız?

Bir dirseğini masaya dayamış, öteki eliyle fincanını karıştıran bilim adamı basitçe yanıtladı:

– İki çeşit etnolog vardır, Madam. Bir etnik grubun ruhsal görüntülerini tümüyle psikolojik açıdan inceleyenler. Bu türden etnologlar için şaman güçler, sahip olunan yeteneklerden ve isteri, şizofreni gibi basit akıl sapkınlıklarından başka bir şey değildir. Aralarında benim de bulunduğum ikinci grup etnologlar içinse, böylesi olaylar, adını taşıdıkları güçlerin görüntüsüdür, yani ruhların görüntüsü.

– Kendinizi böyle inançlara nasıl kaptırabilirsiniz?

Tebessüm. Kahve fincanında bir daire.

– Meslek hayatım boyunca gördüklerimi bir bilebilseniz... Şamanizm belirtilerini basit akıl hastalıkları olarak göstermek, bana göre aşırı bir küçümseme olurdu. Tıpkı müzikle hiç ilgilenmeden, orkestranın ses gücüne dikkat eden bir müzikolog gibi. Malzeme var, aletler var. Bir de yükselen büyü. Bir halkın dinî inançlarını basit birer batıl inanışa indirgemeyi kabul edemem. Büyücülerin gücünü sadece toplumsal seraplar gibi açıklamayı reddediyorum.

Diane susuyordu. Aklında harekete geçen anılar. O da oldukça ilginç törenlere katılmıştı, özellikle de Afrika'da. Gördükleri karşısındaki hislerini hiç derinlemesine düşünmemişti. Ama emin olduğu bir şey vardı; böylesi anlarda, oyuna bambaşka bir güç katılıyordu. İnsanın hem içinde hem de dışında bulunan, daha da önemlisi, kişinin sınırını zorlayan bir güç. Sanki kutsal bir temas ya da anlatılamaz bir eşikten atlanmış gibi.

Claude Andreas, Diane'ın kararsızlığını görmüş gibiydi. Soluğunu boşalttı:

– İsterseniz konuyu bambaşka bir açıdan ele alalım. Paranormal olayların dinî yanını bir kenara bırakıp, böylesi olayların somut, fizik doğruluklarına bakalım.

– Hiç gerek yok, diye kestirip attı Diane. Böyle bir doğruluğun sözü bile edilemez.

Etnoloğun sesi ciddileşti:

– Hiç uyarıcı bir düş görmediniz mi?

– Herkes kadar. Belli belirsiz şeyler.

– Biraz önce düşündüğünüz bir kişinin size telefon ettiği olmadı mı hiç?

– Hayatın rastlantıları. Bakın, ben bilimle uğraşıyorum. Kendimi böylesi rastlantılara kaptırıp...

– Bilimle uğraşıyorsunuz, demek ki rastlantıların olasılığa dönüştüğü bir eşiğin varlığından haberlisiniz. Olasılıkların da aksiyoma dönüştüğü ikinci bir eşiğin varlığından da. Ben uzun zamandan beri bu konularla ilgileniyorum. Bugün Avrupa'da, Amerika'da, Japonya'da bu sınırların kesinlikle aşıldığı, telepati, kehanet ve önsezi deneylerinin başarıyla yürütüldüğü bilimsel laboratuvarlar var. Eminim, siz de duymuşsunuzdur.

Diane fırsatı kaçırmadı:

– Doğru. Deney kuralları son derece sert olmakla birlikte, sonuçların incelenmesi her türlü yoruma açık.

– Çoğu bilim adamı böyle diyor, evet. Çünkü böylesi sonuçların etkisi çok ciddi olurdu. Söz konusu anormallikleri kabul etmek, çağdaş fiziği ve bugünkü bilgilerimizi derinden sarsardı.

– Konudan tamamen ayrılıyoruz.

– Hayır, ayrılmadığımızı siz de biliyorsunuz. İnsanın gizli kalmış becerilerinden bahsediyoruz. Çocuğunuzda belki de çok belirgin olan yeteneklerden söz ediyoruz. Duyarlı evrenin basit yasalarına meydan okuyacak yeteneklerden.

Yeni uçurumlara dalmaya hiç ihtiyacı yoktu Diane'ın. Oysa onu orada tutan bir güç vardı. Bu yeteneklerin belki de her şeyi açıklayabileceğini fısıldayan bir ses... Andreas aynı sakin sesiyle devam etti:

– Olaylara yine değişik bir açıdan bakalım. Siz etoloji uzmanısınız değil mi? Hayvanların algılama şekilleri üzerinde çalışıyorsunuz.

– Ee?

– O algılama şekillerinden büyük bir bölümü uzunca bir zaman esrarlı, anlaşılmaz göründü bize. Neden? Morfolojik kaynaklarını bilmediğimiz için. Yarasaların karanlıkta uçması, bizim için açıklanamaz bir sırdı. Ta ki, bu gece kuşlarını yönlendiren ültrason titreşimlerini buluncaya kadar. Bütün algılamaların fiziksel bir açıklaması vardır. Doğaüstü diye bir şey olamaz.

– Şimdi benim mesleğimden konuşuyorsunuz. İnsanda var olduğu iddia edilen sözde paranormal yetenekler ile bunun arasında...

– Algılama organlarımızın hepsini bildiğimizi kim söyledi?

Diane alayla gülümsedi:

– Şu ünlü altıncı hissimiz... (Ayağa kalktı.) Üzgünüm, Mösyö Andreas, ikimiz de zaman kaybediyoruz.

Etnolog da ayağa kalktı, Diane'ın yolunu kapadı.

– Sözünü ettiğimiz çocukların, bizim sahip olmadığımız bir üstünlüğe sahip olmadıklarını kim söyleyebilir?

– Nasıl bir üstünlük?

Bir tebessüm; kâğıttan yüzü üzerinde bir virgül gibi.

– Masumluk.

Diane kahkaha atmaya çalıştı, ama boğazı düğümlendi. Charles Andreas devam etti:

– Sözünü ettiğim laboratuvarlarda en iyi sonuçların ilk deneylerde, özellikle de çocuklar üzerinde yapılan deneylerde elde edildiği kanıtlandı. Doğallıkları nedeniyle.

– Bunun anlamı?

– Psikolojik yeteneklerimizin gelişmesi yolundaki en önemli engelin önyargılarımız olduğu. Kuşkuculuk, maddecilik, kayıtsızlık aklımıza zarar veren, gücünü kullanmasını önleyen gerçek birer kirlilik gibi görülmeli bence. Gücünden emin olmayan bir sporcu, yarışa yenik başlar. Bilincimiz kesinlikle aynı biçimde işler. Kuşkucu biri kendi zihinsel yeteneklerine erişemez.

Diane uzun gölgenin çevresinde döndü. İçini yakıcı bir kuşku kaplıyordu. Adam sordu:

– Çocuğunuz yok, değil mi?

– Lucien var.

– Hayır, hiç doğum yapmadınız, demek istedim.

Yüzündeki ifadeyi görmemesi için, başını çevirdi.

– Amacınız ne?

– Annelerin hepsi aynı şeyi söyleyeceklerdir; hamilelik sırasında çocuklarıyla iletişim kurarlar. Cenin onu karnında taşıyan kadının duygularını hisseder. Oysa burada iki belirgin varlıktan söz ediyoruz. Hamilelik telepatinin gerçek beşiğidir.

Diane fizyolojik alanda kendini çok daha rahat hissediyordu.

– Bu dediğiniz doğru değil, diye karşılık verdi. Paranormal iletişim olarak adlandırdığınız şey, gerçek fiziksel temellere dayanıyor. Eğer hamile kadın onu sarsacak bir haber alırsa, adrenalin gibi belirli hormonlar kanına karışıyor ve cenine geçiyor. Bu aşamada, anneyle çocuğunu birbirinden ayrı varlıklar olarak gösteremeyiz. Tam tersine, sürekli bir vücut teması içindeler.

– Sizinle aynı fikirdeyim. Ama ya doğumdan sonra? İletişim devam ediyor, Madam. Kanıtlanmış bir gerçektir bu. Anne hâlâ çocuğunun ihtiyaçlarını, o ihtiyaçlar ortaya çıkmadan önce algılıyor. Aralarındaki bağ kopmuş değil. Bunu nasıl adlandırıyorsunuz? Annelik güdüsü mü? Sezgi nerede başlıyor? Bu ilişki, sevgiden başka hiçbir temele dayanmayan saf bir parapsikolojik iletişim değil mi?

Diane polen gibi ufalanıyordu. Çocuğunu emziren ana görüntüsü dokundurmaları çökertiyordu genç kadını. Aynı zamanda da, tuhaf bir dinginliğe boğuyordu bu sözler onu. Bunu bile hissetmişti; çocuğu kollarının arasında uyuduğu, sessizliğe gömülmüş o büyülü dakikalar kadar, onunla iletişim kurduğu başka zaman var mıydı?

– Güzel konuşuyorsunuz, Mösyö Andreas, ama nüfusuma geçirdiğim çocuğun kimliği konusunda fazla ilerlediğimi sanmıyorum.

– Lucien kendine geldiğinde ilerleyeceksiniz. Eğer gerçek bir gözcüyse, sizi bu gerçeklere inandıracaktır.

Diane adamı selamlayıp kapıya yöneldi. Üzüntüden boğazının düğümlendiğini hissediyordu. Etnolog arkasından seslendi:

– Bir dakika.

Diane'a doğru yürürken ekledi:

– Birden aklıma biri geldi. Lucien'ın fiziksel özellikleri hakkında size çok daha fazla bilgi verebilecek birisi. Bunu daha önce düşünemediğime göre, çok aptalım. O bölgelerde çok dolaştı. Aslında, oralara gitmeyi başaran tek kişi. Söz konusu yerlere hiç gitmediğimi itiraf etmeliyim. Ben sadece dönemin siyasal sürgünlerinin, Gulag bilginlerinin kaydettiği teyp bantları üzerinde çalıştım.

Andreas ajandasında o eşsiz insanın adresini arıyordu. Adını ve adresini kareli küçük bir kâğıdın arkasına yazdı.

– Adı François Bruner. Tsevenleri bilir. Parapsikoloji konusunu da.

Diane kâğıdı alıp, okudu.

– Bir müzede mi yaşıyor?

– Evet, kendi kurduğu vakfın yöneticisi. Saint-Germain-en-Laye'de. İnanılmaz bir serveti var. Gidip görün onu. Hayranlık uyandırıcı biri. Oraya gitmek, sadece birkaç saatinizi alır. O birkaç saat de hayatınızın geri kalanın bölümünü aydınlatabilir.

Otuz ikinci kısım

Her şey çok çabuk oldu.

Önce Lucien'ın yeni odasını görmek için hastaneye gitti, sonra vakıf yöneticisini aradı. Çok sıcak karşılandı; François Bruner Fransa'da bir gözcü bulunduğunu duyunca meraklanmıştı. Aynı zamanda da bölgeyi gezen tek Avrupalı olarak, arşınladığı o topraklar hakkındaki bilgilerini ve anılarını paylaşmaya can atıyordu. Aynı gün, akşam yedide buluşmaya karar verdiler.

Diane Paris'in batısındaki Saint-Germain-en-Laye'e gitmek için yaklaşık bir saate ihtiyacı olduğunu düşündü, emin olmak için beş buçukta yola koyuldu. Neuilly'yi geçtikten sonra, çevre yoluna çıkıp Défense Mahallesi'nin etrafından döndü, onu hedefine kadar götürecek bitmek tükenmek bilmeden dümdüz uzanan 13 numaralı devlet yoluna saptı.

Yol boyunca, araştırması konusunda düşünmemeye çalışması gerekmedi. Aklı Claude Andreas'ın söyledikleriyle ve bu sözlerin genel sonuçlarıyla meşguldü. Saygın bir etoloji uzmanı olan Diane Thiberge, mantıklı bir insandı. Rolf van Kaen'in müdahalesinin esrarlı etkisine şaşırmış olsa da, akupunktur hakkında okudukları düş gücünü alevlendirse de, hiçbir zaman kendi gerçeğini temelden sarsacak bir doğruya derinden inanmamıştı.

Biyologların büyük bir çoğunluğu gibi Diane da dünyanın aşırı karmaşasının somut ve belirgin öğelerden kaynaklanan, görülemeyecek kadar küçükten akıl almayacak kadar büyüğe sıralanan bir dizi fiziksel ya da kimyasal mekanizmayla özetlenebileceğini düşünüyordu. İnsan aklının varlığını reddetmiyordu tabiî, ama bu olguyu, algılamakla ve anlamakla görevlendirilmiş ayrı bir kimlik olarak kabul ediyordu. Evrenin localarından birine yerleşmiş, bir çeşit manevî izleyici.

Bunun kozmosun çarkları hakkında çağın gerisinde kalmış ve önemsizleştirici bir bakış açısı olduğunu biliyordu. XIX. yüzyılın pragmatistlerinden miras kalan, dolaylı da olsa insan bilincini gerçeğin mantığından dışlayan bir bakış açısı. Oysa ne kadar görünmez ne kadar elle tutulmaz olursa olsun, zekânın gerçeğe en az bir molekül ya da bir nötron yıldızı kadar ait olduğuna inanan bilim adamlarının sayısı gün geçtikçe artıyordu. Tıpkı herhangi bir elle tutulur madde benzeri, bilincin de, henüz açıklanamayan bir yöntemle büyük yaşam zincirine sızdığına inandıkları gibi. İçlerinden bazıları bilincin sadece pasif bir varlık olmadığını, doğal bir güç olarak, objektif dünyayı doğurduğu olayların ötesinde, doğrudan etkileyebilecek bir varlık olduğunu kabul ediyordu.

Diane dikkatini yola verdi. Sıra sıra çınarların alışılmış banliyö kargaşasını -eski, renksiz ve kaba yapılar, iç kararıtıcı evler, parlak ve donuk, fazla çağdaş binalar karışımını- gözden gizlediği Nanterre'den geçiyordu.

Rueil-Malmaison'da görüntü değişti. Çınarların yerini kavaklar aldı, üstlerinde su ve yeşillik vaatleri taşıyan küçük yapraklı, uzun titrek dallar. Malmaison yakınlarında, Bonaparte Caddesi boyunca duvarlar yükseliyor, taşlar sarmaşıklarla örtülüyor, girişler zarif sundurmalarla kapatılıyordu. Yüksek evler duvarların ötesinden araba akışını gözler gibiydi, grandükler gibi, sanki Malmaison Şatosu'nun gururu, çevredeki bütün evlere ve konaklara sirayet etmişçesine.

Trafik akıyordu. Diane bir güçlükle karşılaşmadan ilerledi. Aklı yeniden araştırmasına gitti. Lucien bir gözcü mü? O sözde yeteneklere gerçekten sahip mi? Gerçeğin bilinmedik bir boyutuna mı erişecek? Rolf van Kaen, "Bu çocuk yaşamalı" demişti. Lucien'ın gerçek kimliğini bildiğinden en ufak bir kuşku yok. Müdahalesinin gerisinde bu gerçeğin yattığından da. Lucien'dan ne bekliyordu? Elinde hiç cevap

yoktu; yine de doğru yönde ilerlediğinden emindi. Çocuğun
yeteneklerine dikkat etmek zorunda kalacaktı: bu yetenek-
lere inanmasa da, böylesi hikâyeleri masal olarak görse de.
Şu anda önemli olan, Diane'ın kendi doğruları değil, çevre
yolundaki katillerin ve Rolf van Kaen'i öldürenlerin inançla-
rıydı.

Bougival'de Sen kıyısında ilerlemeye başladı, su yüzeyin-
de yansıyan ağaçlıklı adacıkları gördü. Taş köprünün üze-
rinde "Bougival Havuzları" levhası asılıydı. Diane kayıkları,
nehir teknelerini, sükûnetin durgunlaştırdığı suları görecek
kadar oyalandı. Burada her şey köy hayatını, çayırlarda ye-
nen yemekleri, Paris karmaşasından çalınmış sakin saatleri
çağrıştırıyordu.

Yirmi dakika kadar gidip Saint-Germain-en-Laye'deki
Büyük Şato Meydanı'na vardı. Kilise saati, on sekiz kırk be-
şi gösteriyordu. Hâlâ kraliyet geçit törenlerinin ve atlı araba-
ların izlerini taşıyan geniş caddelerden geçti, sonra da Bru-
ner'in tavsiyesine uyarak orman yönüne döndü. İki yanı sar-
maşıklara yenik düşmüş, kireç rengi yüksek duvarlarla çev-
rili dar yollara girdi. Gün duvarların üzerinden batıyor,
ağaçlar karanlığın yaklaşmasından keyiflenir gibi, sabırsız-
lıkla kıpırdanıyordu. Diane karanlık bastıkça daha yoğun,
daha net görünen dışarının aydınlığından yararlanabilmek
için farlarını yakmadı.

Sonunda, yüksek siyah demirli bir kapının önünde dur-
du. Otomobilinden inerken, havanın ne denli serin olduğunu
hissedip, şaşırdı: duyularını uyandıran, onlara yepyeni bir
keskinlik kazandıran görülmez bir kabuk. Saat yedi olmuş-
tu; karanlık, gölgeli büyük adımlarla yaklaşıyordu. Diane bir
kez daha küçük oğlunu düşündü. Birden, içinde yeni ve ke-
sin bir inanç yankılandı; birkaç saat sonra, sırrın bir bölü-
münü öğrenmiş olacaktı.

Otuz üçüncü kısım

Üzerinde bir kamera bulunan interfonun düğmesine bastı. Cevap yok. Bir daha bastı. Boşuna. Hiç düşünmeden, parmaklığı itti, kapı ağır ağır açıldı. Yakası yünlü ince bir fırçaya benzeyen süet mantosunun önünü kapattı, çakıl taşlı yolda yürümeye koyuldu. Geniş çimenlikler boyunca, dakikalarca yürüdü. Her yer ıssızdı. Kulağına karanlıkta göremediği otomatik sulama fıskıyelerinin kıkırdamalarından başka bir şey gelmiyordu. Sonunda, çimenli bir tepeciğin ötesinde, koyu renkli müze binasını gördü.

Yüzyıl başında yapılmışa benzeyen bir bina. Güçlü çizgilerden, kaba köşelerden oluşan, en ağır malzemeden inşa edilmişe benzeyen bir yapı. Bronzların küflü grisi. Bakırların toprak rengi. Çeliğin gölgeli karası. Diane yaklaştı. Ön cephenin metal çerçeveli pencerelerinde ışık görünmüyordu. François Bruner'in, binanın çevresinden dolaşmasını, özel dairesine açılan arka kapıya gelmesini söylediğini hatırladı.

Müzenin çevresindeki park, ağaçlarla ve gölgelerle çevrelenmişti. Sağanaklarla sarsılan ağaç tepeleri, bir buruşmuş yaprak senfonisi çalar gibiydi. Arka cepheye vardığında zili çaldı, yine hiçbir cevap alamadı. Yoksa profesör buluşacaklarını unutmuş muydu? Geri döndü, dış kapının yolunu tutmuşken karar değiştirdi. Yeniden arka kapıya yöneldi, birkaç basamağı çıkıp ağır kapıyı kendine doğru çekmeyi denedi.

Kapı açıldı.

Diane gölgelerle kaplı bir hole girdi, oradan da birinci salona geçti. Böyle bir salonun dışarıdan bakınca tehditkâr görülen bir sığınağa ait olduğunu imkânı yok tahmin edemezdi. Duvarlar, zemin, tavan, her şey bembeyazdı. Beyazlık, pencerelerden süzülen ay ışığını yansıtıyordu. Tek başına bu çıplak yüzeyler bile bakışı okşuyordu. Ama, her şeyden önemlisi, tablolar vardı. Başka bir dünyaya açılıyormuş izlenimi veren, alevli, çarpıcı küçük pencereler. Diane biraz yaklaştı; vakfın, müzesini Piet Mondrian'ın yapıtlarının sergilenmesine ayırdığını anladı.

Resim sanatında öyle elle tutulur bir uzmanlığı yoktu ama, birçok röprodüksiyonuna sahip olduğu Hollandalı ressama büyük bir hayranlık besliyordu. Salonun duvarlarında, Mondrian'ın ilk dönemine ait eserleri hemen tanıdı: dünyanın çok yakında tutuşacağını haber veren, masalımsı kanatlarını alev alev bir gökyüzünün önünde açan, değirmenler.

Diane ikinci salonda da aynı dönemin tablolarını buldu. Bu kez ağaçlar: kabuklarındaki yarıklarda en çılgın renkleri barındıran, yalımlarla kaplı, karanlık, görkemli kış ağaçları. İlkbahar ağaçları da vardı: kırsal bir patlamanın içinde erimeye hazır, içlerine ateş zerk edilmişçesine, kara ve kırmızı. Diane hep bu yakıcı özsuyun, kavurucu göklerin bir vaat taşıdığına inanmıştı. Daha şimdiden Mondrian'ın sanatındaki derin değişimi taşıdıklarına.

Üçüncü salonun değişime açılacağını biliyordu.

Eşiği geçip, kendini olgunluk dönemi tablolarının karşısında bulunca gülümsedi. Mondrian'ın ağaçları yirmili yıllardan sonra uzayıp incelmiş, düzene girip arınmış, gökler parlamış ve ressamın gerçek baharı patlamıştı. Çiçek ve meyve olarak değil, kareler, dörtgenler, mutlak saflıkta geometrik biçimler olarak. Mondrian o andan itibaren sadece çileci kompozisyonlar yaratmış, titiz, tekrenkli biçimleri bir araya getirmişti. Eserinde bir "kırılmadan" söz edenler vardı ama, Diane aynı düşüncede değildi. Onun gözünde, doğal bir simyaydı bu. İlk yılların yakıcı coşkusunun sonunda, toprak ve ateş manzaralarının dibinde, kendi sanatının özünü keşfetmişti ressam. Eksenlerin ve renklerin kusursuz geometrisini.

Diane gözleri kamaşmış, durumunun mantıksızlığını düşünemeden ilerliyordu. Bir Türk-Moğol etnik topluluğunun uzmanıyla buluşması gereken özel bir müzenin ortasında, yapayalnızdı. Her biri onlarca milyon frank değerinde olan tabloların arasında tek başına, kimse tarafından gözetlenmeden, hiçbir kısıtlamaya uğramaksızın dolaşıyordu. Sanatçının New York'ta yarattığı, son dönemine ait ünlü *Boogie-Woogie* eserleriyle karşılaşmayı umduğu yeni bir salona girdi...

Bir hışırtı duyup, başını çevirdi.

Çıktığı salonda iki gölge duruyordu. Nöbetçi olduklarını düşündü bir an, sonra hemen gerçeği kavradı. Siyahlar giymiş iki adam gece görüş gözlükleri takmış, tüfeklerinin tepesine de lazerli hedef izleyicileri yerleştirmişti. Beyninde bir şimşek çaktı: çevre yolundakinin suç ortakları. Onu izlemişler, burada, bu serginin sonunda yok etmeye karar vermişlerdi.

Arkasına baktı. Ne bir kapı ne bir çıkış yolu. Adamlar usulca ilerliyordu. Diane geriledi. Adamların silahı kırmızı bir ışın çıkarıyordu. İnanılmaz bir biçimde, sahnenin ne kadar güzel olduğunu düşündü: ayın mavimsi aydınlığını yansıtan tablolar, örümcek bakışlı iki saldırgan, tüfeklerinin bu beyazlığın gölgesinde yaldızlanan grena ucu.

Hiç korku hissetmiyordu. Kafasında başka bir düşünce şekillenmeye başlamıştı bile; farkında olmadan, bu karşılaşmayı on beş senedir bekliyordu. Kendi gerçek saatini. Artık Nogent-sur-Marne'daki savunmasız kız olmadığını göstermenin zamanı gelmişti. Söğütleri hatırladı. Soğuk toprağı kalçalarında hissetti. İki gölge hâlâ ilerliyordu. İki metre ötedeydiler artık.

Bir adım daha.

Eldivenli ellerden birinin tetiğe asıldığını gördü.

Çok geç.

Onlar için.

Sıçradı, elinin keskin tarafıyla vurdu: sao fut şu. Birinci adam darbeyi boğazına yiyip yığıldı. İkincisi tüfeğini doğrultuyordu, ne var ki Diane kendi çevresinde dönerek bacağını uzattı, ayağını gerdi. Katil sırtüstü yuvarlandı. Susturucu takılmış silahtan çıkan "plop" sesini, duvardan kopan taş parçasını duydu. Hemen ardından, sessizlik. Hiçbir hareket yoktu. Tepeden tırnağa titreyerek, hareketsiz vücutlara yaklaştı.

Sert bir cismin darbesiyle yıkıldı. İçini bir acı dalgası kapladı. Dizinin üzerinde doğrulmaya çalıştıysa da yeni bir darbe yüzünde patladı. Gözlüğü uçtu. Ağzı kan doldu. Devrildi, biraz geç de olsa, salonun karanlık noktasında üçüncü bir kişinin olduğunu düşündü. Darbeler yağmur gibi yağıyordu. Sıkılı yumruklar, kabzalar. Öteki ikisi de ayağa kalkıp, infaza katılmıştı. Diane başını ellerinin arasına almış, "Halkam. Halkamı koparacaklar"dan başka bir şey düşünemiyordu. Cevap olarak, dudaklarından akan ılıklığı duydu. Dertop oldu, burnunu yokladı, etinin yarıldığını burun kemiğinin açığa çıktığını hissetti. Sadece bu his, gücünün son kırıntılarını yardıma çağırdı; daha da toparlandı, üzerine yağan darbelerin altında bile sarsılmadı.

Kısa bir durgunluk. Süründü, duvara tutunmak için elini uzattı. Hareketini tamamlayamadı. Kabaralı bir ayakkabı göğsünün ortasında patladı, soluğunu kesti. Soluksuzluk tüm benliğini vurdu. Bir duraksama, gerçek bir zaman ve mekân boşluğu yükseldi, sonra nöbetlerle kustuğunu hissederek yıkıldı Diane. Eldivenli bir el saçlarından kavradı, sırtüstü çevirip omuzlarını betona yapıştırdı. Adam bacağındaki kından bir hançer çıkardı. Tırtıklı bıçak, ay ışığında menevişlenerek yaklaştı. Diane'ın son düşüncesi Lucien oldu. Ondan özür diledi. Onu korumayı beceremediği için. Sırrını anlayamadığı için. Ona bütün sevgisini verecek kadar hayatta kalamadığı...

Bir patlama oldu.

Boğuk, derin, uzak.

Gece görüş gözlüklerinin ardında, katilin bakışları değişti.

Çizgileri uzar, donar gibi oldu.

Yeni bir patlama sessizliği deldi.

Katil, dudakları şaşkınlıktan büzülmüş, yığıldı.

Diane'ın kendisinin ateş ettiğini anlaması bir saniye sürdü. İçinden son duasını etmeye hazırlanırken, hâlâ yaşamaya susamış vücudu bambaşka bir yol seçmişti. Parmakları uzanmış, aramış, katilin kemerine takılmış otomatik tabancayı bulmuştu. Başparmağı silahı taşıyan kılıfın kapağını açmıştı. Öteki parmaklarıyla silahı çıkarıp doğrultmuş, tetiğe basmıştı.

Bir daha ateş etti.

Ceset hantalca sarsıldı. Adam onun üzerine yığılırken, Diane kurtulmaya, kolunu gererek tabancayı öteki ikisine çevirmeye çabalıyordu. Kaybolmuştu ikisi de. *Düzenlemeler* salonunu süpüren lazer ışınlarını görebildi ancak. Cesedi itti, saldırı tüfeğini kapıp, çapraz koşarak salonun öbür yanına vardı. Karanlık köşeye çöküp, tüfeği göğsüne bastırdı. İçinde bulunduğu şoka, elbiselerini ıslatan kana rağmen, vücudunun tek bir cümleyle gücünü topladığını hissetti; postunu alamayacaklardı. Şu ya da bu şekilde kurtulacaktı buradan.

Eşiğe bir göz attı ve aklına bir şey geldi.

Tablolar.

Tablolar hayatını kurtaracaktı.

Daha önce Afrika ormanlarında, yabanî hayvanların gece hayatını incelemek için gece görüş gözlükleri kullanmıştı. Bu gözlüklerin görüş alanının yeşile çaldığını, renkler arasında bir ayrım yapmanın çok güç olduğunu biliyordu. Lazer hedef izleyicilerini düşündü; katillerin ateş etmek için hedefe kilitlemeleri gereken, yeşilimsi loşlukta fazla etkili olamayacak kırmızı ışınları. Sadece kırmızı tabloların önünden geçerek hedef izleyicilerini şaşırtmayı başarırsa, salondan çıkmasını sağlayacak birkaç saniye kazanabilirdi belki.

Düşünmeden, atıldı. İki ışının üzerinde birleştiğini, sonra da önüne geçtiğini gördü. Düşündüğü gibi, iki saldırgan kapının iki yanındaydı. Gözüne hemen üzerinde kırmızı bir kare olan *Düzenleme 12*'yi kestirdi, oradan da *Kırmızı, Sarı ve Griyle Düzenleme*'ye koştu. Acımasız birer sinek gibi uçuşan kızıl noktaları gördü. Bir daha koştu. Yöntem işe yarıyordu. Katiller hiçbir şey görememişti. Bir sonraki tablonun kırmızısı boyunca ilerlerken, yan salonun eşiğini gördü. Kazanmıştı.

İşte o an, ayağı kaydı. Başını betona çarptı. Kafasında yıldızlar uçuştu. Ayak bileği sancıdı. Hemen döndü, katiller üzerindeydi artık. Sağ tarafının üzerinde gerildi, koltukaltına sıkıştırdığı saldırı tüfeğinin tetiğine asıldı. Tüfeğin tepmesiyle duvara uçtu, susturucunun mavimsi aydınlığında, ölüm sarsıntısıyla debelenen vücudu gördü.

İkinci katil durakladı. Diane bir daha ateş etti. Mucize bu kez gerçekleşmedi. Tüfek tutukluk yapmıştı. Silahı fırlattı, kemerine sıkıştırdığı otomatik tabancayı sağ eliyle çıkardı, bir metre ötedeki adama doğrulttu. Umulan patlamanın yerine yine aynı korkunç "tık". Diane dehşet içindeydi. Onun için her şey bitmişti artık. Katil tüfeğini kaldırıp nişan aldı. Dizliğini gördü, komando bıçağını hatırladı, kılıfın üzerine atıldı. Bıçağı sökercesine aldı, bir sıçrayışta adamın gırtlağına sapladı. Bıçağın sesini duymamak için haykırdı.

Bir hareketle adamı uzaklaştırdı, bıçağı yarık gırtlakta bıraktı. Sersemlemişti, üstü başı kan içindeydi, geriledi, sol ayağını yere basar basmaz keskin bir sızı duydu. Kahverengimsi bir birikintide gezinen dev bir balıkçıl gibi, olduğu yerde sıçradı, sağ tarafında mucize gibi bir kapı gördü. Topallayarak kapıya yöneldi, bir kez daha kapaklandı, dizinin üzerinde doğrulup eşikten geçti. Ağrılı düşüncelerinin karmaşasında, François Bruner'in özel dairesinde bulunduğunu anladı.

Otuz dördüncü kısım

En ufak bir gürültü, en küçük bir titreşim duymuyordu. Kuyruksokumunun üzerine çökmüş, sırtını tahtaya vermiş, kımıldamıyordu hiç. Böcek gözlü adamlar François Bruner'i öldürmüşler miydi? Yoksa kaçmayı becermiş miydi?

Diane doğrulmaya çalıştı. Bu basit hareket bile korkunç ağrı duymasına neden oldu. Vücudu soğuyordu. Yediği darbeler birkaç dakika sonra derinleşecek ve dayanılmaz sancılara dönüşecekti. O andan itibaren de, en ufak bir hareketi yapamayacaktı. Onun için hızlı davranması, kaçacak bir çıkış yolu bulması gerekiyordu.

Bir eli şiddetle kanayan burnunda, topallayarak karanlıklara daldı. Gözlüğü olmadığından, belirsiz bloklardan, bulanık şekillerden oluşan bir dünyanın içindeydi. El yordamlarına rehberlik edenler, sadece yüksekteki gece lambalarıydı. Koridorun sonunda, dikdörtgen biçiminde bir salon vardı, salonun ortasında da fazla derin görünmeyen bir havuz. Havuzu aşmak için, suyun üzerindeki köprüyü kullanması, sonra da birkaç basamak tırmanması gerekiyordu. Mimarînin ilginçliğine zaman ayırmayı düşünmeksizin, önündeki engele saldırdı. Demir şeritlerden yapılmış köprüden geçerken, suyun üzerinde, fitilleri yanık yağ kaplarının yüzdüğünü gördü. Ateşten nilüferler gibi.

Bu kez kare biçimindeki bir odaya girdi. Bir sonraki oda, duvarları beyaz, parkeleri kara bir dikdörtgendi. Büyük camlardan sızan ay ışığı, sıralanmış eskizleri aydınlatıyordu: kalemin kâğıda işkence ettiği izlenimi veren, çini mürekkebiyle çizilmiş, kutsal kurban törenleri.

Başka zaman olsa, Diane'ın içinde bulunduğu yerin sadeliğine ve güzelliğine hayran olması gerekirdi. Oysa şimdi ağlıyor, sıcak balmumu ağırlığıyla yere düşen kırmızı damlaların ardının kesileceğini umuyordu. Çıkış yolu bulmaktan umudu kesmek üzereyken, koridorun sonunda, bir ışık sızıntısına aralanmış bir kapı gördü. Harelenmeler ve şıpırtılar, kapının ardında ne olduğunu anlatıyordu: banyo. Bir ara çözümdü bu. Biraz canlanabilmek için, yüzünü yıkamak, kendine çekidüzen vermek iyi olurdu.

Banyo yeşimin ve bronzun etkisi altındaydı. Bu iki malzemeden yontulmuş bloklar ve levhalar tüm mekânı kaplıyordu. Renkli ve ağır camlar, deniz görüntülü paravanlar gibi duvarlar boyunca uzanıyordu. Cilalı yeşilimsi bir taşa koca bir banyo oyulmuştu. Siyah askılara takılmış havlular, karanlık yosun gölgeleri yayıyordu. Her yerde, pencereler, karolar boyunca, lavabo ayaklarında ve beyaz fayanslarda, aynaların sonsuzluğunda birbirine paralel iki bronz dal uzayıp gidiyordu.

Diane lavaboya yaklaşıp musluğu çevirdi. Serin su genç kadına iyi geldi. Kanaması yavaşladı, ağrıları hafifledi. İşte o zaman, lavabonun içindeki suda şeffaf dokular gördü: minicik zarlar gibi. Başını kaldırdı, solunda, içi boş küvette, aynı yarısaydam parçacıklar. İlk aklına gelen, plastik film oldu, ama parçalardan birini eline aldığında, bunun organik bir doku olduğunu anladı.

Deri.

İnsan derisi.

Döndü, içgüdüsel olarak bu saçmalığın kaynağını arandı. Göğsünden bir çığlık koptu. Banyonun ortasında, siyah mermerden bir masaj masası yükseliyordu. Masanın üzerinde de, zümrüt rengi bir duş perdesiyle örtülü bir vücut. Şeffaf kıvrımların arasından, çok sıska bir adamın vücudunu görür gibi oldu. François Bruner? Titrek eliyle perdeyi çekip yere kaydırdı. Vücut tüm çıplaklığıyla belirdi.

Adam uzanmış, kolları göğsünde kavuşturulmuştu. Ortaçağ'da yapılan, kiliselerde dinlenen şövalye heykellerini andırıyordu yatışıyla. Benzerlik bununla da kalmıyordu; tıpkı yontulmuş şövalyelerin gotik mimarîyle değişmez bir görkemi paylaştıkları gibi, kurumuş, yaşlanmış, derisinden kemikleri fırlayan bu vücut da banyonun simetrik dekorasyonuyla uyum içindeydi.

Ceset kelimenin tam anlamıyla tarazlanıyora benziyordu. Kol ve bacaklarından çok ince deriler sarkıyor, göğsünün üzerinde buruşuyor, hemen altındaki yeni, pespembe cildi gözler önüne seriyordu. Diane son soğukkanlılık kırıntılarını da yitirmemeye çabalayarak ilerledi. Yeni bir darbe yedi. Cesede bir metre kala, karnını tüm ayrıntılarıyla görebiliyordu; göğüs kemiğinin hemen altında, incecik çizgi halindeki yara izini de.

François Bruner, Rolf van Kaen'le aynı şekilde öldürülmüştü.

Bunun anlamı ne? Bu infaz kimin işi? Saldırı tüfekli üç alçağın mı? Diane buna inanamıyordu; bu onların yöntemi olamazdı. Hem üstelik, neden kurbanlarını mermer masanın üzerine yatırsınlar?

Geri adım atarken, baştan beri görmesi gerekeni, oyunun tüm kâğıtlarını yeniden dağıtanı gördü; yaşlı adamın alnını. Açık, saçı dökülmüş alnını. Çakmaktaşı gibi elmacıkkemiklerini. Gözkapaklarını.

Mermer masada yatan, radyoaktivite geçirmez parkalı adamdı.

Üç hafta önce, Diane'ı ve oğlunu öldürmek isteyen adam.

Otuz beşinci kısım

Hastane odasında yataktan başka bir eşya yoktu. Oda karanlığa gömülmüştü. Bir koluyla yüzünü kapatarak uzanmış Diane, kapının altındaki boşlukta, nöbet tutan polisin ayaklarından başka bir yerini göremiyordu. Saatine baktı. Sabahın altısı. Demek bütün gece uyumuştu. Gözlerini yumdu, kafasını toparlamaya çalıştı. Yeşim ve bronz kaplı banyoda, yılan derili adamı tanıdığı sırada, parkın içinden döner ışıklar çıkmıştı. Polis. Diane o anda, tuhaf bir rahatlık duymuştu; bu maceranın ilk mantıklı gelişmesiydi bu. Demek müzede bir alarm sistemi vardı. Tablolar koruma altındaydı; öyle olmaları da gerekirdi. Çatışma alarmı harekete geçirmiş, Saint-Germain-en-Laye Karakolu'nu uyarmıştı. İşte o zaman cesetleri, silahların üzerindeki parmak izlerini hatırladı. Genç bir kadının saldırı tüfekleri kuşanmış üç katille başa çıktığına kim inanır? Cinayetleri itiraf etmemek yoluna gidebilirdi. Ne de olsa, adamların kendi tabancalarını kullanmıştı.

Büyük bir güçlükle, *Düzenlemeler* salonuna dönmüş, silahları ve cesetleri ateşlediği kurşunların izlediği yola göre yerleştirmişti. Gözlüğünü de bulmuştu orada. Sapasağlam. Bu buluş, düşüncelerinin biraz daha aydınlanmasına yaramıştı. Adamların eldivenlerini çıkarmış, ellerini teker teker kabzalara bastırmıştı. Salona giren polisler, çevresi ceset ve Mondrian tablolarıyla dolu, diz çökmüş bir kadın bulmuşlardı.

Gerisi daha da kolay olmuştu. Polis otomobilinde, kendi bitkinliğine yenik düşmesi yetmişti. Sorgucular soru sordukları kadar cevap da bulmuşlar, üç katilin genç kadına saldırdıktan sonra birbirlerini öldürdükleri sonucuna varmışlardı. İlginçtir, Diane'ı saldırının hedefi olarak düşünmemişlerdi hiç. Diane fazla ısrar etmemişti, yine de polislerin katillerin kimliğini bildiğini hissetmişti.

Vésinet-Le Pecq Kliniği'ndeki nöbetçi doktor, içini rahatlatmıştı. Diane'ın sadece yara ve çürükleri vardı. Sol bilekteki sızı da, basit bir burkulmaydı. Önemli olan yaraları, kendi takılarıyla ilgiliydi; altın halkası burnunu kıkırdağa kadar yırtmıştı. Göbek deliğine kaynamış olana, perçine gelince, onu çıkarmak için lokal anestezi ve yarım saatlik cerrahî müdahale gerekmişti.

Diane'a sakinleştirici ilaçlar verip, bu odaya getirmişlerdi. Hemen uykuya dalmıştı ama şimdi, ağrı kesicilerin de etkisiyle, hiçbir sızı duymaksızın, boşlukta süzülüyormuş gibi geliyordu ona. İçinde sadece inanılmaz aydınlıkta, güçlü bir zihin açıklığı vardı. Bildiklerinin listesini çıkarmasına yardımcı olan bir zihin açıklığı.

Bruner Vakfı'nın kurucusu, ünlü seyyah, Tseven ve parapsikoloji uzmanı François Bruner, 22 eylül 1999 günü suç ortaklarıyla birlikte Paris çevre yolu üzerinde bir cinayet planlamış, Lucien'ı öldürmeye çalışmıştı.

Die Charité Çocuk Hastanesi'nin baş anestezi uzmanı Rolf van Kaen, 5 ekim 1999'da çocuğa gizli bir müdahalede bulunmuş, akupunktur yöntemlerinden yararlanarak onu kurtarmaya çalışmıştı.

Her iki adam da Lucien hakkında Diane'ın bilmediği bir gerçeği biliyordu; belki de birinin onu ortadan kaldırmasını, ötekinin de tam tersine, Lucien'ı kurtarmasını dayatan, çocuğun gerçek gücüyle ilgili bir şeydi bu.

Neydi bu güç? Diane cevapsız soruyu bir kenara bıraktı, en son öğrendiğinin, belki de en korkunç olanının üzerinde durdu.

Bu işte bir katil daha vardı.

5 ekim 1999 gecesi, Necker Hastanesi'nin mutfağında Rolf van Kaen'in kalbini parçalayan adam. Aynı uygulamayı 12 ekim 1999 günü, muhtemelen Diane'ın müzeye gelişin-

den birkaç saat önce François Bruner'e yapan adam.

Kapının kilidi yuvasında tıkırdadı. Odaya gün ışığıyla halelenmiş iki polis memuru girdi. Peşlerinden de yüksek bir gölge. Diane gözlüğüne sarıldı. Siyah kazağı, demir yongası saçları tanıdı. Patrick Langlois her zamankinden daha somurtkan görünüyordu.

Diane'ın şiş yüzünü görünce, hayranlıkla ıslık çaldı, sonra tehdit etti:

– Bu saçmalıklara bir son vermenin zamanı gelmedi mi hâlâ?

Otuz altıncı kısım

Otomobile binince, Diane'ın ilk işi güneşliği indirmek, aynada yüzünü incelemek oldu. Mavimsi bir çürük sol şakağından başlıyor, çenesine kadar iniyordu. Aynı taraftaki yanak şişmeye başlamış, yine de yüzünün kemikli görüntüsünü değiştirememişti. Sol gözünün kanlanmış akı, genç kadına tuhaf bir Van kedisi görünümü veriyordu. Burnundaki yaraya gelince, iplikler ve kabuklar kan dindirici bir sargıyla örtülüydü. Daha kötüsü de olabilirdi.

Langlois tek kelime etmeksizin motoru çalıştırdı ve sabah trafiğine daldı. Daha önce, kliniğin bekleme salonunda Diane'i tedbirsizliği ve tek başına hareket etme tutkusu yüzünden fırçalamayı ihmal etmemişti. Diane komiserin aynı konuya dönmeyeceğini umuyordu; başındaki dayanılmaz ağrı yeni bir azarı kaldıramayacaktı. Ne var ki ilk kırmızı ışıkta Langlois koyu kahverengi dosyasından bir tomar kâğıt çıkarıp genç kadının kucağına bıraktı:

– Şunları bir okuyun.

Diane bakışlarını indirmedi bile. Birkaç dakika sonra, komiser gözlerini yoldan ayırmadan sordu:

– Şimdi de ne var?

Diane hâlâ yola bakıyordu.

– Arabadayken, okuyamam. Midemi bulandırıyor.

Langlois homurdandı. Diane'ın kaprislerinden bıkmışa benziyordu.

– Tamam, diyerek içini çekti, ben anlatırım. Bu dosya, şu sizin robot portreyle ilgili.

– François Bruner?

– Asıl adı Philippe Thomas. Bruner sahte bir ad. Casuslarda sıkça rastlanır.

– Casuslarda mı?

Langlois gözlerini yoldan ayırmadan boğazını temizledi.

– Bu portreyi trombinoskopa verdiğimizde, hemen DST'den, ülke gözetim yönetiminden bir cevap aldık. François Bruner-Philippe Thomas 1968'de fişlenmiş. O dönemde Nanterre Psikoloji Fakültesi'nde profesörmüş. Daha otuzlarında olmasına rağmen, bir dâhi. Carl Gustav Jung uzmanı. Aslında adını hatırlamam gerekirdi. (Özür diler gibi bir tebessüm.) Benim de bir Jung dönemim oldu. Neyse, başlangıçta zengin aile çocuğu olan Thomas, 1968'de barikatlardaki en önemli komünist kışkırtıcılarından biri oluyor.

Diane işaret parmağını uzatmış duran, yeşil parkalı adamı hatırladı. Çevre yolunun çalılıkları arasında, yağmurun dövdüğü yüzü. Langlois devam ediyordu:

– Adam 1969'da kayboluyor. Aslında devrimin başarısızlığa uğramasıyla umudu kırılınca, Doğu'ya geçmeye karar veriyor.

– Ne?

– Sizin entel demirperdeyi geçiyor. Halkın davasının zafere ulaştığı ülkeye, SSCB'ye yerleşiyor. De Gaulle Fransası'nın en büyük ticaret avukatlarından biri olan babasının, bu haberi alınca ne dediğini bilmek isterdim doğrusu.

– Sonra?

– Orada neler yaptığı pek bilinmiyor. Yine de bizi ilgilendiren bölgelerde, özellikle de Moğolistan Halk Cumhuriyeti'nde dolaştığı kesin.

Otomobil sol şeritten, 13 numaralı devlet yolunda ilerliyordu. Güneş havaya kırmızı bir sis salan kızılımsı ağaçların tepesini yıkıyordu. Diane dalgın dalgın parkların parmaklıklarına, geniş konaklara, yeşilliklere boğulmuş açık renkli binalara bakıyordu. Önceki günkü macerasının kesinliğini ve gerçeğini bulamıyordu artık. Polis komiseri devam ediyordu:

– 1974 yılında, büyük dönüş. Thomas Moskova'da, Fransız Büyükelçiliği'nin kapısını çalıyor. Sovyet sistemi onu yok etmiş. Fransız hükûmetinin onu yeniden kabul etmesi için yalvarıyor. O dönemde her şey mümkün. Kısacası, beş yıl önce Doğu'ya geçen bu dönek, kendi ülkesinden... siyasî sığınma hakkı istiyor!

Langlois bir eliyle direksiyonu tutarken, diğeriyle de önemli bir kanıtmış gibi dosyayı kaldırdı.

– Yemin ederim ki bütün bunlar doğru.

– Son... sonra?

– Her şey daha da karışıyor. Bilin bakalım, 1977'de Thomas'yı nerede görüyoruz? Fransız ordusunda, sivil danışman olarak.

– Hangi alanda?

Langlois gülümsedi.

– Psikolog olarak, orduların havacılık tıbbında uzmanlaşmış bir kurumunda çalışıyor. Aslında bu kurum, Fransa'dan siyasî sığınma hakkı isteyen komünist ayrılıkçıların karşılanıp sorgulandığı bir bölüm.

Diane durumdaki değişikliği kavramaya başlıyordu.

– Komünist sığınmacıları sorgulayanın Thomas olduğunu mu söylemek istiyorsunuz?

– Kesinlikle. Rusça konuşuyor. SSCB'yi iyi biliyor. Onların samimiyetini ve güvenilirliğini Thomas'dan iyi kim belirleyebilir? Aslına bakarsanız, Thomas'nın pek seçme hakkı olmadığını düşünüyorum. Böylece, Fransız hükûmetine borcunu ödemiş oluyor çünkü.

Langlois birkaç saniye duraklayıp soluklandı, sonra öyküsünü tamamladı:

– Seksenli yıllarda, Batı ile Doğu arasındaki gerginlik azalıyor. Artık glasnostun ve perestroykanın dönemi gelmiştir. Askerî yetkililer Thomas'nın dizginlerini bırakıyor, özgürlüğüne kavuşuyor. Daha ellisinde bile değil. Ailesinden inanılmaz bir miras kalıyor. Eğitim hayatına dönmüyor artık. Onun yerine ustaların elinden çıkmış tablolar toplamayı tercih ediyor. Bir de kendi vakfını kurup, örneğin şu sıralar Mondrian gibi geçici sergiler düzenlemeyi. Thomas artık döneklik geçmişini gizlemeye çalışmıyor. Tam tersine, Sibirya'da gezdiği bölgeler ve karşılaştığı halklar üzerine konferanslar veren ender Avrupalılardan biri oluyor. Bu halkların içinde, oğlunuzun da geldiği T... venler de var.

Diane düşündü. Bütün bu bilgiler, kafasının içinde dönüp duruyordu. İsimler. Olaylar. Roller. Her parça bir araya geliyor, gerçek bir mantık oluşturuyordu. Sonunda sordu:

– Ya siz, siz bütün bunlardan ne çıkarıyorsunuz?

Langlois omuzlarını silkti.

– Ben başlangıçtaki teorimi savunuyorum. Soğuk Savaş'tan kalma bir hikâye. Bir hesaplaşma. Ya da bilimsel casusluk. Hele o nükleer laboratuvar konusuna daha fazla eğildikçe, inancım giderek pekişiyor...

– Tokamak mı?

– Evet. Eğer yanlış anlamadıysam, nükleer füzyon henüz tümüyle geliştirilmiş bir teknoloji değil ama, çok parlak bir fikir. Bu yöntem nükleer enerjinin geleceğini oluşturuyor.

– Neden?

– Çünkü şimdiki santrallar uranyum kullanıyor, uranyum da kısıtlı bir hammadde. Oysa füzyon deniz suyundan elde edilmiş maddeler kullanıyor. Diğer bir deyişle, sınırsız bir hammadde.

– Ee?

– E'si, inanılmaz rakamlardan, dünya çıkarlarından söz ediyoruz. Bana kalırsa, bu işte her şey tokamakın sırrının çevresinde dönüyor. Van Kaen orada çalıştı. Thomas'nın Moğolistan'da gezdiği sıralarda, oradan geçtiği kesin. Bir de TK 17'nin patronunun, Eugen Talikh'in de 1978'de Batı'ya sığındığını öğrendim. Thomas'nın yardımıyla, Fransa'ya yerleşmiş!

– Bu kadarı benim için fazla karışık.

– Bu kadarı herkes için fazla karışık. Ama kesin olan bir şey var; hepsi burada.

– Kim, hepsi?

– Nükleer laboratuvarın eski çalışanları. Fransa'da ya da Avrupa'da. Eugen Talikh hakkında bir araştırma başlattım, Seksenli yıllarda, Fransa'da kurulan ilk denetimli füzyon merkezlerinde çalışmış. Şimdi artık emekli. Onu bir an evvel bulmak gerek. Yoksa bir yerlerde, kalbi parçalanmış cesediyle karşılaşırsam, şaşmayacağım.

– Ama... insanları öldürmek neden? Hem üstelik, neden bu yöntemle?

– Hiç fikrim yok. Ama bildiğim bir şey var; geçmiş su yüzüne çıkıyor. Sadece cinayetlere neden olan bir geçmiş değil, eski bilim adamlarını oraya dönmeye zorlayan bir geçmiş.

Diane şaşkınlığını gizlemedi. Langlois başka bir fotokopi sayfası kaldırdı.

– Bu notları Thomas'nın evinde bulduk; Moskova'ya ve Moğclistan Halk Cumhuriyeti'ne giden uçakların kalkış tarifeleri. O da Moğolistan'a gitmeye hazırlanıyordu. Tıpkı Van Kaen gibi.

Diane ağrı kesicilerin etkisini iyice gösterdiğini hissetti. Endişelerini hatırlayarak, sordu:

– Ya oğlum? Onun bunlarla ne ilgisi var?

– Cevap aynı; hiç fikrim yok. Belki bir şeyler bulurum diye, Lucien'ı evlat edindiğiniz vakfı soruşturdum.

Diane irkildi:

– Ne buldunuz?

– Hiç. Kar kadar beyaz. Bana kalırsa, her şey onlardan habersiz yapılmış. Çocuğu, yetimhanelerine almaları için, yakınlarda bir yere bıraktıklarını düşünüyorum.

Langlois birden direksiyonu sola kırdı ve bir ekspres yola girdi. Vites değiştirdi, tüm hızıyla geniş bir tünele daldı. Diane artık varsayımlarından pek o kadar emin değildi. Belki de tüm düşünceleri temelsizdi. Belki de bütün bunların Lucien'da olduğu iddia edilen güçlerle bir ilgisi yoktu da, her şey nükleer araştırmalara dayanıyordu. Ne var ki Langlois, sanki parapsikoloji konusuna girmek istermiş gibi söze başladı:

– Philippe Thomas'da aklımı karıştıran son bir şey daha... Onun parapsikolojik yeteneklere sahip olduğu söyleniyor.

Diane soluğunu tuttu.

– Ne demek bu? diye sordu.

– Birçok kişi uzaktaki eşyaların yerini değiştirdiğini, demirleri büktüğünü görmüş. Uri Geller'vari saçmalıklar. Uzmanlar buna telekinezi adını veriyor. Bana kalırsa, Thomas becerikli, eli çabuk biriymiş...

– Bir dakika. Düşünceyle maddeyi etkileyebildiğini mi söylüyorsunuz?

Langlois gülen gözlerini Diane'a çevirdi.

– Bunu söylerken, sizi güldüreceğimi sanmıştım. Bilimle uğraşan biri olarak, siz...

– Soruma cevap verin, maddeyi etkileyebiliyor muydu?

– Evet, dosyada anlatılan bu. Çok katı kurallar altında, bir sürü deneme yapılmış, örneğin ağzı mühürlü kavanozlara bir şey konmuş, ve...

Diane darbenin geçmesini bekledi. Bu an, kendi araştırmasında kesin bir dönemeç oluşturuyordu; ya konunun olağandışı boyutunu reddedip araştırmayı bırakacaktı ya da bu karanlık gerçeğe dalıp dev bir adım atacaktı.

Aslında, Philippe Thomas'nın yeteneklerini kabul etmekle, geçirdiği kazayı örten son gizemi de açıklamış olacaktı. Yeşil parkalı adam parapsikolojik gücünden yararlanarak, Lucien'ın emniyet kemerini uzaktan açmıştı.

Kemerin metal tokasını.

Diane yıkılmıştı. Böylesi bir mucizeye inanması mümkün değildi; oysa aynı zamanda bu gerçeği kabullenmek, olaylara yeni bir tutarlılık kazandıracaktı. Örneğin, böyle bir mucizeyi gerçekleştirebilen biri, gözcü çocuğun güçlerine nasıl inanmaz? Aynı şekilde, cinayet girişiminin ardında, Lucien'ın parapsikolojik bir yeteneğinin yattığı nasıl düşünülmez?

– Diane, beni dinlemiyor musunuz?

Düşüncelerinden sıyrıldı:

– Evet, evet, dinliyorum.

– Saint-Germain polisi müzede birbirlerini öldüren üç herifin kimliğini belirledi.

– Şimdiden mi?

– Onları tanıyorlarmış. Ağustos sonuna doğru Thomas, Rusya Federasyonu'ndan, muhafızlık işinde çalışmaya başlamış üç eski seçkin asker –spetsnaz– getirtmiş. Resmî olarak, bu üçünü Mondrian sergisi sırasında müzesinin korunmasında görevlendireceğini belirtmiş. Ama yapılan araştırmalar, heriflerin daha önce Rus mafyası hesabına çalıştıklarını gösteriyor. Araştırma Thomas'nın onları nasıl bulduğunu açıklamıyor ama, bana kalırsa, onlarla Moskova yıllarında tanışmış olmalı.

Diane bir gece öncesinin şiddet sahnelerini yeniden yaşadı: yüzünde patlayan kabaralı çizmeler, kurşunlarının altında sarsılan gölgeler. Bütün bunlardan nasıl canlı kurtulmuştu? Langlois devam ediyordu:

– Anlaşılan, Thomas onları çevre yolundaki "kaza" için seçmiş. Ama korktuğu başka bir şey daha olmalı. Ya da biri. Dün öğleden sonra müzeye sızmayı başaran katil gibi, mesela...

Diane'e doğru döndü ve cümlenin sonunu vurguladı:

– "Bizim" katilimiz, Diane. Rolf van Kaen'i öldüren. O andan itibaren, dün akşamki olayları yeniden canlandırmak güç değil; üç Rus akşama doğru cesedi bulup, banyoya taşıdı. Sonra, muhtemelen bir para konusunda, tartıştılar. Bana kalırsa tablolardan bir ya da ikisini beraberlerinde götürmek eğilimindeydiler. Siz bütün bunların üzerine çıkagelince, ateşin üzerine benzin dökülmüş gibi oldu. Kendi silahlarıyla birbirlerini öldürdüler. Polislere de böyle demiştiniz, değil mi?

– Kesinlikle.

– Bana kalırsa, neredeyse inanılır bir hikâye.

– Neden neredeyse?

– Geriye sahneyi yeniden oluşturmak, cesetlerin yerini, mermilerin yönünü belirlemek kalıyor. Sizin adınıza, her şeyin dediğiniz gibi çıkmasını diliyorum.

Langlois'nın sesi inanmamışlık yüklüydü ama, Diane bunun farkına varmamış gibi davrandı. Düşünceleri giderek karışıyordu. Karanlık sulardan yeni bir görüntü yükseldi: Philippe Thomas'nın ince ölü derilerle buruşmuş, pembe ve iğrenç cesedi. Sordu:

– Thomas'nın hastalığı hakkında ne biliyorsunuz?

Langlois şaşırdı:

– Yoksa cesedi gördünüz mü?

Diane baltayı taşa vurmuştu. Artık geri çekilemezdi.

– Katliamdan sonra, evet, dedi. Dairesine girip...

– Sonra da müzeye mi döndünüz?

– Evet.

– Bunu Saint-Germain polisine anlattınız mı?

– Hayır.

– Saçma bir oyun oynuyorsunuz, Diane.

– Thomas hastaydı, öyle değil mi?

Komiser içini çekti:

– Buna tıpta kavlamalı eritrodermi diyorlar. Gerçek deri soyulmalarına neden olan, çok ileri bir egzama. Anladığım kadarıyla, Thomas düzenli olarak deri değiştiriyormuş.

Diane birden adamın o parkayı deri değiştiren vücudunu korumak için giymiş olabileceğini düşündü. Ne var ki, beyni uyuşmaya başlamıştı. Uykuya dalmak üzere olduğunu hissetti. Maillot Kapısı'na vardıklarını gördü. Trafik gözle görülür derecede yoğunlaştığında, Langlois daha fazla tereddüt etmedi, arabasının üzerine ışıklı bir siren yerleştirdi. Sirenini bağırtarak tüm Grande-Armée Caddesi'ni geçti. Diane koltuğunda büzüldü, kendini uyuşukluğun ellerine bıraktı.

Yeniden uyandığında, araba Panthéon Meydanı'ndan geçiyordu. Neden olduğunu bilmeden, komiser başkentin sokaklarından geçerken uyuyor olmak, hoşuna gitmişti. Patrick Langlois, Valette Sokağı'nın girişinde durdu, paltosunun cebinden katlanmış bir gazete çıkardı.

– En güzelini en sona sakladım, Diane, dün akşamki *Le Monde*.

Sağ sayfada gösterdiği makaleyi hemen gördü Diane. Gazete 5 ekim gecesi gerçekleşen Rolf van Kaen cinayetini anlatıyordu. Gazeteci bununla da yetinmiyor, iş dünyasının "önemli kişilerinden" Charles Helikian'ın üvey kızı Diane Thiberge'in nüfusuna geçirdiği Lucien'ın mucize gibi iyileşmesinden de söz ediyordu. Langlois anlattı:

– Üvey babanız çılgına dönmüş. Emniyet müdürünü aramış.

Diane bakışlarını kaldırdı.

– Haberi kim sızdırmış?

– Bilmiyorum. Muhtemelen, hastane. Ya da bizden biri. Aslına bakarsanız, aldırmıyorum. Bunun bize yararı olup olmayacağını bile kestiremiyorum. Ne olursa olsun, bu haber tepki yaratacak.

Langlois dosyasını düzenledi. Diane komiserin bir de Stabilolarla ve renkli kalemlerle dolu deri bir kesesi olduğunu gördü. Kısık bir sesle sordu:

– Fazla "teknolojik" değilsiniz, yalan mı?

Langlois bir kaşını kaldırdı:

– Buna hiç inanmayın. Ben sadece her alanın bir yöntemi olduğunu düşünüyorum. Soruşturmalarım için eski yöntemleri tercih ederim. Kâğıt, dolmakalem, Stabilo. Bilgisayarı öteki işlere ayırdım.

– Öteki işler?

– Günlük hayat, eğlence, duygular.

– Duygular mı?

– Size bir sır açıklamak isteyeceğim gün Diane, e-posta gönderirim.

Diane arabadan indi. Patrick Langlois da peşinden. Tepelerinde, Panthéon'un kocaman kubbesi, dev bir deniz kabuğunu andırıyordu. Komiser yaklaştı.

– Diane, eğer size Heckler & Koch, MP 5 dersem, bir şey anlar mısınız?

– Hayır.

– Ya 45'lik Glock?

– Bu saydıklarınız silah, öyle değil mi?

– Rusların birbirlerini öldürürken kullandığı silahlar. İnceleme gezileriniz sırasında ormanda, hiç otomatik silah kullandınız mı?

– Ben yabanî hayvanları inceliyorum. Nişan talimi yapmıyorum.

Gümüş gibi perçemlerin altındaki yüz bir tebessümle aydınlandı.

– Tamam. Harika. Sadece emin olmak istemiştim.

– Neden emin olmak?

– Bu katliamda parmağınız olmadığından. Gidip uyuyun. Sizi akşam ararım.

Otuz yedinci kısım

Eve girdiğinde gözüne çarpan ilk ayrıntı, odasındaki tele-sekreterde yanıp sönen kırmızı uyarı lambasıydı. Mesajları dinleyecek gücü olup olmadığını bilmiyordu. Mesajları son dinlediğinde, kendini Bruner Vakfı'ndaki ölümlerle sona eren bir olaylar zincirinin pençesinde bulmuştu.

Salonu geçti, odasına girip yatağın üzerine oturdu, bir gün önceki gibi, yürekmişçesine atıp duran kırmızı ışığa dik-ti gözlerini. Daha şimdiden, annesinin birer silah sesi kadar kısa mesajlarını duyabiliyordu. Ya da bir rastlantı sonucu *Le Monde*'daki makaleyi okuyan meslektaşlarınınkileri. Bu son düşünce, günlerden beri işine gitmediğini hatırlattı. Tam olarak kaç günden beri?

Telefon çaldı. Diane yatağının üzerinde sıçradı. Düşün-meden, ahizeyi kaldırdı.

– Matmazel Thiberge? diye sorulduğunu duydu.

Tanımadığı bir ses.

– Kimsiniz?

– Adım İrène Pandove. Rolf van Kaen'in ölümünden son-ra, dün akşam *Le Monde*'da yayımlanan makale nedeniyle arıyorum sizi.

– Nu... numaramı nasıl buldunuz?

– Rehberden.

Diane aptalca düşündü: "Doğru, numaram rehberde var." Kadın ciddi ve sakin bir sesle devam etti:

– Yeterince dikkatli davranmamakla hata ediyorsunuz.
Diane ensesinde binlerce iğnenin varlığını hissetti:
– Ne istiyorsunuz? dedi düşmanca bir sesle.
– Sizinle görüşmek. Elimde ilginizi çekeceğini sandığım bazı bilgiler var.
– Rolf van Kaen'i tanıyor muydunuz?
– Dolaylı olarak, evet. Ama konuşmak istediğim, o değil.
Diane sessiz kaldı. Düşündü: "Belki de sinirlerimin sağlamlığını denemek isteyen bir delidir. Ya da para sızdırmaya çalışan biri." Sordu:
– Ya kim?
– Bundan beş hafta önce nüfusuma geçirdiğim küçük oğlan hakkında konuşmak istiyordum.
Soğuk, cildinin altında yoğunlaştı. Damarlarını, donuk özsu dolu damarlarını düşündü.
– Onu... nereden aldınız?
– Vietnam'dan. Huaï Yetimhanesi'nden.
– Borla-Mundi Vakfı aracılığıyla mı?
– Hayır. Kimsesiz Dünya Çocukları. Ama önemli olan, bu değil.
– Önemli olan ne?
İrène Pandove soruyu duymazdan geldi, aynı ciddiyetle sözünü sürdürdü:
– Gelip görmeniz gerek. Ben buradan ayrılamıyorum. Oğlum birkaç günden beri çok hasta.
Diane'ın damarlarındaki özsu sıfıra indi.
– Nesi var? Kaza mı geçirdi?
– Ateş. Çok yüksek ateş.
Diane Lucien'ı düşündü. Çıkan ateşini, bunun hiçbir önemi olmadığını söyleyen Daguerre'i. Birden, bundan iki gece önce, tam uykuya dalmak üzereyken içini kaplayan sezgiyi hatırladı; birileri, bir yerde, kâbusunu paylaşıyor olmalıydı... İrène Pandove devam etti:
– Gelip beni görün. Mümkün olabildiği kadar çabuk.
– Neredesiniz? Adresiniz ne?
Kadın Paris'ten yaklaşık bin kilometre ötede, Nice dolaylarında bir yerlerde, Daluis'de oturuyordu. Diane çoktan düşünmeye başlamıştı bile. Sabahın ilk uçağı. Kiralık araba. Bir sorun olmaz. Kadına cevap verdi:

– Yarın öğlene doğru orada olurum.

– Sizi bekleyeceğim.

Ses endişe verici bir yumuşaklık doluydu. Diane birden bir şey düşünüp, sordu:

– Küçük oğlunuzun adı ne?

Her zamankinden daha belirgin o yumuşaklık, o tebessüm:

– Bu soruyu siz mi soruyorsunuz? Demek olanlardan hiçbir şey anlamadınız.

Diane her türlü umuttan vazgeçerek, dudaklarının arasından, bir mum söndürür gibi mırıldandı:

– Lucien...

Otuz sekizinci kısım

Diane'ın uçağı sekiz buçukta Nice'e indi. Yarım saat kadar sonra, Akdeniz'i görme fırsatı bile bulamadan, ülkenin içlerine doğru ilerliyordu. 202 numaralı devlet yolu boyunca evler, ticaret merkezleri, sanayi bölgeleri vadicik ve tepeciklerin arasını dolduruyordu. Manzara Saint-Martin-du-Var yakınlarında değişti; evler seyreldi, çevreye koyu yeşil ve kayalıklar egemen oldu, sonunda da dağlar göründü.

Artık tam bir yükseklik görünümü vardı; dik yamaçlara sıkışmış ve tepeleri göğe perçinlenmiş çamlar, karanlık ve derin kurumuş dere yarıkları... Gökyüzü bulutluydu. Burada insan ne yumuşaklık ne deniz havası hatta ne de Akdeniz bitkisi görebiliyordu. Çevreye hâkim olan taş ve soğuktu. Diane hâlâ Var'ın kurumuş yatağının üzerinde, devlet yolundaydı.

Bir saatin sonunda, döne döne giden bir sürü yoldan geçtikten sonra, beklediği manzaraya kavuştu; vadinin çukurunda, fırtına görüntüsü yansıtan ayna gibi bir göl. Yüzeyi gri ile mavi arasında gidip geliyordu. Üzerinde, çelik bıçak yüzleri gibi, dalgacıklar. Çevresi zümrütten bir örgü. Hançer gibi dikilmiş çamlar, bulutları yaralar gibiydi. Diane ürperdi. Göğün siyahlığını delen titrek güneşin bilediği her tepenin, her parıltının, her ayrıntının acımasızlığını hissedebiliyordu.

Dönemeçten çıkarken, ağaçların arasında bir açıklık gördü. Ağaç kütüğünden yapılmış kulübeler, kıyıdan birkaç metre içeride bir köy oluşturmuştu. İrène Pandove, "Gölün kenarında, U biçiminde bir çiftlik" demişti. Diane vadiye doğru kıvrılan yola saptı.

Yolun kenarında "havadar Ceklo Merkezi" yazılı bir tabela, biraz aşağıdaki çakıl taşı kaplı patikayı işaret ediyordu. Diane her dönemeçte biraz daha belirginleşen ahşap evleri görüyordu. Her biri birer çitle çevrilmiş, geniş kahverengi yapılar topluluğu. Sol tarafta, muhtemelen yazın gelen atlar için, genişçe bir otlak. Sağdaysa, oyun alanlarını belirtir rengârenk kapılar.

Arabasını çamların altında durdurdu. Havanın serinliğini, reçine ve ot kokusunu ciğerlerine doldurdu. Hüküm süren sessizlikti. Ne bir kuş cıvıltısı ne bir böcek gürültüsü. Fırtına öncesi sessizliği mi? Kaygılarını bir kenara itmeye çalışarak, ana binaya doğru yürüdü.

Kütüklerden yapılmış kapıyı itti, sağda küçük askılıkların bulunduğu, köknar tabanlı bir iç avluya girdi. Soldaki geniş pencerelerden, çiftliğin iki kanadınca çevrelenmiş, ormanla kaplı bir tepeciğe kadar uzanan başka bir avlu görünüyordu. Onun ötesinde de, gölün dümdüz suları. Sessizlik ve boşluk burada, bu çocuk kalabalıkları için tasarlanmış bu mekânda daha ağır, daha ciddiydi.

Diane birçok odaya açılan bir koridor buldu, dikkatli adımlarla yürümeye başladı. Naif desenli örtüler, tahta duvarlara tablolar gibi asılmıştı. Aralık kapılardan tamtam biçiminde tabureler, pembeye ya da eflatuna boyanmış kâğıtlar, lambalar görünüyordu. O altmışlı yıllardaki gibi. Annesi buradan çok hoşlanırdı kuşkusuz.

Biraz daha ilerledi. İçinde pinpon masalarının, *babyfoot*'ların bulunduğu oyun odalarına baktı. İçi minderlerle döşenmiş bir televizyon odası gördü. Koridorun sonunda, küçücük bir kafese çarpıp tökezledi, kafesin içindeki talaşlar çevreye yayıldı; kafesin sahibi -hintdomuzu ya da hamster- de tüymüştü anlaşılan.

Sonunda geniş bir büroya, çiftliğin yönetim merkezine vardı. Kaygıları gerçekleşiyordu. Yine geç kalmıştı. Koca oda altüst olmuştu. Meşe masa devrilmiş, iskemleler sağa sola dağılmış, dolapların içindekiler dökülmüş, klasörler, dosyalar yerlere saçılmıştı.

TAŞ MECLISİ

Diane, İrène Pandove'u düşündü, düşüncelerinin daha ileri gitmesinden ürktü. O sırada duvarlarda, kasırgadan nasıl olmuşsa kurtulmuş çerçeveleri fark etti. Fotoğraflarda hep aynı çift vardı; elli yaşlarında gösteren sarışın bir kadın ile çok kısa boylu, yüzü kırış kırış, muzip gülüşlü, Asyalı tipli bir adam. Bazı fotoğraflarda, kadın ile erkek birbirlerine sarılmış, öpüşüyorlardı. Bazılarında da el ele tutuşmuşlardı. Tuhaf bir yaşama sevinci yayılan bu fotoğraflarda komik bir yan da vardı; kadın, her fotoğrafta etek kısmı kalkmış aynı astragan parkayı giyen adamdan en az on beş santim daha uzundu. Diane nedenini bilmeden çerçevelerden birini duvardan indirdi, masanın köşesine vurarak camını kırdı, fotoğrafı cebine tıktı.

Bakışlarını kaldırdığında, çerçevelenmiş bir makale gördü. Bilimsel alanda çok saygın bir yeri olan *Science* dergisinde yayımlanan yazının altındaki imza Dr. Eugen Talikh'e aitti. Diane irkildi. Bu, Langlois'nın sözünü ettiği kişiydi. 1978 yılında Batı'ya sığınan TK 17'nin patronu. Çerçeveyi yerinden alıp, gözlerini İngilizce metin üzerinde gezdirdi. Hiçbir şey anlayamadı -makale nükleer fizikten ve izotoplardan bahsediyordu- ama yazarın fotoğrafını gördüğünde pek şaşırmadı; bu diğer fotoğraflarda gördüğü çekik gözlü adamdı. Diane Fransa'ya sığınan fizikçinin evindeydi.

Bu buluş, beyninde şimşekler çakmasına neden oldu. Her şeyden önce, Eugen Talikh'in sanılabileceği gibi beyaz tenli bir Rus değil, muhtemelen Sibirya kökenli bir Asyalı olduğunu anladı. Etkilerini tartamamakla birlikte öğrendiği bir başka şey de, bu adam ve karısının tokamak topraklarından gelme bir çocuğu evlat edindikleriydi. Neden? Bu çocuktan ne bekliyordu? Diane bu çerçeveyi de parçaladı, makaleyi cebine yerleştirdi.

Biraz daha araştırınca, Moskova üzerinden Ulan-Bator tarifesinin fotokopisini buldu, ama kesin bir rezervasyona rastlamadı. Rolf van Kaen gibi, Philippe Thomas gibi Eugen Talikh de Moğolistan Halk Cumhuriyeti'ne dönmeye hazırlanıyor, ama gidiş tarihini belirlemişe benzemiyordu.

O anda bir inilti duydu.

Diane döndü. Devrik masanın arkasında bir hareket vardı. Yavaşça yaklaştı, sonra uzanıp baktı. Orada, bir kâğıt yığının altında, geniş bir kan birikintisinin ortasında, bir kadın yatıyordu. Diane ömründe bu kadar çok kan görmemişti; Bruner Vakfı'nda bile. Kadının vücudu duvara doğru dönmüş, tamamen hareketsizdi. Diane eski bir Yahudi geleneğini hatırladı; ölümü görmemesi için, ölecek olan kişinin yüzü duvara çevrilirdi.

Masanın çevresinden dolandı, kadıncağızın omzundan tutarak usulca çevirdi. Kadını hemen tanıdı; resimlerdeki kadındı. Karnı ikiye yarılmıştı. Yara göbek deliğinden başlıyor, göğüslerine kadar uzanıyordu. Elbiseler ve etler iğrenç bir yığın gibi iç içe geçmişti. Diane tüm gücüyle acıma duygularını harekete geçirmeye çalıştı, ama hiçbir şey kendi korkusunu bastıramadı. Van Kaen'in ve Thomas'nın katilini düşündü. Bu yara pek onun elinden çıkmışa benzemiyordu. Yoksa bu kez başaramamış mıydı? Ya da İrène debelenmiş miydi?

Gördüğü Diane'ı çok daha derin bir dehşete düşürdü.

İrène Pandove'un sağ elinde, kandan kararmış, testere dişli bir bıçak vardı.

Kadın birden dirseğinin üzerine doğrulup mırıldandı:

– Geldi... Ko... konuşmamam gerekiyordu.

Diane dehşet içinde, saldırganın gözleri önünde İrène'in kendi karnını yardığını anladı. Konuşmamak, katilin ondan söke söke koparacağı bilgileri vermemek için kendini öldürmeye kalkışmıştı. Kafasındaki karışıklığa rağmen, Diane bozulmuş topuzun, kana bulanmış sarı saçların çevrelediği yüzün güzelliğine bakmaktan alamadı kendini. İrène tekrarladı:

– Konuşmamam gerekiyordu.

– Kime? Buraya gelen kimdi?

– Gözler... Onlara direnemezdim... Ona... Eugen'in nerede olduğunu söyleyemezdim...

"Gözler!" Bunun anlamı ne? Karın deşen mi? Ya da Thomas tarafından gönderilmiş başka katiller mi? Ya da bambaşka biri? Ama çok daha acil bir şey vardı. Diane eğilip İrène'e sordu:

– Lucien... Lucien nerede?

Kadıncağız gülümsemeyi başardı. Her şeye rağmen, Diane'la karşılaştığı, o masum ismin söylendiğini duyduğu için mutlu olmuşa benziyordu. Dudaklarını kıpırdattı. Ağzı kanlandı. Diane kolunun yeniyle kanı sildi. Gargara tek bir kelimeye dönüştü:

– Yarımada.

· – Ne?

Dudaklarının arasından yine kapkara kan süzüldü. Dudaklar aralandı:

– Gölde. Yarımada. Hep oraya gider...

Diane hıçkırıklarını bastırarak kadını teselliye çalıştı:

– Her şey düzelecek. Hastaneye telefon edeyim.

İrène Diane'ın bileğine yapıştı. Genç kadın sıkılı parmakların arasından sızan kanı hissetti. Gözlerini yumdu. Yeniden açtığında, bitmişti; İrène'in gözbebekleri ebedî bir şaşkınlıkla donmuştu.

Otuz dokuzuncu kısım

Diane çiftliğin sağ kanadından döndü, çitin üzerinden atlayıp çam koruluğuna çıkan patikaya daldı. Yağmur başlamıştı. Diane arada bir çakan şimşeklerin ışığında, gölün parlak yüzeyini görüyordu. Tepenin öte yanından inip kıyıya vardı. Toprak patika ile sular arasında, ağaç ve sazlardan oluşan sık bir çit vardı. Geçmek imkânsızdı. Diane içinden gelen sesi dinleyip sağa yöneldi, koşmaya başladı.

Bir süre sonra toprak yumuşamaya başladı. Bitkilerin kokusu hem daha ağır hem de daha canlı, daha keskindi şimdi. Anlaşılan gölün suları otların arasından sızmış, kıyıyı uzun bir bataklığa döndürmüştü. Diane bir taraftan koşarken, diğer taraftan da bu değişimi özümsemeye çalışıyordu. Koruluğun yeşil aydınlığı, iki ot ya da yaprak kıvrımı arasında, giderek artan sıklıkla şeffaf ışıltılar yayan, şehvet uyandıran bitki örtüsünün rahatlığı... Burada suyun toprak gibi koktuğunu düşündü. Karmakarışık çimen saçların altından uzanan yosun bir ensenin üzerinde bir parmak... Ve gücü, kaçınılamaz varlığı için manzaraya bir teşekkür gönderdi içinden; çevre başka hiçbir şeyin düşünülmesine izin vermiyordu.

Solunda, çalılıkların arasında bir boşluk; bir patika. Diane patikaya saptı, yeşil kubbenin altına girdi. Yağmuru hissetmiyordu artık ama sazların, sapların, dalcıkların okşayışlarını hissediyordu. İşte o zaman sahile vardı, gölün yüzeyini gördü. Onun baktığı yerden, daha çok denize benziyordu. Uçsuz bucaksız, yağmurun altında şakırdayan, gri ve hareli bir sonsuzluk.

Yarımadayı o sırada gördü.

Sağında, birkaç yüz metre ötede, bir kara parçası kıyıdan ayrılıyor, suyun yüzeyine yakın ilerleyerek küçük ve sık bir ormanda son buluyordu. Tuzlu değil, duru bir tatlı su yarımadası. Çocuk yoksa ağaçların altında mı saklanıyordu?

Diane gözlüğünü cebine yerleştirdi, ayakkabılarını çıkardı. Bağcıklarını düğümleyip, boynuna astı. Yola koyuldu. Önünde her şey bulanık, yeşil, masalımsıydı. Şimdi toprağa ve otlara karışmış göl dalgalarının arasında bata çıka yürüyordu. Yağmurun ılıklığıyla çelişen derinlerdeki soğukluk dizlerini ısırıyordu. Kendini hem göl tarafından emilmiş hem de yağmur tarafından ezilmiş hissediyordu. Tam anlamıyla, iki su arasında bir kadın.

Sonunda, yarımadanın çalılıklarına vardı. Söğütlerin arasına daldı, sırtı kamburlaşmış, soluk soluğa, her aralığı araştırarak, her dalın arkasına bakarak otları yardı. Lucien neredeydi? Biraz daha ilerledi. Su dolu çukurlar açgözlü yeşil dudaklarını açıyor, onu yavaşlatıyordu. Kalçalarına kadar suyun içinde kalıyor, kollarını arkadan öne sallıyordu. Çevresinde, bu otlu labirentlerde yolunu şaşırmış balıkların pullarını görüyordu. Birden, ayaklarının altındaki çamurun sertleştiğini hissetti. Adanın ucuna varmış, ama ne bir şey görmüş ne de bir şey... Olduğu yerde durdu.

Çocuk oradaydı.

Diane'ın yirmi metre ötesinde, karanın ucunda, yüzünü göğe çevirmiş, sırtı dönük oturuyordu.

Onu iyi göremiyordu ama, ilk duygusu rahatlama oldu. Gölgesi Lucien'a -kendi Lucien'ına- benzemiyordu. Kendine itiraf etmese de, karanlık bir klonlama, bir ikizlik olasılığı düşünmüş, tokamaktaki gizli Sovyet araştırmalarının korkunç sonucuna hazırlanmıştı.

Oysa iki çocuk birbirinden tümüyle farklıydı. Buradaki, en azından iki yaş daha büyük görünüyordu. Derin bir soluk alıp bir adım daha attı. Bağdaş kurup oturan çocukta bir hareket yoktu. Diane önüne geçti ve çocuğun kararmış gözlerini, kızıla kesmiş yüzünü gördü; trans halindeydi. Kolları ve bacakları metal bir çubuktan daha katı görünüyordu. Titriyordu çocuk, ama farkına varılmayacak, elektrikli bir titremeydi bu. Kendi vücudunun tutsağı bir dalga gibi.

Diane elini çocuğun alnına uzattı ve bir fırın sıcaklığı hissetti. İnsanın ateşinin böylesine yükselebileceğini asla tahmin edemezdi.

Biraz daha yaklaştı, sonra durdu. Çocuğun önünde, sunağa benzer bir şey; beyaz taşlardan bir daire, ortasında da piramit biçiminde uzayan, birbirine dayanmış, üzerlerine kurdeleler ve kumaşlar bağlanmış çalı çırpı. Piramidin tepesinde, dengede duran küçük bir kafatası. Kısa zaman önce öldürülmüş bir hintdomuzunun ya da hamsterin kafatası. Diane çiftlikteki boş kafesi hatırlayıp anladı; çocuk hayvanı şamanist bir tören sırasında kurban etmişti.

Kırkıncı kısım

– Kas kasılmaları ve spazm olarak görülen, hat safhada bir nöromüsküler uyarılırlık belirledik...

Yine hastane.

Yine bir doktor açıklaması.

Diane birkaç dakikada İrène Pandove'un evine dönüp, çocuğu bir duvar örtüsüne sarmış, kendi de eski yağmurluğunu giymişti. Sonra bütün hızıyla Nice'e, Saint-Roch Hastanesi'nin Acil Servisi'ne gitmişti. Saat öğleden sonra ikiydi ama, birkaç yıl yaşlanmış gibi hissediyordu kendini.

Doktor devam ediyordu:

– Bir de şu olağanüstü ateş var. Çocuğun ateşi neredeyse kırk bir dereceye çıktı. Bu olguların patojen nedenlerini henüz belirleyemedik. Dış inceleme hiçbir sonuç vermedi. Kan tahlilinde herhangi bir enfeksiyon görülmüyor. Öteki testlerin sonucunu beklemek zorundayız. Zaman aralıklarını da göz önünde bulunduruyoruz. Ama belirtiler saraya benzemiyor ve...

– Hayatı tehlikede mi?

Çalışma masasının gerisinde, ayakta duran adamın önlüğü sanki gece onunla uyumuş gibi, bumburuşuktu. Kuşkulu bir ifade takındı:

– Aslında, hayır. Onun yaşında, kasılma tehlikesinden söz edilemez. Ateşi de zaten düşüyor. Bilinci de açılıyor gibi. Bana kalırsa, çocuk bir çeşit... kriz geçirmiş ama, en kötüsünü atlatmış. Şimdi bize bu krizin nedenini bulmak kalıyor.

Diane'ın gözünde beyaz taşlardan yapılmış daire ile çalı çırpının üzerindeki kafatası canlandı. Küçük çocuğun muhtemelen şamanizme özgü bir transa girdiğini nasıl anlatırdı? Doktor sordu:

– Çocukla bir bağınız var mı?

– Daha önce de söyledim; arkadaşlarımdan birinin evlat edindiği bir çocuk...

Doktor önündeki fişe baktı.

– İrène Pandove, değil mi?

Diane Acil Servis'te kadının adını vermişti. Kendi gittikten sonra, çocuğun kimliğini bilmelerini istiyordu. Doktor sormayı sürdürdü:

– Peki bu Madam Pandove nerede?

– Bilmiyorum.

– Ama çocuğu... böyle mi buldunuz? Yalnız mıydı?

Diane öyküsünü tekrarladı; arkadaşını ziyaret, boş ev, Lucien'ı bataklıkta bulması... Ölüden söz etmeyi düşünmemişti. Yarı gerçekler anlatmaktan çekinmiyordu; birkaç dakika sonra dışarıda olacaktı ne de olsa. İnsan, sırtı uçuruma dayandığında arkasına döner mi?

Doktor şüphelenmiş görünüyordu. Israrla karşısındaki kadının ıslak yağmurluğuna, yüzündeki çürüklere, burnundaki kahverengi yara izlerine bakıyordu; Diane'ın yüzündeki sargı düşmüştü. Genç kadın aniden,

– Telefon etmem gerek, dedi.

Göl çevresindeki koşuşturma sırasında cep telefonunu kaybetmişti. Doktor önündeki telefonu gösterdi:

– Tabiî, bir dış hat alıp...

– Yalnız olmayı tercih ederim.

– Yandaki odaya geçin. Sekreterim istediğiniz numarayı çevirir.

– Yalnız. Lütfen.

Doktor homurdandı, belli belirsiz bir hareketle kapıyı gösterdi:

– Dışarıda, giriş holünde telefon kulübeleri var.

Diane kalktı. Doktor kaşlarını çatıp, ekledi:

– Sizi bekliyorum. Daha konuşmamızı bitirmedik.

Diane gülümsedi:

– Tabiî. Hemen geliyorum.

Daha kapıyı kapatmadan, doktorun telefonu kaldırdığını duydu. "Polisler" diye düşündü. "Bu salak polis çağırıyor." Koridora çıkıp adımlarını hızlandırdı.

Giriş holüne vardığında, gazeteciden bir telefon kartı aldı. Kulübelerden birine kapanıp Éric Daguerre'in direkt telefonunu tuşladı. İçini kemiren yeni bir endişe vardı. Ya Lucien da, henüz açıklanamayan bir nedenle, transa girdiyse? Olaylar arasında bir çeşit paralellik olmasından ürküyordu. Bu iki çocuk ve hastalık belirtileri arasında bir çeşit yankı oyunu gibi bir şey.

Telefona santral cevap verdi; doktor ameliyattaydı. Aklına başka birisi gelmediğinden, Madam Ferrer'i istedi. Hemşire kuşkularını doğruladı; Lucien'ın ateşi yine çok yükselmiş, dahası şuuru kaybolmaya başlamıştı. Yine de her şey yoluna girmişti; ateşi düşüyor, kasları gevşiyordu. Doktor Daguerre bir dizi test istemişti. Sonuçları bekleniyordu. Madam Ferrer sözünü bitirirken Didier Romans'ın acilen Diane'la konuşmak istediğini söyledi. Diane sordu:

– Nerede şimdi?

– Burada, serviste.

– Beni ona aktarın.

Antropoloğun sesi, bir dakika sonra duyuldu:

– Bayan Thiberge, mutlaka hastaneye gelmeniz gerekiyor!

– Ne oluyor?

– Olağanüstü bir şey.

– Lucien'ın transa girmesinden mi söz ediyorsunuz?

– Bir ara trans gibi bir şey geçirdi, evet. Ama şimdi bambaşka bir şey var.

– NE?

Romans, Diane'ın sesindeki endişeli tınıyı duymuştu.

– Sakın endişelenmeyin, dedi aceleyle. Çocuğunuz için bir tehlike yok.

Diane her heceyi vurgulayarak sorusunu tekrarladı:

– Ne oluyor?

– Telefonda anlatması uzun sürer. Gelip, kendi gözlerinizle görmelisiniz. Burada, gözle görülür bir şey.

Diane kestirip attı:

– Üç saat sonra oradayım.

Telefonu kapattı. Hastanenin aşırı sıcak havasından boğuluyordu. Yağmurun yapıştırdığı perçemlerini, terden sırılsıklam yakasını hissetti. Düşüncelerinde yeni bir boşluk oluştu. Bu iki çocuk, birbirlerinden sekiz yüz kilometre uzaktayken, nasıl olmuş da aynı krize yakalanmıştı? Antropoloğun sözünü ettiği olağanüstü şey neydi?

Saat on dört otuzdu. Giriş kapısına bir göz attı. Her an bir manga jandarmanın içeri dalmasını bekliyordu. Onu Lucien'ın kökenleri ve cesedi her an bulunabilecek İrène Pandove'un ölümü hakkında sorguya çekecek insanlar.

Paris'e dönmeliydi. Oğlunu görmeliydi. Her şeyi, onu koruyacak ve adalet mekanizmasına karşı savunacak tek kişiye, Patrick Langlois'ya anlatmalıydı. Komiserin cep telefonunun numarasını tuşladı. Langlois, konuşmasına fırsat vermedi.

– Hay Allah, nerelere kayboldunuz?

– Nice'teyim.

– Orada neler karıştırıyorsunuz?

– Birini görmem gerekiyordu...

Adamın sesi rahatlamıştı.

– Kaçmaya karar verdiğinizi sanmıştım.

– Neden kaçayım?

– Sizin neye karar vereceğiniz bilinmez ki.

Diane susup birkaç saniye bekledi. Birden, bu sessizlikten daha önce hiç kimseye karşı duymadığı bir güven, bir yakınlık doğdu. Aceleyle –hıçkırıklara boğulmamak için– anlattı:

– Patrick, boğazıma kadar boka battım.

– Beni şaşırtıyorsunuz.

– Şaka yapmıyorum. Sizinle görüşmem gerek. Size anlatmalıyım.

– Ne zaman Paris'te olabilirsiniz?

– Üç saate kadar.

– Sizi büromda bekliyorum. Benim de anlatacaklarım var.

– Ne?

– Sizi bekliyorum.

Diane komiserin sesinde, daha önce duymadığı derin bir endişe hissetti. Israrla sordu:

– Ne var? Ne buldunuz?

– Buraya geldiğinizde anlatırım. Ama kendinize çok dikkat edin.

– Neden?

– Bu işe sandığımdan da fazla bulaşmış olabilirsiniz.

– Ne... ne demek bu?

– Sizi emniyet müdürlüğünde bekliyorum.

Kulübeden çıkıp, otomatik kapılara doğru yürüdü. Dışarıda, cadde kırmızı, kuru, buruşuk yapraklarla kaplıydı. Diane arabasına bindiğinde, sanki bizzat sonbahar ona tuzak hazırlıyormuş gibi geldi.

Kırk birinci kısım

Diane Thiberge, Necker Hastanesi'ne akşamın sekizine doğru vardı. Didier Romans onu büyük bir heyecanla bekliyordu. Diane önce Lucien'ı görmek istediğini söylediğinde, antropolog itiraz etti: "Emin olun, her şey yolunda. Daha acil bir konumuz var." Lavoisier binasına doğru yürümeye başlamışlardı bile. O yöne doğru yürürken, genç kadının içindeki endişe büyüdü. Gereğinden fazla şiddet, gereğinden çok anı.

Binaya girip Bilgisayarlı Tomografi Merkezi'ne doğru gittiklerini görünce, endişe yerini korkuya bıraktı. Beyaz duvarları, göz kamaştırıcı neonları görüyor, şiddete giden en kestirme yolda olduğunu düşünüyordu. Bilim adamı anlatmaya başladı:

– Daha ilk araştırmalarımda, bu yönde bir şeyler bulmuştum ama, sizi ürkütmek istemedim.

Diane neredeyse bir kahkaha atacaktı. Koşullar ne olursa olsun, sanki onu asla endişelendirmemeye ant içmişler gibi. Dinginliğin bir çeşit komplosu gibi bir şey.

Duvarları merkezî veri kayıt aygıtları ve monitörlerle kaplı odaya girdiler. Romans, tıpkı Van Kaen'in öldürüldüğü geceki adli tıp uzmanı gibi, ana bilgisayarın başına geçti, mouse'u tıkladı:

– Resimler uzun cümlelerden daha iyi konuşacak.

Diane metal masalardan birine dayanıyordu. Ekranda Alman akupunkturcunun parçalanmış iç organlarının görünmesini bekliyordu. Monitörde iki elin karşılaştırmalı çizgilerini görünce, şaşırdı. Bilgisayarın parıltısıyla cilalanmış gibi, zarif ve beyaz çocuk elleri.

Romans konuşmadan tuşlara bastı, aynı resmi, bu kez ayalar görünecek biçimde döndürdü. Ekran çerçevesini yaklaştırarak parmakların ucuna, parmak izlerine odakladı.

– Antropolojik incelememi yaparken, Lucien'ın parmak derilerini incelemiştim. O zaman, derinin ilk tabakalarının altında, bana eskiden kalmış izlenimi veren bazı yaralara rastlamıştım. Sanki... deri o yaraların üstünde gelişmiş gibi, ne demek istediğimi anlıyor musunuz?

Ekrandaki çizgiler büyüdü. Diane parmak izlerine benzemeyen, dikey ya da çapraz, minicik çizgiler gördü. Antropolog ekledi:

– Madam Ferrer, Lucien'ın ateşi yükseldiğinde, bu farklılıkların daha da belirginleştiğini görmüş. Parmak uçları kızarırken, yarıklar beyaz kalıyormuş. Daguerre de bunu doğrulayınca, bana haber verdiler. Neler olduğunu o zaman anladım.

Parmak izleri şimdi bütün ekranı kaplıyordu; yarıklar belirgindi. Çiziklere, karalamalara benzer yarıklar...

– Bu izler, gerçekten de derinin üst tabakasının altında. Beyazlıklarını koruyorlarsa, bunun nedeni, bana kalırsa, yanık izleri olmalarından kaynaklanıyor. İçinden kan geçmeyen, ölü deriler. Yükselen ateş, beslenen deri ile soğuk izler arasındaki farklılığı ortaya çıkarıyor. Bu oldukça bilindik bir olgudur; bazı yara izleri insan ateşlenince ortaya çıkar.

Diane gözlerini ince çiziklerden ayırmıyordu; bunun bir yazı olduğunu düşünmemek güçtü. Aynı zamanda, harfleri yarı silinmiş, dahası, bir aynada görülüyor gibi, ters çevrilmişti. Antropolog, Diane'ın düşüncelerini okumuş gibi konuştu:

– Başlangıçta, kızgın bir uçla yazılmış harflere benzettim bu izleri. Ama harfler ters çevrilmiş. Onun için bunların kâğıt üzerindeki durumlarına bakmak gerektiğini düşündüm, böylelikle "düzeltilmiş" olacaklardı. İşaretleri bir ıstampayla renklendirmeye çalıştım...

Ekrandaki görüntünün yerini, mürekkebe bulanmış parmak izleri aldı.

– İşte sonuç. Sizin de gördüğünüz gibi, yazı hâlâ ters. Çö-
.zülemeyecek bir problem.

Diane'ın elleri metal masaya kenetlendi. Birden içinde
dallanıp budaklanmış bir ateş hissetti. Romans klavyede bir
tuşa bastı, yeni bir görüntü belirdi. İki el şimdi tümüyle si-,
yaha boyanmış, beyaz çizgiler en küçük ayrıntılarıyla görü-
lür olmuştu.

– Bu da kızılötesi bir görüntü. Canlı vücut ısısı ile izler
arasındaki fark kolayca görülüyor. İşte sorunun cevabını bu-
na bakarak buldum.

– Neymiş?

– Bunlar Latin harfleri değil, Kiril karakterleri.

Çocuğun her bir parmağına yazılmış işaretlerin yakın
plan görüntüsü, tüm ekranı kapladı; Slav alfabesinin sayıla-
rı, heceleri. Diane boğuk bir sesle sordu:

– Burada... ne yazılı?

– Rusça yazılmış bir tarih. Tercüme ettirdim.

Yeni bir tık. Yeni bir görüntü:

"20 EKİM 1999"

Antropolog özetledi:

– Bu çocuk bir mesaj taşıyor. Ardından korkudan titre-
yen, çekingen bir sesle ekledi. Ateşle kazınmış, ateşinin çık-
ması halinde, çocuğun vücudundan yayılan ısı sayesinde
ortaya çıkmak üzere... kelimelerden korkmayalım, "prog-
ramlanmış" bir mesaj. Bu... inanılmaz bir şey. Gerçekten de
tarihi okuyabilmenin tek yolu, Lucien'ın ateşlenmesi.

Diane adamın açıklamalarını dinlemiyordu. Kendi cevap-
ları patlıyordu artık bilincinde. İkinci Lucien'ın da aynı yanık
izlerini taşıdığından emindi. Tüm lüü-si-anlar parmakları-
nın ucunda, sadece transa geçtiklerinde görülen bir tarih ta-
şıyorlardı. Haberciydi onlar. İyi de, o tarihte ne olacaktı? Bu
tarihin anlamı neydi?

Bir anda ilk cevabı verdi; hiç kuşku yok, bu tarihler Rolf
van Kaen, Philippe Thomas ve Eugen Talikh gibi adamlar
içindi. Tokamak ekibinde çalışmış, geçmişteki laboratuvar-
larına dönmek için bu mesajı bekleyen insanlar.

Kafasına başka düşünceler de üşüşüyordu. Bu çocuklar -bundan emindi- konu hakkında hiçbir bilgileri olmayan evlat edindirme kurumlarının aracılığıyla, yeni adlarla geliyorlardı Avrupa'ya. Tıpkı diğerleri gibi, bu vakıflar da zincirin bir halkası, bir aracıydı; Lucien'ı evlat edinen Diane gibi. Öte yandan, İrène Pandove, Eugen Talikh'in gözcüsünü evlat edinmeyi başarırken, Rolf van Kaen'in böyle bir şansı olmamıştı. Bu sorumluluğu devralan, kim olduğu bile bilinmeyen genç bir kadın, Diane Thiberge'di. Alman akupunkturcunun "Bu çocuk yaşamalı" demesinin nedeni de buydu. O sadece ona gönderilen, Lucien transa girmeden ölecek olursa hiçbir zaman görülmeyecek olan mesajı bekliyordu.

Apaçık ortada olan bir gerçek daha vardı; eski Marksist casus Philippe Thomas çevre yolundaki kazaya yol açmış ve Van Kaen'in tarihi öğrenmemesini sağlayarak buluşmaya katılmasını engellemeye çalışmıştı. Bütün bunlar çılgın, saçma, dehşet vericiydi ama, Diane doğru düşündüğünü biliyordu; bu insanları birbirlerine bağlayan sadece geçmişleri değildi; içlerinden birini, ötekinin habercisini ortadan kaldırarak rakibini safdışı bırakmaya iten karanlık ilişkiler de vardı.

Diane'ın çok iyi bildiği bir başka gerçek de tokamak çalışanlarının ülkeye geri dönmesini engellemek isteyen bir başkasının varlığıydı. Geri dönüşü önlemek için, en kökten çözümü, atardamar sıkıştırmayı kullanmaktan geri durmayan biri.

Kapkaranlık kuyuların dibinde de olsa, iki belirgin ışık görüyordu.

Her şeyden önce Lucien'ın -"kendi" Lucien'ının- tehlikede olmadığını hissediyordu. Mesajını iletmesini engellemek istemişlerdi ama, tarih ortaya çıkmıştı. Demek Lucien tehlikede değildi artık. Deyim yerindeyse, görevi bitmişti.

Öteki ışıksa, akla aykırı gelecek bir biçimde de olsa, çocukların ellerindeki yanıklarla bağlantılıydı; bu korkunç, iğrenç, isyan ettirici bir yöntemdi ama, büyü falan değildi. Burada paranormal hiçbir şey yoktu. En basit anlatımla gözcüler, sonsuza dek işaretlenmiş küçük çocuklardı.

Diane öğrendikleriyle sarsılarak Komiser Langlois'yı ve anlattıklarını hatırladı. Onun bütün bu kargaşayı yeniden düzenleyecek, bilinmeze yepyeni bir tutarlılık kazandıracak bilgilere sahip olduğundan emindi. Antropoloğa dönüp mırıldandı:

– Birazdan dönerim.

Kırk ikinci kısım

Diane ziyaretçi kayıt defterini doldurup, metal detektöründen geçti. Gecenin onunda polis müdürlüğü binasının koridorları bomboştu. Çalışma odaları her zamankinden daha çok deri ve eski kâğıt kokuyordu. Öylesine güçlü, öylesine keskin bir kokuydu ki, bir bakıma hayvanlarla dolu bir yeri çağrıştırıyordu. Diane kendini bir balinanın karnında yürüyormuş gibi hissediyordu. Kapıların kırmızısı ona dev balığın içini, merdiven boşluğunun gölgeleri de dişlerini -canavarın ağzındaki o boynuzsu kılıçları- hatırlatıyordu. .

Diane 34 numaralı odanın kapısına geldi. Kapının üzerindeki küçük karton levhada Polis Komiseri Patrick Langlois'nın adı yazılıydı yazılı olmasına da, kadife kaplı kapıyı tanıyordu zaten. Odadan dışarıya beyaz bir ışık demeti sızıyordu. Kapıya vurdu. Ses kumaşın yumuşaklığında boğuldu. İki parmağının ucuyla, kapıyı itti.

Artık ne korkunun ne de herhangi başka bir duygunun onu şaşırtamayacağını düşünüyordu. Kendi çevresinde, kurşun geçirmez yeleklerin yapımında kullanılan, örümceklerinki kadar narin ve görünmez bir ağ ördüğünü düşünüyordu. Yanılmıştı. Küçük bir halojen lambanın çalışma masasının yüzeyini çok yakından aydınlattığı karanlığa boğulmuş bu odada, bir kez daha paniğe kapıldı.

Patrick Langlois başını yan yatırmış, çalışma masasının üzerine dayamıştı. Siyah gözleri o alaycı pırıltıyı korumuştu ama, artık kırpışmıyordu. Koltuğa yığılmış vücudunun da kıpırdamadığı gibi. Diane'ın ilk tepkisi, geri çekilmek oldu. Kapıya vardığında, kendini toparladı. Koridorun iki yanına baktı, kimse yoktu. Odaya döndü, kapıyı kapatıp cesede yaklaştı.

Polis komiserinin yüzü, pıhtılaşıp katranlaşmaya yüz tutan bir kan birikintisinin içindeydi. Diane ağzını açarak yavaşça soluk almaya çalıştı. İki tane kâğıt alıp usulca kafayı kaldırdı, çenenin altındaki yaraya bir göz attı. Adamın gırtlağını kesmişlerdi. Yara, yapışkan ve karanlık gırtlağın içine bir gaga gibi açılıyordu. Nasıl becerdiğini anlayamadan, bu iç karartıcı görüntü -ve sonuçları- ile arasına bir mesafe koymayı başardı. Sadece, her biri yeni bir soru doğuran saniyeleri sayıyordu; komiseri kim öldürdü? Hep aynı yalnız katilin -atardamar sıkıştırıcısının- izinde miydi? Yoksa bu kez katil vakıftaki Rusların bir işbirlikçisi miydi? Cinayetin işlenişindeki cüret Diane'ı şaşkına çevirmişti; katilin biri bir polis komiserini, emniyet müdürlüğünde ortadan kaldırmaya cesaret etmişti.

Dosyayı hatırladı; komiserin yanından hiç ayırmadığı, gerçeğin bir bölümünü içeren kâğıt tomarlarını. Kanlanmış eşyaları karıştırmaya, masanın üzerine dağılmış ıslak ve yapışkan kâğıtları gözden geçirmeye başladı. Mistik bir ilahi gibi, durmadan, "Lucien, Lucien, Lucien..." diye tekrarlıyordu. Her ne yapıyorsa, oğlu içindi. Yaşama gücüydü onun. Çekmeceleri açtı, belgeleri gözden geçirdi, hiçbir ayrıntıyı atlamamaya çalıştı. Komiserin evrak çantasını, gölgede dikilen dolapları karıştırdı. Hiç. Hiçbir şey bulamıyordu. Aramış olmak için aradığını, katilin her şeyi götürdüğünü biliyordu. Gerçekten de kanıtları yok etmek, izleri silmek için öldürmüştü Langlois'yı.

Gümüş saçlı adamın kanından oluşan aynaya ve bu aynada yansıyan yüzüne son bir kez baktı. Telefonda, "Bu işe sandığımdan da fazla bulaşmış olabilirsiniz" demişti. Neye dayanarak? Korkudan ne yapacağını bilemez haldeydi. İrène Pandove'u hatırladı. Rolf van Kaen'i. Philippe Thomas'yı. Öldürdüğü üç adamı. Böyle bir katliam nasıl açıklanabilirdi? Ya bu katliamın içinde olması? Yanına yaklaşanı yok eden ölüm çiçeği gibi gördü kendini. Boğazının düğümlendiğini hissetti. Gözyaşlarını tuttu, bir gölge gibi koridora sızdı.

Yürürken, birkaç dakika önce doldurduğu ziyaretçi defterini düşündü. Yanmıştı; kurbanı son görenin o olduğu, gün gibi ortadaydı. Kaçmalıydı. Bacaklarının tüm hızıyla kaçmalıydı.

Diane iç avluyu boydan boya geçti, bir yan kapıdan dışarı çıktı. Hızlı adımlarla Orfèvres, sonra da Marché-Neuf rıhtımları boyunca yürüdü. Hızlanarak Notre-Dame Katedrali Meydanı'na vardı, Hôtel-Dieu önünde durdu. Hastanenin tüm ışıkları yanıyordu; kemerli yüksek pencerelerden sızan ışık, cepheleri harelendiriyor, aynı zamanda hem görkemli hem de hafif bir bayram havası yayıyordu.

Lucien'ın hayali yüreğine bir bıçak gibi saplandı. Tehlikede olmadığından emin olsa da onu terk edemezdi. Kendine geldiğinde, bu ülkede kim karşılayacaktı onu? Onunla kim ilgilenecekti? Diane dönemezse kiminle konuşacaktı? Peki ya hiç dönemezse? İlk haftalardaki Taylandlı genç kızı hatırladı.

Sonra başka bir şey geldi aklına. Bir telefon kulübesi bulup girdi. Camların ötesinde, Notre-Dame'ın çevresinde, karanlıkta iskelelerin üzerine yüksek paravanlar gibi gerilmiş bezleri görebiliyordu. İskelelerin altında uzanan sokak lambalarının ışıkları, aydınlığa boğulmuş incirlere benziyordu. Kısa bir an için akupunkturu ve insan vücudundaki yaşam enerjisinin açığa çıktığı temel noktalarını düşündü. Paris örneğinde, Notre-Dame'ın avlusu da böylesi temel noktalardan biri olabilirdi. Bir özgürlük ve mutlak tatil mekânı.

Bir cep telefonunun numarasını tuşladı. Üç zil sesi, sonra da o tanıdık ses. Diane sadece "Benim" diye soludu. Hemen ardından da çığ gibi küfür ve iniltiler. Sybille Thiberge, her şeye rağmen durumun tek hâkimi olduğunu belirtmek için, biraz aldırmazlıkla karıştırdığı her telden -öfke, kızgınlık, acıma- çalıyordu. Diane geriden gelen kalabalık akşam yemeği uğultusunu açıkça duyabiliyordu. Annesinin sözünü kesti:

– Tamam, Anne. Seni tartışmak için aramıyorum. Beni dikkatle dinle, bana bir söz vermeni istiyorum.

– Bir söz mü vereceğim?

– Lucien'la ilgileneceğine söz vermeni istiyorum.

– Lucien mi? Tabiî ki... ama ya sen...

– Onunla yakından ilgilenmek, iyileşene kadar yanından ayrılmamak, ne olursa olsun, onu korumak zorundasın.

– Anlattıklarından hiçbir şey anlamadım. Sen...

– Söz ver bana!

Sybille şaşkına dönmüşe benziyordu:

– Söz... söz veriyorum. Ama sen, ne...

– Ben gitmek zorundayım.

– Ne demek, gitmek?

– Erteleyemeyeceğim bir yolculuk.

– İş için mi?

– Hiçbir şey söyleyemem.

– Sevgilim, Charles bir soruşturma...

Diane üvey babasına güvenmekle çılgınlık etmişti. O da yemeden içmeden her şeyi karısına anlatmış, sonra da ikisi birlikte Diane'a acıyarak, her şeyi bozulan aklî dengesine yormuşlardı. O ikisini birbirlerine sarılmış, âşık iki engerek gibi getirdi gözünün önüne.

Diane açıklama yapma güçlüğüne katlanmadan, ikinci Lucien'dan da bahsetti. Kısa süre önce evlat edinilen, ama yeni annesini kaybetmiş yedi yaşında küçük bir çocuk. Diane çocuğun adını ve adresini yazdırdı, Sybille'den bu ikinci öksüzle de ilgileneceği sözünü kopardı.

Aslında annesini bundan sonra olabilecekler konusunda da uyarması gerekirdi; polisin ona karşı beslediği kuşkudan, ardında bıraktığı ölülerin listesinden. Ama artık zamanı yoktu. Yine tereddüt etti. Kelimeler dilinin ucuna geliyordu; saldırganlığı, nefreti, düşmanlığı için özür dileme sözcükleri; ama ağzı açılmamakta direndi. Tek söyleyebildiği, "Sana güveniyorum" oldu.

Telefonu kapattı. Boğazını bir kül tadı dolduruyordu. Sırtını telefon kulübesinin camına dayayarak hareketsiz durdu, genç kızlığından beri peşini bırakmayan soruyu bir kez daha sordu; annesine böyle davranmaya hakkı var mıydı? Cevap olarak, anlaşılmaz birtakım küfürler mırıldandı.

İki polis arabası, siren çalarak Cité Sokağı'na doğru ilerliyordu. Bu arabaları birer uyarı olarak gördü. Langlois'nın cesedi bulunmuştu. Santral numarasını çevirip sordu:

– Beni Roissy-Charles-de-Gaulle Havaalanı'nın rezervasyon servisine bağlayabilir misiniz?

Diane hiç beklemeden, önce yeni bir zil, sonra da bir kadın sesi duydu. Sol eline bakıyordu. Kandan kararmış tırnaklar. Belirgin damarlar. Daha şimdiden, bir yaşlı kadın eli. Sordu:

– Belirli bir varış noktası için, ilk uçağın saatini öğrenmem mümkün mü? Hangi havayolu olduğu fark etmez.

– Tabiî Madam. Neresi için sormuştunuz?

Bir kez daha tırnaklarına, avuçlarına baktı.

Yaşlı kadın eli.

Ama artık titremeyen bir el.

Cevap verdi:

– Moskova.

III- Tokamak

Kırk üçüncü kısım

Şeremetyevo 2, varış terminali.
Moskova Uluslararası Havaalanı.
Sabahın ikisi, 15 ekim 1999 cuma.

Diane öteki yolcuların peşine takıldı, parkasının içinde tir tir titreyerek bagaj bölümüne gitti. Gecenin on bir buçuğundaki son Aeroflot uçağına yetişmiş, şimdi de Rus toprağına inmişti. Tek avantajı, Rus başkentini tanıyor olmasıydı. Daha önce iki kez gelmişti Moskova'ya. İlki, 1993 yılında, Moskova Bilimler Akademisi'nin düzenlediği "Sibirya'daki Vahşi Yaşam" konulu kongreye katılmak için. İkincisi, Kamçatka'da bir göreve giderken, transit geçmek için. Diane dönüşünde bir hafta Moskova'da kalmış, kendini masalımsı bir gezintiye bırakmıştı. Kısa sürmüştü. Hiç olmazsa, kaldığı otelin adını hatırlıyordu: Ukrayna.

Bagajlar sabah üçe doğru geldi. Alçak tavanlı loş salon, daha çok bir kabri andırıyordu. Valiz dağlarının üzerine eğilmiş yolcular homurdanıyor, çakmak ışığında bavullarını bulmaya çalışıyorlardı.

Diane çantasını hemen buldu. Paris'teyken eve uğrayıp çantasına birkaç parça eşya tıkacak zaman bulmuş, bu arada da uzmanlaşmış bir kuruluşun ödünç olarak verdiği uydu telefonunu almayı unutmamıştı. Biriktirdiği dolarlardan -topu topu sekiz yüz- başka, ATM'ye uğrayarak, bankadaki -yedi bin frank- hesabını boşaltmıştı. İşte o zaman tuhaf bir özgürlük duygusuna kapılmıştı. Tıpkı bir binanın damından atlamak gibi.

Dışarıya çıktığında, uçağa sonbaharda bindiğini, ama kışın indiğini sandı. Soğuk, diğer sorunların arasında bir ayrıntı değildi sadece; çok daha ötede, insanın kafatasını sıkıştıran, dönmüş tırnak gibi elini·yaralayan keskin ve karşı konulmaz bir gerçekti. Durağan sis parlak asfaltı tutsak almış gibiydi. Uzakta, toprak ile gök, buzdan bir menteşe gibi, karanlıkta birleşiyordu.

Taksi yoktu; hoş, Diane taksi aramadı bile. Kuralları biliyordu. Turistlerden ayrıldı, sonra gördüğü ilk işaretsiz arabaya kollarını değirmen gibi çevirerek salladı. Araba yoluna devam etti. Bu oyunu üç kez denedikten sonra, önünde tüm ışıkları sönük bir Jiguli'nin durduğunu gördü. Şoförün karar vermesinde otelin adı ve dolarların rengi de etkili oldu. Diane yayları fırlamış, yapay deri koltuğa gömüldü, çantasını dizlerinin üzerine yerleştirdi, beresini kaşlarına kadar indirdi ve karanlık gecede kayboldu.

Otomobil hayaletimsi kayınlarla çevrili ıssız bir yola saptı, kentin kör mahallelerinden geçip çevre yoluna çıktı. Boş arsalarda yakılan ateşlerin dumanı ve kamyonların püskürttüğü karbon monoksit sisin yerini aldı. Farları yanmayan otomobilin görüş mesafesi beş metreyi geçmiyordu. Zaman zaman, şosede makasları zangırdayan bir ağır vasıtanın gümbürtüsü duyuluyordu. Diane içinde, geçmişten kaynaklanan bir endişenin, kazanın anısının tomurcuklandığını hissetti. Yola çıktıkları andan itibaren ağzını açmayan, yüzünü bir kar maskesiyle örtmüş şoför, yolcusunun gerginliğini hissetmiş gibiydi. Radyoyu açtı. Şiddetli bir hard rock makadamın çukurlarıyla el ele vererek Jiguli'yi sarstı. Diane haykırmak üzereyken, adam yan yola sapıp kente girdi.

Diane hangi yönde gidilmesi gerektiğini hatırlıyordu; kuzeyden Sen-Petersburg Bulvarı'na inmeleri lazımdı. Işık kümeleri göründü: zenginliklerini hazine dolu mağaralar gibi gösteren parlak vitrinler. Reklam sloganları tüketim çağrılarını yayıyordu. Tüm kent neona ve floresana boğulmuş gibiydi. Bu elektrik çılgınlığı, her geçen gün biraz daha ilerleyen kapitalizmin geceleri göz kırpmasına benziyordu. Moskovalıların çoğu yiyecek bir şey bulamasa da, ekonomi ve kısıtlama çağının geride kaldığını kanıtlayan bir çeşit zorunlu masraf, dayatılmış israf.

Şimdi artık Diane şoförün sisleri güney yönünde yarmaya devam etmesine şaşıyordu. Çoktan batıya, Minsk yönüne dönmeleri gerekirdi... Sonra birden karanlık yine sardı çevrelerini. Bu mahallede kiliseler, aynı kaldırım üzerinde yan yana ya da aynı sokakta karşı karşıya gelecek kadar çoktu. Yıpranmış cepheleri, siyah kemerleri, karanlığa karışmış kapıları seçiliyordu. İskelelerin üzerine gerilen bezlerin altında heykellerin kırık kol ya da bacakları, asık suratları, ıslanmış birer palto gibi donmuş, ağır cüppeleri uzanıyordu. Diane şoförün karanlık bir sokak köşesinde bir tuzak kurup kurmayacağını düşünüyor, endişelenmeye başlıyordu.

Otomobil döndü ve Kızıl Meydan'a çıktı. Diane tokat yemiş gibi oldu. Kırmızı surları, altın serpilmiş kubbeleriyle Kremlin'i gördü. Şoför bir kahkaha patlattı. İşte o zaman Diane adamın kendisine kentin "mücevherini" göstermek istediğini anladı. Başını parkasının üzerine eğmiş, çenesini yakasına gömmüş, gerçeği kabul etmek zorunda kalmıştı; burada olmak onu mutlu ediyordu. Araba Moskova boyunca rıhtımı izledi. Sonra Kutuzovskiy Bulvarı'na saptı, Lubiyanka Meydanı'nı -Diane hâlâ hatırlıyordu bu isimleri- geçti, sonra da Ukrayna Oteli'nin bulanık bir suda eriyen, köpüklü bir tablet gibi dağılan ışıklarının altına süzüldü.

Led Zeppelin'in "Stairway to Heaven"ının nağmeleri arabayı doldurmaya başlarken, Diane yoldaşıyla vedalaştı. Hâlâ tek bir kelime söylediğini duymamış, yüzünü görmemişti. Resepsiyonda otele giriş formunu doldurdu, sonra asansöre binerek sekizinci kata çıktı. Odasında, ışığı yakmaya bile davranmadı. Tam karşıdaki Parlamento Binası öylesine güçlü aydınlatılmıştı ki, parlak ışığı oraya kadar ulaşıyordu.

Oda, hatırladığına benziyordu. Dört metrekare. Aynı kırmızı muslinden biçilmiş perde ve yatak örtüsü. Yanık yağ, küf ve toz karışımı koku. Rus usulü şıklık. Bir tek banyo, yeni fayanslarıyla ve güzel borularıyla farklıydı. Sıcak duşun altına girdi. İhtiyacı olan tek şey, buydu. Sıcak sudan sersemlemiş, ağrılardan bitkin bir şekilde sert çarşafların arasına süzüldü ve hemen uykuya daldı.

Düşsüz, düşüncesiz bir gece.

Bu kadarı bile fena değildi.

Kırk dördüncü kısım

Diane gözlerini açtığında, parlak güneş odasının duvarlarını kaplıyordu. Saatine baktı; on. Birkaç kez küfür etti, banyoya girmeyi başarmadan önce ayağı çantasına takıldı, masanın köşesine çarptı. Duşa bir daha girdi, hızla giyinip pencereyi açtı.

Kent oradaydı.

Diane kirli suları sabah ışığında parlayan Moskova'yı gördü. Ortodoks kiliseleri, Stalin dönemine ait gökdelenler, dev vinçlerin yükseklik ve görkem konusunda boy ölçüşürcesine çevrelediği inşaatlar göz alabildiğine uzanıyordu. Her şeyden de öte, kentin homurtulu uğultusuna, tüm büyük metropolleri tanımlayan, burada belki biraz daha kaba, biraz daha güçlü duyulan, o asit kokusu karışımına, o baş döndürücü gürültüye alışmaya çalışıyordu Diane. Bakışlarını, üzerinde yüzlerce otomobilin gidip geldiği Kutuzovskiy Bulvarı'na indirdi. Gözlerini yumdu, seyahatlerine, doğal hayata karşı beslediği tüm aşka rağmen su katılmamış bir kentli olduğunu kanıtlayan bir sevinçle, o titreşen dalgayla bütünleşti.

Soğuğun iliklerine kadar işlediğini hissettiğinde, pencereyi kapatıp, araştırmasını düşünmeye koyuldu. Emin olduğu tek bir şey vardı; bu kâbustaki her ayrıntının tokamakla ilgili olduğu. Gizemli yöneticilerin, insanları uyarmak için gönderdikleri gözcülerin ilginç görevleri. Hatta nükleer laboratuvarın çevresindekileri art arda vuran cinayetler.

Araştırmaya başlamak için, bir strateji hazırlamıştı. Oldukça basit, ama gerçekçi bir strateji. Önce kahvaltı ısmarladı, sonra Fransız Büyükelçiliği'ne telefon etti. Bilim ataşesiyle görüşmek istediğini söyledi; tüm büyükelçiliklerde, geleneksel ticaret ve kültür ataşelerinin yanı sıra, bir de bilim ataşesi bulunduğunu uzun zamandır biliyordu. Bir dakikalık bir bekleyişten sonra, otoriter bir ses duyuldu. Diane kendini tanıttı. Gerçek adını verdikten sonra, gazeteci olduğunu söyledi.

– Hangi dergi? diye araya girdi ses.

– Şeyy... bağımsız çalışıyorum da.

– Hangi dergi adına bağımsız?

– Kendi adıma.

Karşıdaki homurdandı:

– Ne demek istediğinizi anladım.

Diane sesini değiştirdi:

– Bana bilgi verecek misiniz, vermeyecek misiniz?

– Sizi dinliyorum.

– Tokamaklar konusunda bilgi topluyorum. Hani o nükleer fırınlar...

– Tokamakın ne anlama geldiğini bilirim.

– Tamam. Öyleyse, belki de laboratuvar arşivlerinin nerede saklandığını da biliyorsunuzdur. Moskova'da bir akademide herhalde...

– Kurçatov Enstitüsü. Denetimli füzyonla ilgili tüm belgeler orada saklanır.

– Bana adresi verebilir misiniz?

– Rusça biliyor musunuz?

– Hayır.

Bilim ataşesi bir kahkaha attı.

– Nasıl bir araştırma yapmak niyetindesiniz ki?

Diane sükûnetini kaybetmemeye çalıştı. Tereddütlü bir sesle sordu:

– Önerebileceğiniz bir tercüman var mı?

– Daha iyisi var. Termonükleer füzyon konusunda uzmanlaşmış, genç bir Rus, Kamil Goroçov. Üstelik dilimizi de biliyor. Birkaç kez Fransa'da bulundu.

– Bana yardımcı olmayı kabul eder mi?

– Yanınızda para var mı?

– Biraz.

– Dolar?

– Dolar, evet var.

– Öyleyse, sorun yok demektir. Ona hemen şimdi telefon ederim.

Diane otelinin telefonunu verdi, ataşeye teşekkür etti. Bir dakika sonra, kahvaltısı getirilmişti. Yatağının üzerine bağdaş kurdu, kurumuş çörekleri yuttu, fazla demlenmiş çayı bitirdi. Çayı oyma gümüş kulplu bir bardaktan içti. Onun gözünde, sadece bu ayrıntı bile Fransa'nın tüm çöreklerine değerdi. Kendini tuhaf bir şekilde hafiflemiş, rahatlamış hissediyordu. Sanki gece uçuşu Paris'teki olaylarla arasına aşılmaz bir sınır çekmiş gibi.

Telefon çaldı; Kamil Goroçov aşağıda onu bekliyordu.

Ukrayna Oteli'nin lobisi Stalin döneminin tüm izlerini taşıyordu. Yüksek pencerelerden içeriye dolan güneş perdeleri bembeyaz sarkıtlara çeviriyor, yerdeki mermer ise parlak ışıklar yansıtıyordu. Diane gözüne, resepsiyonun önünde gidip gelen, iki numara büyük anorağının içine gömülmüş birini kestirdi. Adam kaçmaya çalışan bir serseri gibi, sağına soluna endişeyle bakıyordu.

– Kamil Goroçov?

Adam döndü. Kedi gözleri ve ipek gibi siyah saçları vardı. Cevap yerine, alnına düşen perçemi asabi bir hareketle kenara itti. Diane Fransızca konuşarak kendini tanıttı. Rus yarı güvensiz, yarı saldırgan bir tavırla dinledi. Diane tereddüt etti, yanlış biriyle konuştuğunu düşündü. Ne var ki kedi adam güçlü bir Fransızca'yla, birden sordu:

– Tokamaklarla mı ilgileniyorsunuz?

Diane düzeltme gereğini duydu.

– TK 17'yle.

– İçlerinde en beteri.

– Ne demek istiyorsunuz?

– En güçlüsü. İçlerinde, saniyenin binde biri için de olsa, yıldızların füzyon ısısına erişmeyi tek başaranı.

Kazak bıyığının altından ürkütücü bir şekilde kıkırdadı, sonra bütün lobidekileri tanık etmek istiyormuşçasına, bakışlarıyla çevresini taradı.

– Prometeus efsanesini biliyor musunuz? dedi birden.

Tozlu bir otel lobisinde, tanımadığı bir kadına selamsız sabahsız bir Yunan efsanesi soran bir Rus! Bakalım daha nelerle karşılaşacaktı. Adamın oyununu oynamaya karar verdi.

– Tanrıların yıldırımını çalan adam mı?

Yeni bir sırıtma, yine perçem itme. Kamil Diane'ın çürüklerini, sargılarını bile görmemiş gibiydi; onun dünyasına ait değildi böylesi görüntüler.

– Eski Yunan döneminde, bu dedikleriniz bir efsaneydi. Artık değil. İnsanlar gerçekten yıldızların sırlarını çalmaya çalışıyor. TK 17'nin arşivleri, kentin güneyindeki Kurçatov Enstitüsü'nde. Arabamın deposunu doldurun, sizi oraya götüreyim.

Diane ışıl ışıl gülümsedi. Kamil çoktan dönmüş, ışığa boğulmuş döner kapıya yönelmişti. Diane parkasını giyerek adamın peşine takıldı. İçindeki neşeyi bastırmayı beceremiyordu bir türlü. Emindi, hissediyordu; Moskova yolculuğu verimli olacaktı.

Kırk beşinci kısım

Kamil motorunu son gücüne kadar sömürdüğü kırık dö-
kük bir Renault 5 kullanıyordu. Birkaç virajdan sonra, sekiz
şeritli geniş bir bulvara çıktı. Diane bir gece önce geçtiği ki-
liseler ve sisler mahallesini hatırladı. Şimdi gördüklerinin
onlarla bir ilgisi yoktu. Bulvarın iki yanında, bir hizaya gir-
miş, cepheleri cam kaplı dörtgen bloklar, gerçek gökdelenler
sonsuza dek uzanıp gidiyordu.

Nehri geçip, arabaların vızıldadığı büyük bir meydana
vardılar. Dev binaların yerini, güneşin ışıklarını sadece ken-
di üzüntülerini beslemek için yutuyora benzeyen soluk
renkli yatakhane mahalleler almıştı. Gazinoları, mermer
cepheli garı ve Dinamo Stadı'nı geçtiler. Yaya yollarının bağ-
landığı başka bir caddeye saptılar.

Diane hayranlıkla kalabalığı izliyordu. Her malzemeden,
her renkten şapka dereleri, kalpak nehirleri, eşarp, kalkık
yakalı ceket selleri: yün, post, deri, kürk... Buğulanmış cam-
ların ötesindeki bu renk cümbüşü, soğuktan billurlaşmışça-
sına, belirginleşiyor, titreşiyordu. Moskovalıların tipik so-
murtkan yüzlerini, üzgün görünüşlerini arıyor, ama eski ha-
tırladıklarından en ufak bir ize rastlayamıyordu. Tam tersi-
ne, bu kalabalığın arasında, canlandırıcı bir dürtü duyuyor-
du. Tıpkı daha doldurulmadan önce bile, bir sarhoşluk
umudu veren o küçük buzlu kadehlerin tattırdığı soğuk ve
neşe hissi gibi bir şey.

Kamil gözlerini yoldan ayırmadan sordu:

– TK 17 konusunda neler biliyorsunuz?

– Hiçbir şey ya da ona yakın, diye itiraf etti Diane. SSCB'nin en büyük termonükleer fırını olduğunu. Sovyetler'in bir süre sonra atom parçalama tekniğinin yerine koymayı düşündükleri bir teknoloji. Ünitenin 1972'de kapandığını, kapanmadan önce Eugen Talikh adında, seksenli yıllarda, Batı'ya geçmiş Asya kökenli bir fizikçi tarafından yönetildiğini de biliyorum.

Genç fizikçi bir an bıyığını sıvazladı.

– Bütün bunlar sizi neden ilgilendiriyor?

Diane bir şeyler uydurdu:

– Sovyet biliminin kalıntıları üzerine bir röportaj hazırlıyorum. Tokamaklar hem fazla bilinmeyen bir alan hem de...

– Neden TK 17?

Hazırlıksız yakalandığını anlayıp, düşündü. Aklına ilk gelen, fotoğrafta gördüğü, şapkasıyla bütünleşmiş o küçük adam oldu.

– Beni asıl ilgilendiren, Eugen Talikh, dedi. O dönem bilim adamlarının bir örneği olarak, portresini çizmek istiyorum.

Rus çevre yoluna saptı. Kapkara egzoz dumanları, kamyonların ve otomobillerin kirli renkleri, güneşin altındayken bir gece öncekinden de iç karartıcı görünüyordu. Kamil cevap verdi; aksansız Fransızcası olağanüstüydü:

– Bana kalırsa Talikh genel Rus görüntüsünden çok farklı. Tek başına, Asya halklarının Sovyet İmparatorluğu'na karşı zaferini temsil ediyordu. Tüm komünizm tarihinde, buna benzer başka bir örnek yok. Belki ilk Moğol kozmonotu Jugdermidiin Gurragça'yı sayabiliriz ama, o da 1981'deydi, devir değişmişti...

– Talikh'in kökeni ne?

– Ama... Talikh Tseven'dir.

Diane doğruldu:

– Yani tokamakın bulunduğu bölgede doğduğunu mu söylüyorsunuz?

Genç Rus yarı kızgınlık, yarı neşe karışımı bir soluk aldı.

– Anlaşılan, işe en başından başlamak gerekecek.

Soluğunu boşaltıp, söze girişti:

– Stalin'in baskısı otuzlu yıllarda Sibirya sınırına Moğolistan topraklarına kadar ulaştı. Amaç, Kremlin'in iktidar yolunu güçleştirebilecek her türlü engeli kaldırmaktı. Lamalar, büyük sürü sahipleri, milliyetçiler tutuklandı. Moğollar 1932 yılında ayaklandı. Sovyet ordusu, zırhlıların ve tankların da yardımıyla, ayaklanmayı bastırdı. Atlı Moğolların elinde tüfek ve sopadan başka silah yoktu. Kırk bine yakın adam öldürüldü. Geriye öndersiz, amaçsız, dinsiz bir halk kaldı. 1942 yılında Sovyetler bir kanun çıkararak, Rus dilini ve Kiril alfabesini zorunlu kıldılar. O dönemden sonra, steplerin ve tayganın tüm çocukları okula gönderildi. Projenin amacı, Moğolları ve çevrelerindeki etnik grupları eriterek, büyük Rus halkıyla bütünleştirmekti. İşte ellili yılların sonunda, Moğolistan'ın en kuzey noktasındaki Tsagaan-Nuurlu çocuklardan biri de böylelikle Ulan-Bator'a, okula gönderilir. On iki yaşındadır, bir Rus gibi, Eugen Talikh adını taşımaktadır. Daha hemen başlangıçta, olağanüstü yetenekli olduğunu gösterir. Komünist gençlik örgütü Komsomol'a üye olur, fen fakültesinin matematik bölümüne yazılır. On yedi yaşındayken, fizik ve astrofiziğe yönelir. İki yıl sonra, trityumun termonükleer füzyonu konulu bir doktora tezi hazırlar ve SSCB'nin en genç fen doktoru olur.

Diane bir yandan da atomun çocuğu olduğunu kanıtlayan bu orman çocuğuna karşı bir sıcaklık duydu. Kamil anlatmaya devam ediyordu:

– Bu dâhi doktoru 1965 yılında, Tomsk yakınlarındaki TK 8'e gönderirler. O dönemde yapılan füzyon denemelerinde bir hidrojen izotopu olan döteryum kullanılmakta, ama trityumun daha iyi sonuç vereceği düşünülmektedir. Bu da Talikh'in uzmanlık alanıdır. İki yıl sonra, çok önemli bir yere atanır; dünyadaki en büyük termonükleer fırının bulunduğu TK 17 şantiyesine. Başlangıçta makinenin tasarımı ve ayarlarıyla uğraşan ana ekibe alınır, sonra, 1968'de, bizzat kendi deneylerini gerçekleştirmeye başlar. Sakın unutmayın; bu dönemde, henüz yirmi dört yaşındadır.

Rus, otoyolda, kestirilmesi imkânsız bir yönde ilerliyordu. Diane yanından Kiril alfabesiyle yazılmış yol işaretlerinin akıp gittiğini görüyordu. Tüm dikkatini genç fizikçiye vermek niyetindeydi. Saldırgan görüntüsünün gerisinde, Kamil'in de tutkusunu onunla paylaşmaktan mutluluk duyduğuna emindi.

– En inanılmaz olanı, laboratuvarın Talikh'in doğum yerinin, Tsagaan-Nuur'un ortasında kurulması.

– Neden orada?

– Rusların bir başka önlemi. Batılılar hiçbir haritada görülmeyen, ama Novosibirsk gibi milyonlarca kişiyi barındıran sanayi ve askerî kentleri, gizli araştırma merkezlerini keşfetmeye başlamıştı. Moğolistan'da bir laboratuvar kurmak, tüm bakışlardan, tüm meraklılardan kurtulmanın en iyi yolu olarak görüldü. Kısacası, göçebe çocuğu Talikh, büyük patron kıyafetiyle memleketine döndü. Bir anda, halkının kahramanı oluverdi.

Şimdi artık asfaltı bozulmuş, birbirini izleyen sert kışların donuyla çatlamış bir yolda ilerliyorlardı. Göz alabildiğince, kendi karıklarına büzülmüş gibi yatan kapkara tarlalar uzanıyordu. Ara sıra, parlak renkli eşarplarıyla, beklenmedik çiçekler gibi kadınlar görünüveriyordu. Kamil birden toprak bir yola saptı. Diane altın işlemeli bir parmaklık görünce, şaşırdı. Parmaklığın öte yanında, nispeten bakımlı çimenler, yollar görünüyordu. İçeride de XIX. yüzyıldan kalma, geniş bir saray. Komünizm sonrası Rusya'da böylesi bir mimarîyle karşılaşmayı hiç düşünmemişti.

– Böyle bakmayın, dedi Kamil arabasını çakıl taşı kaplı avluda durdururken. Sovyetler her şeyi yıkmadılar.

Önünde durdukları gerçek bir şato değil, beyaz taş çerçeveli pencereleriyle, sütunlu kemerleriyle, mermer süslemeleriyle, yuvarlak damlı dar kuleleriyle bir av köşküydü daha çok. Birkaç basamak tırmanıp açık renk taşlı terasa vardılar. Solda, çıkıntıdaki nöbet yerinde, üniformalı bir adam vardı. Kamil adama belli belirsiz bir selam verdi, sonra da avlunun camlı kapılarından birini açtı; kendi anahtarıyla.

Altıgen biçimli geniş hol, mermer kaplıydı. Tavanda da pırıl pırıl kristal bir avize. Solda, birinci kata çıkan geniş bir döner merdiven görünüyordu. Yukarıda, aralık kapılardan, sanayi şantiyelerini gösteren siyah beyaz fotoğraflar görünüyordu. Bir de, Venüs heykelleri gibi kaideler üzerine oturtulmuş, bakırı parlatılmış türbinler. Diane birinci katın, denetimli füzyon müzesine ev sahipliği yaptığını düşündü.

Kamil hiç tereddütsüz sağa döndü. Her biri lambriler ve

heykeller dolu, çatlak duvarlı salonlardan geçtiler. Diane bir zamanlar genç konteslerin mendillerini unuttukları çıkıntılara, prenslerin kelebek tokalarını bıraktıkları koltuklara baktı...

Kamil anorağına gömülmüş, hâlâ yürümeye devam ediyordu. İyi bildiği bir evde, sahipleri tarafından terk edilmiş genç bir kediye benziyordu. Dar bir merdivenden indiler. Soğuk birden arttı. Aşağıda, asma kilitli bir parmaklık tüm alanı kapıyordu. Onun ötesinde, belgelerle dolu metal rafların böldüğü, loşlukta uzayıp kaybolan kemerli bir oda. Kamil parmaklığı açarken mırıldandı:

– Kâğıdın korunması için gerekli mikroiklimi sağlamaya özen gösteriyorlar. On yedi derecelik ısı. Yüzde elli nem. Çok önemli.

Hafif bir ışık veren tavandaki lambayı yaktı. Gri dosyalardan binlerce vardı herhalde. Etajerlerin üzerinde. Metal dolapların içinde. Yerde. Bir de yaldızlı ciltleri loşlukta parlayan kitap dizileri. Desteler halinde bağlanmış eski gazeteler, kemerlere doğru yükseliyordu.

Biraz daha yürüyüp, son odaya vardılar. Kamil el yordamıyla elektrik düğmesini aradı. Eflatun renkli, gerçekdışı bir aydınlık, görüntüyü gözler önüne serdi: bir hizada sıralanmış, formika kaplı kürsülerle dolu, penceresiz bir oda. Genç fizikçi fısıltısıyla, "Burada bekleyin" dedi.

Kayboldu, kısa süre sonra kucağında koca bir karton kutuyla görünüp, elindekini bir masanın üzerine bıraktı. Kurdelelerle bağlı, küflü birkaç dosya çıkardı. Dosyaları açtı, kâğıtlardan yükselen toza aldırmaksızın sayfaları beceriyle çevirdi. Diane gözlerinin önünden küçük zaman dilimlerinin hızla geçtiğini hissetti.

Kamil sonunda Diane'a siyah beyaz bir fotoğraf uzatıp gururla konuştu:

– TK 17'nin, yıldızlara erişme makinesinin havadan çekilmiş ilk fotoğrafı.

Kırk altıncı kısım

Bir çember.

Kayalıkların eteğinde, çevresi yaklaşık yüz metre, taştan dev bir çember. Çevresindeki daha ufak yapıların ormana kadar dağınık şekilde yayılarak oluşturduğu gri ve geometrik bir site. Sitenin kuzeydoğusunda, dağın yamaçlarından yuvarlanarak akan çağlayanların hemen yanında kurulu elektrik santralının yüksek türbinleri seçiliyordu. Kamil sordu:

– Nasıl işlediğini biliyor musunuz?

– Söylemiştim; hiç bilmiyorum.

Fizikçi kıkırdadı, sonra işaret parmağıyla beton halkayı gösterdi:

– Bu halkanın içinde, doğrudan bu gördüğünüz elektrik santralından beslenen bir vakum odası vardı. Dev gibi bir kısa devre ya da kendi kuyruğunu ısıran bir elektrik kablosunu düşünürseniz, tokamak hakkında bir fikriniz olur. Manyetik arklarla dağıtılan, milyonlarca amperlik güce sahip akım geliyor, devreyi saniyenin çok küçük bir bölümü kadar sürede on milyon derecenin üstünde ısılara çıkarıyordu. O zaman araştırmacılar trityum atomlarından oluşan bir gaz karışımı katıyorlardı. Atomlar hemen hareketleniyor, vakum odasının içinde, ışığınkine yaklaşan bir hızla koşmaya başlıyordu. Mucize de o zaman gerçekleşiyordu; elektronlar çekirdekten ayrılıp, maddenin beşinci haline, plazmaya dönüşüyordu. Isı daha da yükseliyor, ondan sonra da sıra ikinci mucizeye, trityum çekirdeklerinin birleşip helyum izotoplarına dönüşmesine geliyordu. Aslında, size söylediğim gibi, bu ancak bir kere gerçekleşti.

- Peki, bu deneyin amacı neydi?

- Bu atom değişiminin uzun vadede şimdiki nükleer santrallarımızın kat kat üzerinde bir enerji yaratması gerekiyordu. Üstelik, sadece deniz suyundan elde edilecek hammaddeler kullanarak. Ama Ruslar maalesef 1972'de burayı kapadılar, bir daha da bu teknolojiyle ilgilenmediler. Bayrağı Avrupalılar devraldı, ama hiç kimse bu alanda gerçekten kayda değer bir sonuç elde edemedi.

Diane tükürüğünü yutmaya çalıştı ama, boğazı tozdan kupkuruydu. Sordu:

- Ve... tehlikeli miydi? Yani, radyoaktif miydi, demek istiyorum?

- Salonun içinde, evet. Nötron bombardımanı, makineyi oluşturan kobalt gibi elementleri radyoaktif hale getiriyordu. Bu radyoaktivite de yıllarca sürebiliyordu. Ama onun ötesinde, hiçbir tehlike yoktu. Salonun kurşun ve kadmiyumdan yapılmış duvarları nötronları emiyordu.

Diane akupunkturcu Hekim Rolf van Kaen ile kaçak Psikolog Philippe Thomas'yı böyle bir ortamda çalışırken düşünemiyordu.

- Elimde, burada çalıştıklarını sandığım iki kişinin adı var. O dönemdeki ekiplerden birinde yer alıp almadıklarını öğrenebilir misiniz?

- Hiç sorun yok.

Diane adamların adlarını heceledi, uzmanlık alanlarını belirtti. Kamil listeleri karıştırdı. Kâğıtlar parmaklarının arasında parşömenmiş gibi akıp gidiyordu.

- Adları yok, dedi sonunda.

- Listeler tam mıdır?

- Evet. Eğer tokamakın içinde çalışmışlarsa, adları burada olmalı.

- Ne demek istiyorsunuz?

- TK 17 sitesi uçsuz bucaksızdı. Gerçek bir kent. Orada binlerce kişi çalışıyordu. Yardımcı işletmeler vardı.

Diane'ın beyninde bir ışık yandı.

- Nasıl işletmeler? Van Kaen'in ve Thomas'nın özellikleri

sitenin herhangi bir başka faaliyet alanına uyabilir miydi?

Kamil, badem gözlerinde muzipçe bir parıltıyla parmaklarını dosyalara vurdu.

– Bir akupunkturcu ile bir psikolog; öyleyse TK 17'nin en gizli biriminde çalışıyor olmalılar, parapsikolojiyle ilgilenen birimde.

– Ne?

– Burada bir de deneysel psikolojiyle ilgilenen bir bölüm vardı. Açıklanamayan duyular ve etkiler konusunda araştırmalar yapan bir bölüm. Telepati, kehanet, psikoloji yöntemiyle tedavi... O dönem Sovyetler Birliği'nde buna benzer bir sürü merkez vardı.

Diane'ın aklından bile geçirmediği, birden göz kamaştırıcı bir aydınlığa açılan bir kapı gibiydi duyduklan. Sordu:

– Bu laboratuvarlarda yürütülen deneylerin özü neydi?

Adam emin değilmişçesine dudak büktü.

– Tam olarak bilemiyorum. Bu, benim alanım değil. Sanırım psikologlar ile fizikçiler, örneğin hipnoz gibi değişik bilinç durumları yaratmak, böylelikle telepatik ilişki ya da manyetizma yoluyla iyileşme gibi psikolojik olgular gerçekleştirmek istiyorlardı. Bu olguları psikolojik olduğu kadar, manyetik ya da elektrik açısından da inceliyorlardı.

– Tokamakın yanı başında böyle bir laboratuvara neden ihtiyaç vardı?

Kamil gülmekten katıldı.

– Talikh yüzünden! Bu konuya tutkuyla bağlıydı. Kendisi bile, füzyonla ilgili çalışmaların yanı sıra, "biyoastronomi" olarak adlandırdığı bir konu üzerinde incelemeler yapıyordu. Yıldızların insan vücudu ve davranışları üzerindeki etkileri, falan...

– Astroloji gibi bir şey, yani?

– Biraz daha bilimsel olanı. Örneğin, beyin ile Güneş'in manyetik alanı arasında var olduğu iddia edilen etkileşimle ilgilenirdi. Söylenilenlere göre, Güneş hareketleri ile kazaların, intihar girişimlerinin kalp krizlerinin sayısı arasında istatistiksel anlamda bir ilişki varmış. Bana anlatılanlara inanabilirseniz, bizzat Talikh bile bazı gerçek yeteneklere sahipmiş. Güneş ya da Ay tutulmaları gibi yıldız hareketlerini önceden tahmin edebiliyormuş. Ama bana kalırsa, burada adamın mistik yanıyla ilgilenmiş oluyoruz. Ben kendi adıma böylesi hikâyelere inanmıyorum. Olsa olsa, gülüp geçebilirim ancak.

Oysa Diane gülmüyordu. Tam tersine, işin şimdiye kadar hiç kuşkulanmadığı bir yüzünü görmeye başlamıştı; nükleer füzyonun dâhi çocuğu Eugen Talikh, aynı zamanda açıklanamaz olaylarla yüklü bir şaman kültürünün ortasında yetişmiş bir Tseven, bir tayga çocuğuydu. Fizikçi olduğunda, bu olayları mantıklı açıdan inceleyebileceğini düşünmüştü O zaman da, akupunktur dehası Rolf van Kaen ya da telekinezi tutkunu Fransız sığınmacısı Philippe Thomas gibi, bu alanların en ünlü uzmanlarını çağırmıştı.

Diane gerçeğin can alıcı noktasına dokunmak üzere olduğundan emindi. Bu ipucunu izlemeli, böylesi bir projeye imkân veren koşulları incelemeliydi.

– Tam olarak anlayamadığım bir şey var, diye sürdürdü sözünü. Marksizm dönemi, mutlak pragmatizmin, materyalizmin çağı oldu. Kiliselerin kapatıldığı, tarihin en katı gerçekçiliğe dayandığı bir yüzyıl. Sovyet yetkilileri böylesi paranormal öyküleri nasıl ciddiye alırlar?

Kamil güvensizliğini göstermek için kaşlarını çattı.

– Parapsikoloji sizi bu denli ilgilendiriyor mu?

– Sovyet bilimiyle ilgili her şey ilgilendiriyor beni.

Fizikçi gevşer gibi oldu.

– Rusya ile parapsikoloji arasındaki ilişkilerden bir roman çıkar.

– Siz o romanın bir özetini anlatın.

Kamil eski kartonlara dayanıp daha da gevşedi. Lambalar keskin yüz çizgilerini eflatunumsu bir ışıkla aydınlatıyordu hâlâ.

– Haklısınız. Bir yanda, olabilecek en pragmatik, en mantıklı yüzyılı oluşturan komünizm, diğer yanda her zaman Rus olarak kalacak Ruslar. Ruhanî olan her şeyle derinleme ilgilenirler. Sadece dinle değil, atalardan kalma inançlarla, batıl korkularla da. Örneğin başlangıçtan beri Stalingrad zaferinin Volga bölgesinde özgür bırakılan şaman ruhlar sayesinde kazanıldığına inandılar. Aynı şekilde, uzayın fethinin, gök güçlerinin yardımıyla gerçekleştirildiğini düşündüler.

Genç adam kollarını kavuşturdu, kaderine boyun eğermiş gibi baktı.

– Bunun, halkın Asyalı yanıyla ilgili olduğunu söylerler. Nereden bakarsanız bakın, topraklarımızın büyük çoğunluğu, ruhların krallığı olan taygayla örtülü...

Diane araya girdi:

– İyi de, halk inançları ile araştırma laboratuvarları arasında epey fark var, değil mi?

– Doğru. Yine de parapsikoloji alanında ülkedeki bilimsel geleneği göz ardı etmemek gerekir. Şartlı refleksin babası, modern psikolojinin kurucusu, Nobel ödüllü İvan Petroviç Pavlov'un bizim vatandaşımız olduğunu unutmamak lazım. Daha yirmili yıllarda, enstitüsünde kehanetle ilgilenen bir bölüm vardı.

Kamil bu konuyla ilgili alay ve hayranlık karışımı bir duygu besliyor gibiydi. Sözünü sürdürdü:

– Kırklı yıllarda, Stalin'in kıyımları ile İkinci Dünya Savaşı böylesi araştırmaların köküne kibrit suyu döktü. Ne var ki parapsikoloji akımı, Rusların aklından hiçbir zaman çıkmamışçasına, Stalin'in ölümünden sonra yeniden canlandı. Size altmışlı yılların görüşünü çok iyi özetleyecek bir anekdot anlatacağım. Ülkemizin tarihini biliyor musunuz?

– Pek değil.

Kamil'in yüzü yeniden kuşkuyla gölgelendi.

– Komünist Parti'nin 1961 yılındaki yirmi ikinci kongresinden söz edildiğini de mi duymadınız?

– Hayır.

– Oysa çok ünlü bir kongredir. O yıl Nikita Hruşçev, Stalin'in cinayetlerini kamuoyu karşısında ilk kez açıkladı. Stalin'in belki de sanıldığı gibi bir rehber değil, cinayetler işleyen bir diktatör olduğunu söyledi. Stalin gözden düştü. Birkaç gün sonra da, mumyalanmış cesedi Lenin'in yanında istirahat ettiği mozoleden çıkarıldı.

– Bunun paranormallikle ne ilgisi var?

– Aynı kongrede bir kadın delege de söz aldı, Darya Lazurkina. Dünyanın en ciddi tavrıyla, bir gece önce rüyasına Lenin'in girdiğini, Stalin'le aynı çatı altında bulunmaktan üzüntü duyduğunu söylediğini anlattı. Lazurkina'nın sözleri partinin resmî tutanaklarına da yazıldı, emin olun onun söyledikleri Stalin'in mumyasının Lenin'in kabrinden çıka-

rılmasında en az Hruşçev'in suçlamaları kadar etkili oldu.
Ruslar böyledir işte. Ölü bir adamın yaşlı bir kadının rüyasına girip yakınması, kimseye inanılmaz gelmedi; bana kalırsa, Lenin bir bakıma kongreye katılmış oldu.

Diane partinin bu ayinsel resimlerini görmüştü; komünist delegelerin, dönemin en güçlü ülkelerinden birinin efendilerinin yer aldığı, basamak basamak yükselen dev bir salon. Basit bir rüyanın parti komiserlerinin gözünde böylesine önemli görünmesi Diane'ı rahatsız etmişti. Demek insan bilincinin bir köşesinde, sönmeden yanan karanlık bir ışık vardı. İktidar korkusunun altında, hep başka bir korku bulunuyordu: evren korkusu, bilinmezin, Sibirya taygasının ötesinden Rusları gözetleyen ruhların yaydığı korku.

– Devam edin, dedi soluk soluğa.

– O günden sonra önce psikoloji, onun izinden de parapsikoloji akımı yeniden güçlendi. Ülkenin her yerinde laboratuvarlar açıldı. Bunların içinde en önemlileri, düşler aracılığıyla psikolojik olayların incelendiği Leningrad Nöroşirurji Enstitüsü ile araştırmacıların telepati ya da telekinezi gibi olayları açıklayacak psikolojik özellikleri inceledikleri Harkov Psikiyatri ve Nöroloji Enstitüsü'ydü. Bir de Novosibirsk'te, bilim adamlarının bir nükleer denizaltının mürettebatı üzerinde telepatik deneyler yaptıkları Sibirya Bilim Akademisi'nin 8 numaralı bölümü. Samimi olmak gerekirse, bunlardan hiçbiri pek ciddi çalışmalar değildi.

Diane soruşturmasıyla ilgili konuya döndü:

– TK 17'nin bu alandaki faaliyetleri hakkında ne biliyorsunuz?

– Bu konuda ne bir şey okudum ne de duydum. Ünite hakkında ne bir satır ne de tek bir sözcük var.

– Bu sessizliği nasıl açıklıyorsunuz?

Kamil omuzlarını silkti.

– Aslına bakarsanız, sessizlik her biçimde açıklanabilir. Ya araştırmacılar hiçbir şey, rapor yazacak kadarını bile bulamamışlardır. Ya da tam tersine, çok önemli buluşlar yapmışlardır. Saklanması gerekecek buluşlar.

Diane sorunun cevabını bildiğini anladı. Evet, o laboratuvarda çok önemli bir şey bulunmuştu. Sadece psikolojik yetenekleri belirlemekle kalmayan, aynı zamanda da bu yetenekleri geliştirmeye imkân tanıyan bir şey.

Son birkaç haftasını dolduran dâhileri unutmamıştı. Geleneksel tıbbın ölüme terk ettiği çocuğu kurtaran bir akupunkturcu. Sadece akıl gücüyle metal bir halkayı açan bir psikolog. Şimdi de kozmik olayları tahmin edebilecek bir yeteneğe sahip olan Eugen Talikh. Bütün bu kişilerin 1969 ve 1972 arasında laboratuvarlarında insanın bilinmeyen güçlerini açığa çıkaracak ve denetim altına alacak bir yöntem bulmuş olduklarına inanmamak mümkün olabilir mi? Otuz yıldan beri bu korkunç sırrı paylaştıklarına inanmamak?

Şimdi artık Lucien'ın parmaklarına kazılı 20 ekim 1999 tarihini düşünüyordu. Bu kez emindi. O adamlar tokamakta buluşmaya karar vermişti. Bu buluşma da yeni gizemle, paranormal güç edinilmesiyle ilgiliydi.

Diane saatinin üzerindeki takvime baktı; 15 ekim. Buluşmanın amacını öğrenmenin tek bir yolu vardı. Kendini sorarken duydu:

– Beni havaalanına bırakmanız mümkün mü?

Kırk yedinci kısım

Moskova'dan Ulan-Bator'a, Moğolistan Halk Cumhuriyeti'nin başkentine gitmek için doğuya doğru sekiz bin kilometre yol almak gerekiyordu. Uçuş gece yapılıyor ve sadece Batı Sibirya'da, Tomsk kentine iniliyordu. Tüm yolculuk boyunca, aşağıda hep aynı manzara vardı: orman. Zaman zaman seyrek korular, bazen de balta girmemiş, donmuş cangıllar halinde uzanan kavak, kayın, karaağaç, çam ve karaçam sonsuzluğu. Diane, Claude Andreas'ın haritasını, haritanın bitmek tükenmek bilmez tekrenkliliğini hatırladı. Tayga: Moğolistan yakınlarından başka bir sonsuzluğa, steplere açılan, kıta büyüklüğünde bir örtü.

Kamil yolculuk hakkında elle tutulur bir bilgi verememişti Diane'a; çünkü Moğolistan'a hiç ayak basmamıştı. TK 17 hakkındaki bilgileri teorik olmaktan öteye geçemiyor, bu nedenle de Diane'ın kararlılığına hayran olmaktan geri durmuyordu. Şeremetyevo'da biletlerle ilgilenmeyi öneren de Kamil'di.

Diane elindekilerin listesini yapıyor bir taraftan da havaalanının en büyük butiğinden kendine kalın giysiler seçiyordu. Aynanın karşısında, içi kürk kaplı bir şapkayı denerken, çürüklerinin küçülmekte olduğunu gördü. Kendini güçlü, gergin, gençleşmiş hissediyordu. Aslında, kendi projesinden başı dönmüş gibiydi. Bu sarhoşluk, atıldığı maceranın gerçek tehlikelerini görmesini engellediği için tehlikeliydi.

– Süper.

Aynada, Kamil'in badem gözleri göründü. Fizikçi, Diane'ın, kürk siperliği altındaki asi saçlarla çevrili yüzüne hayran olmuşa benziyordu. İzleri, kabuk bağlayan yaraları sargıları görmemiş gibi. Bir deste soluk mavi banknot uzatıp, ekledi:

– Fazla oyalanmamanız gerek. Son Tomsk uçağı kırk dakika sonra havalanacak.

Kamil Diane'ın yanında biniş bölümüne geçti. Yol arkadaşlarını görünce, genç kadının içini dehşet kapladı; yolcular ölü gibiydi. Ellerini valizlerinin üzerinde kenetlemişler, hareketsiz oturuyorlar, arada sırada dışarıda manevra yapan uçağa, kadere boyun eğer gibi bakıyorlardı.

– Neden böylesine somurtuyorlar? diye sordu Diane.

– Onlar için Moğolistan, bir bakıma dünyanın sonu demek.

– Neden?

Kamil yine gülümseyen bıyıklarının aksi yönünde kaşlarını çattı.

– Diane, Moğolistan Sibirya bile değil. Hem daha uzak, hem de orada Rus idaresi yok. Ulan-Bator'da insanları yalnızlık, soğuk, yoksulluk bekliyor; bir de nefret. Ülke yüz yıla yakın bir süre Sovyet sömürgesi olarak kaldı. Moğollar bugün artık bağımsız ve bizden dünyada hiçbir şeyden nefret etmedikleri kadar nefret ediyorlar.

Diane biniş bankosunun önünden geçip uçağa yönelen kalabalığı inceledi; bitkin gölgeler, sorunlu göç yüzleri. Bir ayrıntı dikkatini çekti.

– Yolcular arasında neden hiç Moğol yok?

– Moğolların kendi uçak şirketleri var. Aeroflot'la yolculuk etmektense, kollarını kesmeye razılar. Nefret. Bunun ne demek olduğunu bilir misiniz?

Diane bitkince gülümsedi.

– İyiye işaret.

– Hoşça kalın, Diane. Ve cesaretli olun.

Birkaç saniye sonra bu genç kedinin yitip gideceğine, yeniden yalnız kalacağına kendini bir türlü inandıramıyordu. Gözünün önüne getiremeyeceği derecede yalnız. Adam topuklarının üzerinde dönerek seslendi:

– Hem unutmayın; tanrılar taklit edilmekten hoşlanmazlar.

Eski Tupolev bir tren gibi zangırdıyordu. Diane kendini gece uçuşunun o yabancı uyuşukluğuna bıraktı. Uçağın rahatsızlığına, yemek niyetine dağıtılan bisküvi kırıntılarına, sönen, gerektiğinde yanmak istemeyen lambalara aldırmıyor, titreyen uçağı dolduran soğuğu duymuyordu.

Tomsk'ta uçaktan indirildiler, sonra da karanlıkta, pistin bitimindeki depoya götürüldüler. Bulundukları yer, salgın hastalıklara karşı tecrit edilecekleri bir karantinayı andırıyordu. Tek bir kelime etmeksizin, duvarlara dayanmış sıralara oturdular. Çıplak tek ampulün ışığında, duvarlara asılmış dev gibi siyah beyaz fotoğraflar gördü Diane. Ellerinde kazmalar, görkemli bir görüntü oluşturan madenciler. Kanyona benzer maden vadileri. Direk ve kablolarla kaplı, elektrik santralları. Fotoğrafın kendisini bile maden posası ve kömürden yapılmış gibi gösteren, bir planlama ve üretim düşü.

Saatine baktı; Moskova'da gecenin onu, Ulan-Bator'da sabahın üçü. Ama burada, Tomsk'ta saat kaçtı? Yanındakilere dönüp, İngilizce sordu. İngilizce konuşan yoktu. Öteki yolcuların yanına gitti. Ruslar yüzlerini yakalarının arasından çıkarmadılar bile. Sonunda bir ihtiyar, yarım yamalak bir İngilizce'yle cevap verdi:

– Tomsk saat kim ilgilendirmek?

– Beni ilgilendiriyor. Nerede olduğumu bilmek istiyorum.

İhtiyar bakışlarını indirdi, bir daha da kaldırmadı. Diane madencilerin fotoğrafı üzerinde kendi uzun, geniş gölgesini gördü. Gidip yerine oturduğunda, yüreğinde sanki göğsüne bir taş çarpmış gibi keskin bir sızı duydu.

Gözlerinin önüne Patrick Langlois'nın görüntüsü gelmişti. Siyah, canlı gözleri. Gümüş rengi saçları. Tertemiz elbiselerinin kokusu. Diane yasa boğuldu. Bu sınırsız topraklarda kendini yalnız, kaybolmuş, ne yapacağını bilmez hissediyordu. Daha da önemlisi, kendi içinde kaybolmuş...

Ağlamak istiyordu. Kusar gibi ağlamak. O adamın kendisini sevebileceğini düşünmek, ölümünü iki kat daha saçma, iki kat daha gereksiz kılıyordu. Çünkü polis komiseri yaşasaydı, Diane'ın imkânsızlıkların kadını olduğunu er geç görecekti. İstekleri Diane'ın üzerinden, suyun bir benzin birikintisinin üzerinde kaydığı gibi, akıp gidecekti. Arzusuna hiçbir zaman cevap veremeyecekti. Diane'ın arzusu asla belli bir yere yönelmeyecekti. O arzu, derisinin altında koşan, çıkacak delik bulamayan öfkeli bir hayvan, bir yer altı ateşi gibiydi.

Diane saatine, hiçliğin ortasında dönen akrep ile yelkovana baktı. "Detektif Alice'çilik oynamaya kalkmayın" demişti komiser. Bir tebessüm, gözyaşlarını engelledi. Diane artık bir Alice değildi. Detektif bile değildi.

Sadece, saat dilimleri ormanının ortasında yolunu kaybetmiş genç bir kadındı.

Canavar kıtaya varmak için, yola düşme zamanı.

Kırk sekizinci kısım

Onu uyandıran, ışık oldu.

Koltuğunda doğruldu, elini uçağın camına dayadı. Ne zamandan beri uyuyordu? Uçağa biner binmez, yığılıp kalmıştı. Şimdiyse, şafak gözlerini kamaşıyordu. Gözlüğünü taktı, bakışlarını cama çevirdi. İşte o zaman, şafağın güçlü ışığı altında, muhtemelen dünyanın başka hiçbir yerinde rastlanmayan, Moğolistan toprakları üzerindeki son bulutlar da aşılınca her yolcunun yüreğini dağlayan stepleri gördü.

Eğer yeşil renk alev alabilse, ancak bu kadar ışık saçabilirdi. Yemyeşil, titreşimli bir ateş. Ayrıkotlarının kapladığı karmakarışık topraktan fışkıran bir ışık. Ufka uzanan, buna karşın en küçük çatlağında, bir iç çekişin mahremiyetini taşıyan bir kor.

Güneş istediği kadar vursun, böylesi bir canlılığı asla solduramayacaktı.

Diane sonsuzluğun ayrıntılarını görebilmek için güneş gözlüklerini arandı. Tuhaf bir şeydi bu. Sanki bu otlak sonsuzluğunu uzun zamandır biliyor gibiydi. Hayranlık uyandırıcı yalnızlıklarında birdirbir oynayan bu tepeleri. Ufukla sonsuz bir buluşmaya doğru koşan, kendi kendilerinden sarhoş bu ova şenliğini.

Cama alnını değdirecek kadar yaklaştı. Uzaklığa, motorların bağırtısına rağmen, düşünceleri toprağın üzerine kadar uzanabiliyor, rüzgâr soluklandığında otlakların hışırtısını, böceklerin vızıltısını, doğanın sonsuz çıtırtısını duyabiliyordu. Evet, sesi duyulacak bir topraktı bu. Deniz kabukluları gibi. Yüzeyindeki farklılıkların sezilebileceği, sonra da kısa yeleli atların dörtnala koşma seslerinin duyulabileceği bir toprak. Kim bilir, belki de daha derinde, dünyanın sessiz yüreğinin duyulabileceği bir toprak.

Ulan-Bator havaalanı bavulların tebeşirle işaretlendiği, gidiş ve geliş bölümlerinde alanın tek bilgisayarının kurulduğu tahta bir masadan başka eşyası bulunmayan, beton bir binaydı. Diane camların ötesinde, birkaç otomobilin arasında, ilk atlıları seçebiliyordu. Hepsi de rengârenk, ipek kuşaklı geleneksel giysilerini giymişlerdi.

Diane'ın bundan sonra ne yapacağı konusunda en ufak bir fikri yoktu. Zaman kazanmak için, öteki yolcuları taklit etti, bir bilgi formu aldı. Formu ayakta dolduracağını düşünerek, duvara yaslandı. İşte o zaman formun tepesinde, daha önce hiç düşünmediği bir gerçeği hatırlatan birkaç İngilizce sözcük gördü.

Arkasından bir ses duydu:

– Siz Diane Thiberge misiniz?

İrkildi. Genç bir Batılı gülümseyerek bakıyordu. Üzerinde İngiliz yapımı bir parka, kadife bir avcı pantolonu ve yüksek konçlu ayakkabılar vardı. Diane, "Polis olamaz" diye düşündü, "burada hiç olamaz."

Adamı inceleyebilmek için, bir adım geriledi. Bebek gibi bir yüzü, dalgalı kahverengi saçları, çok ince altın çerçeveli gözlüğü ve bronz tenini daha da belirginleştiren üç günlük bir sakalı vardı. Sakala rağmen yüz hatlarından, o kahverengi ciltten, kusursuz elbiselerden Diane'ın hemen kıskandığı bir düzenlilik, bir temizlik yayılıyordu; çünkü kendisinin hep soluk yüzlü olduğunu, kötü giyindiğini düşünürdü.

Adam yumuşacık bir ses ve belli belirsiz bir aksanla kendini tanıttı:

– Giovanni Santis. İtalyan Büyükelçiliği'nde ataşe. Bütün Avrupalıları karşılamayı alışkanlık haline getirdim. Adınızı geliş bilgisayarında okuyup...

– Benden ne istiyorsunuz?

Genç kadının saldırganlığına şaşırmış gibiydi.

– Ama... Size yardım etmek, bilgi vermek, rehberlik yapmak, dedi. Burası pek kolay bir ülke olmadığı gibi...

– Teşekkürler. Başımın çaresine bakarım.

Diane yeniden formu doldurmaya koyuldu, bir taraftan da göz ucuyla adamı izliyordu. Santis, yumuşak bir ifadeyle ısrar etti:

– Hiçbir şeye ihtiyacınız olmadığından emin misiniz?

– Teşekkürler. Programım bütün ayrıntılarına kadar hazırlandı. Hiçbir sorun yok.

– Otel? diye sordu İtalyan. Bir tercüman?

Diane döndü, adamın sözünü kesti:

– Bana gerçekten yardım etmek istiyor musunuz?

Giovanni, Venedikli bir soylu gibi eğildi. Diane öfkeli bir hareketle bilgi formunu uzattı:

– Öyleyse dinleyin; bu ülkeye giriş vizem yok.

İtalyan'ın gözleri gerçek bir dehşetle açıldı.

– Vizeniz mi yok? diye tekrarladı.

Kaşları daha da kalktı, havada asılı iki kubbeye dönüştü. Bu öylesine masum, öylesine yoğun bir şaşkınlıktı ki, Diane bir kahkaha attı. Bu kusursuz yüz ifadesinin gelecekteki ilişkilerinin doğasını belirlediğini anlamıştı.

Kırk dokuzuncu kısım

Giovanni, Ulan-Bator'a giden dümdüz boşlukta, arabayı son sürat kullanıyordu. Diane'ın vize sorununu bir saatten az bir sürede çözmeyi başarmıştı. İşte o zaman anlamıştı Diane karşısındakinin nasıl biri olduğunu: bir evrak kralı, Moğolca'yı da en az İtalyanca ya da Fransızca kadar kolay konuşan biri. Bundan böyle -ani gelen bir konuk olarak- İtalyan Büyükelçiliği'nin sorumluluğundaydı, bu durumdan da oldukça memnundu. En azından, şimdilik.

Otomobilin camını indirip başını dışarı çıkardı. Yolun beyaz tozu boğazını kurutuyordu. Rüzgârın hızıyla dudaklarının çatladığını, derisinin kuruduğunu hissetti. Uzakta, bir termik santralın iki dev bacasının gölgesinde, bir kalkan kadar gri ve düz kent seçiliyordu.

Diane gözlerini yumdu, kuru havayı ciğerlerine doldurdu. Arabanın gürültüsünü bastırabilmek için, haykırdı:

– Hava, havayı hissediyor musunuz?

– Ne var?

– Çok... çok kuru.

Giovanni, boynu parkasına gömülü, güldü. Cevap olarak bağırdı:

– Daha önce hiç Orta Asya'da bulunmadınız mı?

– Hiç.

– En yakın deniz, üç bin kilometreden de uzak olmalı. Burada ısı farklarını yumuşatacak ne bir nemli rüzgâr ne de alize vardır. Kışın ısı eksi ellilere kadar düşer. Yazları da kırk derecedir. Bir gün içinde, kırk derecelik fark yaşanabilir. Tam bir kara iklimi bu, Diane. Hiçbir sürprizi olmayan, katı ve saf bir iklim.

Keyifli bir kahkaha patlattı:

– Moğolistan'a hoş geldiniz!

Diane yeniden gözlerini yumdu, dar ve bozuk yolda otomobil bir beşik gibi sallandı. Gözlerini açtığında, kente giriyorlardı. Ulan-Bator ustura kadar ince camlı dev binaların sıralandığı, bazıları asfaltlanmış, çoğu toprak, geniş caddelerin böldüğü bilindik bir Stalin kentiydi. Koca yapıların gölgesinde kalmış yeknesak ve iç karartıcı küçük ev kümeleri geri kalan toprakları paylaşır gibiydi. Hemen her şey, yönetim için ululuk ve güç, insanlar için simetri ve tekrar olarak bilinen sosyalist kentleşmenin yüce prensiplerini aynı anda uygulamakta acelesi olan mimarlarca bir kerede tasarlanmış, çizilmiş ve yapılmış gibiydi.

Oysa sokaklarda yürüyen halk bu evrensel projeyi yalanlar görünüyordu. İnsanların çoğu Giovanni'nin geleneksel *deel* olarak adlandırdığı çapraz düğmeli, kumaş bir kuşakla tutturulan kalın kaftanlar giyiyordu. Kimileri de Japon otomobillerin ya da çağı şaşırmışa benzeyen bir avuç siyah Çayka'nın ortasında, at sırtında ilerliyordu. Bu çelişki ülkenin kaçınılmaz düellosunun, Stalin ile Cengiz Han arasındaki bilek güreşinin habercisiydi. Ve duvarlardaki çatlaklar ile elbiselerin pırıltısı karşılaştırıldığında, galibin kimliği konusunda kimsenin kuşkusu kalmıyordu.

Diane otoparkı bir sürü otobüsle dolu büyük bir otel gördü. Sordu:

– Burada durmayacak mıyız?

– Otele gitmiyoruz. Dolu. Bilmem ne kongresi varmış. Sakın endişelenmeyin, daha iyi bir önerim var; sizi kent çıkışındaki Gandan Budist Manastırı'na götüreceğim. Keşişlerin, Tanrı misafirlerini ağırlamak için hazır tuttukları konuk odaları var.

Birkaç dakika kadar sonra, eski kırmızı bir duvarla çevrili geniş bir beton blokun önüne vardılar. Kenarları kıvrık Çin modeli damının dışında, binanın dikkat çekici bir yanı yoktu. Oysa duvarın ardında her ayrıntı ötekinden de çekici görünüyordu. Taş duvarlar toprak rengi bir küfle kaplıydı. Betondan yapılmış basit bir düzlük olan avlu, yerde ateş gibi hışırdayan kuru yapraklarla örtülüydü. Kahverengi ve çatlak doğramalar gizemli çerçevelere benziyor, insana eğilme, manastırın sırlarına dalma isteği veriyordu. Görkemli ahşap kapıdan girildikten birkaç saniye sonra ise mekân, göz kamaştıran, yürekte parlak ve değerli bir toz bırakan altın bir beşiğe dönüşüyordu.

Diane birkaç adım ilerledi, solunda bir dua değirmeni gördü. Eksenleri üzerinde durmaksızın dönen dev dikey fıçılar. Bu değirmenlerin benzerlerini daha önce de Çin'de, Tibet sınırında görmüştü. İnananların yazıp attığı kâğıt parçalarının bu fıçılarda karıştırılması, çalkalanması, çevrilmesi düşüncesi bile onu büyülüyordu.

Keşişler göründü. Tayland'da, Ra-Nong'daki kafaları kazıtılıp parlatılmış Budistlere hiç benzemiyorlardı. Kırmızı abadan kaftan ve uçları kalkık deri çizmeler giymişlerdi. Giovanni'ye bakıp gülümserken bile doğal yabanîliklerinden, steplerde gereğinden de uzun zaman yalnız yaşamış atlı sertliğinden sıyrılmayı beceremiyorlardı. Sonunda İtalyan bir gözünü kırparak Diane'a her şeyin yolunda gittiğini belirtti.

Genç kadını, nihayet yalnızlığına tekrar kavuştuğu ahşap duvarlı küçük bir odaya yerleştirdiler. Giovanni, ülkenin kuzeyine gidebilmesi için gerekli izinlerle ilgileneceğine söz vermişti. Bu yüzden, yapmak istedikleriyle ilgili bazı açıklamalarda bulunması gerekmişti genç kadının. Bu kez, Sibirya'daki ve Moğolistan'daki Sovyet bilim merkezlerinden artakalanlar konusunda bir kitap hazırlamakta olduğunu söylemişti. Bu fikir İtalyan'ın da hoşuna gitmişti. "Anlıyorum" demişti Giovanni, "çağdaş arkeoloji." Hemen ardından da, genç kadına eşlik etmeyi önermişti. Diane önce reddetmiş, sonra da İtalyan'ın haklı olduğunu kabul etmek zorunda kalmıştı. Tek başına, tokamaka zamanında ulaşması hemen hemen imkânsızdı.

Öğleden sonra dörde doğru, manastırın avlusuna indi. Binanın önündeki düzlüğün sükûnetinin tadına varmak istiyordu. Çevredeki steplerden gelen yanık ot kokusu dışında bir koku yoktu. Sarı-kahverengi duvarların üzerinden aşıp kendisine kadar ulaşan uzak dörtnalların gümbürtüsünden başka ses de. Tuğla rengi kaftanlarına bürünmüş, verandanın gölgesinden geçip giden birkaç keşiş sayılmazsa, insan da yoktu.

Burada insanı hayrete düşüren bir gerçeklik, bir temizlik hâkimdi. Güneş. Soğuk. Tahta. Taş. Hepsi bu. Büyük dikey fıçılar usulca dönerken bazen inliyor, bu temiz duyguları bir beşik gibi sallıyordu. Diane gülümsedi. Burada her şey ona yabancıydı, ama yine de kızıl yapraklarla kaplı bu avlu, gölgeleri çekip uzatan bu güneş ona tuhaf bir biçimde bilindik geliyordu. İlkokulunun bahçesini, dünyanın gizemli dokusuyla temas kurabilmek için tüm dikkatini yoğunlaştırdığı maddesel ayrıntıları yeniden görür gibiydi. Bir zamanlar çocukluğunun teneffüslerinde onu avucuna alan bu sertlik ve yakınlık, soğukluk ve yumuşaklık karışımını burada yeniden bulmuştu.

Birden güvercinlerin telaşla uçuştuklarını duydu. Kanat çırpıntıları, Diane'ın içinde birdenbire açılan kâğıt bir pencere gibi yankılandı. O an onun için öylesine açık, öylesine yakındı ki, sanki kendi beklentisinden, kendi arzusundan fırlamış gibiydi.

Arkasında adım sesleri duydu.

Giovanni göründü, parkasının içine gömülmüş, elinin tersiyle sakalını sıvazlayarak. Adama bakmanın gerçekten tatlı bir yanı vardı. Diane gereğinden fazla şekerleme verilmiş küçük bir çocuğa benzetti onu. Ya da hafif aydınlatılmış, camekânının ardında renk renk pastaların sıralandığı İtalyan pastanelerine. Giovanni'nin bütün benliği insanı akşamın beşinde saran o yumuşaklığı, iştahı açıyordu...

Genç adamın harika birkaç kelime söylemesini diledi. O anın taşına kazılacak, kusursuz derecede doğru kelimeler. Oysa İtalyan elini karnının üzerine koyup sordu:

– Siz aç değil misiniz?

Ellinci kısım

Giovanni Diane'ı doğruca manastırın yemekhanesine götürdü. Dediğine bakılırsa, keşişler kentteki en iyi *booz*'u yapıyorlardı. Moğollara özel bir yemekti booz: koyun kıyması doldurulmuş mantı gibi bir şey. Genç İtalyan tüm öğleden sonra uğraşmış, gerekli izinleri alarak yolculuk hazırlıklarını tamamlamış, ertesi sabah erkenden yola çıkacak hale gelmelerini sağlamıştı. Zaman kazanmak için, manastırın birinci katındaki küçük odalardan birinde kalmaya karar vermişti. Açıklamalarını kesin bir tebessümle noktaladı; Diane'ı bir an bile yalnız bırakmamaya kararlı görünüyordu.

Diane'ın cevap vermeye hali bile yoktu. Giovanni'yle arasında oluşmaya başlayan yakınlık onu rahatsız ediyor, hatta sinirlendiriyordu. Patrick Langlois'nın varlığını daha derinden hissediyormuş gibi geliyordu ona; kalın sesi, kokusu, şakayla karışık hareketleri. İtalyan'ın bu denli yakınında olması eski duygularını canlandırıyor, bir bakıma anılarını kirletiyordu.

Yemekhanede ayrı bir masa seçmişler, Diane Giovanni'nin karşısına, biraz çaprazına oturmuştu. Hem birlikte yemek yemek hem de birbirlerinden daha uzakta oturmak mümkün değildi. Genç diplomat bir yorumda bulunmadı; Diane'ın gizemlerinden payına düşene razı görünüyordu. Elini booz tabağına daldırdı, iştahla mantıları yemeye koyuldu. Diane ise yemeğin aslını oluşturan koca yağlı parçalara dokunmadı, hamurlarıyla yetindi.

İtalyan durmaksızın konuşuyordu. Aslında, etnologdu. Seksenli yılların başında, komünist iktidarın Sibirya'daki etnik gruplara, özellikle de Tunguzlara ve Yakutlara karşı uyguladığı baskıyı konu alan bir tez yazmıştı. Daha sonra Kutup Dairesi'ndeki tundraya gitmeye kalkmış, ne var ki hareket emri bir türlü gelmemişti. Giovanni de o zaman diplomasiye yönelmiş, sonunda da kimsenin kabul etmediği bu Ulan-Bator görevini almıştı. Her zamanki heyecanıyla bu yeni toprağın etnik gruplarını incelemeye koyulmuştu.

Diane, Giovanni'nin açıklamalarını dalgınca dinledi. Onu asıl ilgilendiren, bambaşka bir ayrıntıydı; soluk lambaların aydınlattığı ıssız yemekhanede, onlardan başka biri daha yemek yiyordu. Batılı gibi görünen, güneş gözlüklü biri. Altmışında göstermesine rağmen, arkaya taralı nikotin sarısı saçları, hiçbir yaş tarifine uymuyordu. Giovanni bu dikkat çekici adamı görmemiş gibiydi. Tabaklarını itti, sırt çantasından diz üstü bilgisayarını çıkardı.

– Rotamızı bilgisayara kaydettim. Bir göz atmak ister miydiniz?

Diane masanın çevresini dönüp parlak ekrana eğildi. Ekranda Moğolistan Halk Cumhuriyeti'nin haritası görülüyordu. Bütün yer adları Kiril alfabesiyle yazılmıştı. Giovanni imleciyle boşluğun ortasına kara bir daire çizdi. "Buradayız." Sonra yukarıya doğru çapraz bir çizgi çekti, Rus sınırı yakınında, muhtemelen bir gölü işaret eden mavi bir noktaya vardı.

– Buraya gideceğiz. Tsagaan-Nuur'a. Beyaz Göl.

Çektiği çizgi neredeyse ekranın tümünü boydan boya geçiriyordu.

– Bu... bu kadar uzak mı? diye sordu Diane.

– Kuzeydoğuya doğru bin kilometre, evet. Önce, Mörön'e kadar uçakla gideceğiz. Sonra da, Tsagaan-Nuur'a gitmek için başka bir uçağa bineceğiz. Oradan sonra da, göle varmak için ren geyiği satın almamız gerekecek.

– Ren geyiği mi?

– Yol falan yok. Onun için hiçbir araç gideceğimiz yere ulaşamaz.

– İyi ama... neden at değil?

– Üç bin metre yüksekte bir geçitten geçmek zorundayız. O yükseklikler, tundra bölgesidir. Oralarda yosundan başka bir şey bitmez. Atların hayatta kalması imkânsız, yani.

Diane maceranın güçlüğünü görmeye başlamıştı. Sanki rahatlamak için, bir ayrıntı, tanıdık bir şey aradı. Gözleri masanın üzerindeki termosa takıldı. Çin çiçeği baskılı, kırmızı cilalı bir fıçıcık. Kendine yeni bir çay doldurdu, kızıl sıvının üzerinde yüzen kahverengi uzun yaprakları izledi. Sonra yine sordu:

– Ulan-Bator'dan Tsagaan-Nuur'a gitmemiz ne kadar sürer?

– Bütün bir gün. Tabiî ikinci uçağı kaçırmazsak.

– Ya sonra, göle varmak için?

– Yine bir gün.

– Gölden tokamaka?

– Sadece birkaç saat. Laboratuvar hemen yakında, Horidol Sarıdağları'nın birinci tepesinin hemen ötesinde.

Diane o uğursuz tarihi –20 ekim– hatırlayıp hesaba daldı. Ertesi gün, yani 17 ekimde yola çıkarlarsa, zamanında tokamakta olabilir, hatta oraya bir gün erken bile varabilirdi. Bir yudum çay içip, devam etti:

– Daha önce oraya hiç gittiniz mi?

– Oraya hiç kimse gitmedi ki! Seksenli yılların ortasına kadar yasak bölgeydi oraları, şimdi de...

– Tokamak hakkında neler biliyorsunuz? diye sordu.

Giovanni kararsızlıkla yüzünü buruşturdu.

– Pek bir şey bilmiyorum, diye cevap verdi. Anladığım kadarıyla, nükleer füzyon çalışmalarına ayrılmış bir yer. Daha fazlasını söyleyecek durumda değilim. Benim uzmanlık alanıma girmiyor.

– TK 17'nin bir parapsikoloji laboratuvarı da içerdiğini biliyor muydunuz?

– Hayır, ilk kez duyuyorum.

– O merkezle ilgili her şeyi öğrenmek istiyorum.

Giovanni birden düşüncelere daldı. Birkaç saniye sonra, mırıldandı:

– Bundan söz etmeniz tuhaf.

– Neden?

– Çünkü, doktora tezimi hazırlarken de bu çeşit laboratuvarlarla ilgilenmiştim.

Diane şaşırdı:

– Ben çalışmalarınızın Sibirya'daki etnik topluluklara uygulanan baskıyla sınırlı olduğunu sanıyordum.

– İyi ya işte.

– İyi ya işte, ne?

İtalyan bir sır verecekmiş gibi eğildi. Kara gözlüklü adama yan gözle gülümsedi:

– Slav casuslarına dikkat.

İki dirseğini masaya dayadı.

– Dinleyin, dedi. Tezimin bir bölümünü, ellili ve altmışlı yıllarda uygulanan dinî baskılara ayırdım. İnsanlar Hruşçev döneminin daha liberal olduğunu düşünür ama, din alanında bu düşünce tümüyle yanlıştır. Aslında baskı bütünüyle azınlık dinlere yöneltilmişti; örneğin Hıristiyanlar arasındaki Baptistlere, özellikle de tayga ve tundradaki Budistlere ve animistlere. Hruşçev o dönemde bütün lamaları, bütün şamanları tutuklattı, tapınaklarını yakıp yıktırdı.

– Bunların parapsikoloji laboratuvarlarıyla ilgisi ne?

– 1992 yılında, tezim için kaynak ararken, ünlü Gulag Takımadaları'nın arşivlerine ulaşmayı başardım. Norilsk, Kolima, Sahalin, Çukotka... Kısacası, çalışma kamplarına gönderilen bütün şamanların sayısını çıkardım. Uzun, ama kolay bir çalışma oldu; kayıtlarda her tutuklunun geldiği yerin yanı sıra, tutuklanma nedeni de yazılıydı. İşte o zaman, inanılmaz bir şeyi anlamaya başladım.

– Neyi?

– Altmışlı yılların sonuna doğru, bu şamanların -Yakutlar, Nenetsler, Samoyedler- çoğu başka yerlere nakledilmiş.

– Nerelere?

İtalyan kıpırdamadan oturan sarı saçlı adama baktı yeniden.

– İşler burada kızışıyor işte, diye devam etti. İzlerini sürdüm ve başka kamplara değil, laboratuvarlara gönderildiklerini buldum.

– Laboratuvarlara mı?

– Evet, Novosibirsk'teki Sibirya Bilimler Akademisi'nin 8 numaralı bölümü gibi laboratuvarlara. Parapsikoloji laboratuvarlarına.

İtalyan kendi araştırmasından büyülenmiş görünüyordu. Gözlüğünün camlarında parlayan ışık, gözbebeklerine yansır gibiydi. Fısıldayarak devam etti:

– Anlıyorsunuz, değil mi? Deneylerini gerçekleştirmek için, parapsikologların özel insanlara, yani telepati becerilerine, paranormal duyu yeteneklerine sahip insanlara ihtiyacı vardı. İşte bu açıdan bakıldığında, yüzlerce Asyalı büyücüyü barındıran Gulag, kusursuz bir livar gibiydi.

Diane bu yeni öyküyü kavramakta güçlük çekiyordu.

– Şamanların bu tip güçleri olduğuna dair en ufak bir kanıt yok!

– Tabii. Hem üstelik, sırlarını Rus bilim adamlarına açarken de düşünemiyorum onları. Ne var ki bu adamlar transın, hipnozun, meditasyonun, kısacası bilincin değiştirilmiş biçimi olarak adlandırılan bütün bu olguların ne olduğunu biliyorlardı. Dolayısıyla, parapsikolojik deneyler için, biçilmiş kaftan olarak görünüyorlardı.

Diane'ın yüzü alev alevdi. TK 17'yi düşündü, kendi kendine bir kez daha aynı soruyu sordu; araştırmacıların, laboratuvarlarında inceledikleri şamanların gücünü açığa çıkarıp sahiplenmeleri mümkün mü? Soluk soluğa sordu:

– Bu deneyler konusunda neler buldunuz?

– Bu, Sovyet bilimi alanında en sıkı korunan sırlardan biri. Okuduklarımdan hiçbiri, elle tutulur bir sonuçtan söz etmiyordu. Yine de, o laboratuvarlarda neler yaşandığını kim bilebilir? O şamanların yerinde olmak istemezdim. Ruslar onlara adî birer kobay gibi davranmış olmalı.

Diane topraklarından kopartılmış, buz gibi kamplara tıkıldıktan sonra gizli deneylere konu olmuş o insanları düşündü. Bulantı, kapkara yükselen deniz gibi, gırtlağından tırmanıyordu.

– TK 17'de Tseven şamanları kullanmış olmalılar, değil mi?

Giovanni şaşkınlığını gizlemedi:

– Bu adı nasıl öğrendiniz?

– Bölge hakkında bilgi topladım. Sizce, Tseven halkını kullanmış olamazlar mı?

– Söz konusu bile olamaz.

– Neden?

– Altmışlı yıllardan beri Tseven halkından geriye kimse kalmadı da, ondan.

– Neler söylüyorsunuz?

– Gerçeği. Herkesçe bilinen, son dönemlerde birçok Moğol etnolog tarafından da doğrulanan gerçeği. Tsevenler topraklarının devletleştirilmesine dayanamadılar.

– Biraz ayrıntıya girseniz?

– Dış Moğolistan'da devletleştirme ellili yılların sonlarında etkili oldu. 1960 yılında bir meclis ülkede tek bir karış özel toprak kalmadığını açıkladı. Bütün topraklar ölçüldü, bölündü, kolhoz olarak yeniden düzenlendi. Göçmenler yerleşmeye zorlandı. Çadırları yakıldı, yerine evler yapıldı. El konulan hayvanları dağıtıldı. Tsevenler bu durumu kabullenmediler. Partiye vermektense, hayvanlarını kendi elleriyle öldürmeyi tercih ettiler. Kış aylarıydı; çoğu açlıktan öldü. Tekrar ediyorum, onlardan geriye kalan yok. Kuşkusuz bugün o kökten gelmiş olanlar vardır, ama Moğollarla evlenmiş, kültür değişimi yaşamış olarak.

Diane kan içindeki ren geyikleriyle kaplı ovaları gözünün önüne getirdi. Kendi kaynaklarına yönelik bir katliam. Bir çeşit toplu intihar. Soğuktan ve açlıktan kırılan Tseven çocuklarını, Tseven kadınlarını düşündü. Attığı her adım, onu kötülüğün merkezine yaklaştırıyordu.

Yine de, kendi bildikleriyle çelişen bir şeyler vardı bu anlatılanlarda. Diane'ın elinde Tsevenlerin –ve Tseven geleneklerinin– hâlâ yaşadığının kanıtları vardı. Sadece lüü-si-anların varlığı bile yeterliydi. Onlar Tseven kökenliydi. Tseven dili konuşuyorlardı. Onlar şamanlarca eğitilmiş gözcülerdi. Giovanni yanılıyordu demek, yine de İtalyan'a gerçeği anlatmaya kalkışmadı. Bu, sadece yolunun üzerindeki gizemlere ve imkânsızlıklara eklenecek yeni bir sırdı.

Bu arada İtalyan elektronik postasını okumak amacıyla bir elektrik prizi arıyordu. Bu araştırma Diane'ın kafasında, uzak, gömülmüş, neredeyse unutulmuş, ama birden yontulmuş bir elmas gibi parıldamaya başlayan bir anıyı canlandırdı. Patrick Langlois, Saint-Germain-en-Laye katliamından sonra onu evine bırakırken, "Size bir sır açıklamak isteyeceğim gün, Diane, e-posta gönderirim" demişti.

Ya polis komiseri ertesi gün, Diane'ın kaçtığına gerçekten inandığında ona bir mesaj gönderdiyse? Çenesinin ucuyla Giovanni'nin bilgisayarını gösterip, sordu:

– Bilgisayarınızdan posta kutuma bir bakabilir miyim?

Elli birinci kısım

Manastırın okuma salonlarından birine yerleştiler. Duvarları köknar lambriyle kaplı odanın zemini de geniş parkelerle örtülüydü. Masalar odanın ahşap havasını daha da güçlendirir gibiydi. Güçsüz bir ampul kahverengi yüzeylere gölgeli bir ışık yayıyordu. Buradaki her şey, sanki kitaplar meditasyon gezegenleriymişçesine, her gün bu birkaç metrekarede onların üzerinde saatlerce çalışan keşişlerin sabrını ve dikkatini taşıyor gibiydi.

Bilgisayarı odadaki tek telefon prizine bağladılar. Giovanni nazik davrandı, önce Diane'ın kendi posta kutusunu okumasını önerdi. Aynı tarama ve bağlantı yazılımını kullanıyorlardı. Diane birkaç tuşa bastıktan sonra merkez bilgisayara ulaştı, posta kutusunu açtı. Mesajlar, tanıdık isim ve adresler listesi olarak açıldı.

Birkaç saniyelik bir arama yeterli oldu. 14 ekim tarihli mesajların arasında, Langlois imzalı bir haber. Mesaj on üç otuz dörtte, yani Diane'ın Langlois'yı Nice'teki hastaneden aramasından yaklaşık yarım saat önce alınmıştı. Doğru tahmin etmişti Diane; genç kadının kaçtığını düşünen komiser, araştırmalarının sonuçlarını onunla paylaşmak için, birkaç satır yazmaya karar vermişti.

Diane küçük simgenin üstünü tıkladı, Langlois'nın mesajının açıldığını gördü. Yürek çarpıntısını bütün vücudunda hissetti.

"Kimden: Patrick Langlois
Kime: Diane Thiberge
14 ekim 1999

Diane,
Neredesiniz? Birkaç saatten beri, tüm adamlarım peşinizde.
Kafanızdan yine neler geçti? Nerede olursanız olun, ne karar
verdiyseniz verin, son gelişmelerden haberdar olmanız gerek.
Bu mesajı okur okumaz, beni arayabilirsiniz. Sizin için, bana
güvenmekten başka yol kalmadı."

Diane mesajın ikinci bölümünü okuyabilmek için mouse'u
tıklattı:

"Alman soruşturmacılar bu sabah telefon etti. Van Kaen'in Ber-
lin yakınlarındaki Potsdam'da yaşayan genç bir çifte birkaç kez
para havale ettiğini öğrenmişler. Araştırmayı sürdürünce, Ruth
Finster adındaki kadının 1997 yılında Die Charité Hastane-
si'nde tüplerini bağlattırdığını, orada Van Kaen'le tanıştığını be-
lirlemişler. Anlaşılan, evlilik dışı bir aşk yaşamışlar.
Ama önemli olan, burası değil. Bilmeniz gereken, ameliyattan
sonra kısırlaşan kadının geçen eylül ayında, Van Kaen tarafın-
dan önemli ölçüde desteklenen bir Hanoi yetimhanesinden kü-
çük bir Vietnamlıyı evlat edinmiş olduğu."

Diane haykırmamak için kendini zor tutuyordu. Yeni bir
tıklama. Yeni satırlar:

"Zaman kaybetmeden Philippe Thomas ya da sahte adıyla
François Bruner hakkında araştırma başlattım. Bir saat sonra,
aradığımı bulmuştum; eski casus, yine 1997'de, yardımcıların-
dan birini, otuz beş yaşındaki fovizm uzmanı Martine Vendho-
ven'ı kanatlarının altına almış. Önemli ayrıntı: yumurtalık so-
runu olan kadın, evli olmasına rağmen çocuk doğuramıyor. Bu-
nun üzerine ağustos ayı sonuna doğru Angkor tapınaklarının
yakınındaki Siem-Reap Yetimhanesi'nden küçük bir Kamboç-
yalıyı evlat ediniyor. Evlat edinme işlemleri, Philippe Tho-
mas'nın baş destekçisi olduğu bir Kamboçya vakfı tarafından
yapılıyor."

Diane gözlerini satırlardan ayıramıyordu. Her kelimede, tenine saplanan bir çivi şiddeti vardı.

"Kuşkusuz bu benzerlikler, basit bir rastlantı olamaz. Moğolistan'la ve tokamakla ilgili bir geçmiş paylaşan bu eski komünistler, aynı tarihlerde Asya kökenli çocuklar getirtmeye çalışmışlar. Büyük bir ihtimalle, nükleer araştırma merkezinin bulunduğu bölgeden gelme gözcüler.

Diane, farkında olmadan, yakınlarınızdan birinin hesabına bir çocuk evlat edindiğiniz açık. Sovyetler'le ilgili bir geçmişi olan birinin hesabına. Kim olabilir? Aramak, size düşüyor. Bana bildirmek de.

En önemlisi, beni bir an önce aramak da size düşüyor.

Carl Gustav Jung yazarların kahramanlarını değil, kahramanların yazarlarını seçtiklerini söylerdi. Sanırım, aynı şey kader için de geçerli. Gözlerimi yumduğumda, sizi evlenmiş, mutlu, bir sürü çocuk anası, sorunsuz biri olarak düşlemeye çalışıyorum. Sakın yanlış anlamayın, beceremiyorum. Üstelik bu söylediğim, bir iltifat. Beni arayın.

Öpüyorum.

Patrick"

Bir klavye komutuyla, belgeyi sildi. Nazikçe uzakta duran Giovanni yaklaşıp, sordu:

– Haberler iyi mi?

Diane bakışlarını kaldırmadan cevapladı:

– Yatmaya gidiyorum.

Elli ikinci kısım

Her şey Lubéron'daki villasında, böceklerin nihayet susmaya karar verdiği saatte olmuştu. Diane özellikle hava kararırken yoğunlaşan renkleri hatırlıyordu. Karaağaçların ve çamların ötesindeki taş ocaklarının toprağımsı rengi; alacakaranlıkta, giderek parıldayan gök; bir de, birkaç metre ötede şıpırdayan yüzme havuzunun fazla çiğ, fazla yapay mavisi.

Adam purosundan çektiği iki nefes arasında, gece karanlığında yitip giden dumanı gözlerken, tok sesiyle konuşmuştu. Diane ise kayıtsız tabiatta eriyip kaybolan güç düşlerini, iktidar yankılarını düşünmüştü.

O 1997 ağustosunda, Diane'a bir çocuğu evlat edinmesini öğütlemişti adam. Diane bu çözümü çoktandır düşünüyordu ama, kararı o akşam kesinleşecekti.

Neredeyse bir yıl sonra, mart 1998'de işlemleri hızlandırmak için bizzat araya girmeyi önermişti adam. Sağlık ve Sosyal Hizmetler'in yöneticisine telefon edebilirdi. Sosyal İşler bakanıyla temas kurabilirdi. Her şeyi yapabilirdi. Diane önce itiraz etmiş, ama sonunda, adaylığının tozlu raflarda süründüğünü anladığında, annesinin durumdan haberdar olmaması şartıyla, adamın desteğini kabul etmişti.

Birkaç ay sonra izin çıkmış, uluslararası evlat edinme girişiminde bulunmasının önü açılmıştı. Adam da onu bizzat kendisinin paraca desteklediği bir örgütün, Boria-Mundi

Vakfı'nın yönettiği bir yetimhaneye yöneltmişti.

Diane eylül ayında Ra-Nong'a doğru yola çıkmış, Lucien'ı alıp gelmişti. O anı aklından çıkmıyordu hiç; küçük çocuğu annesinin evine götürdüğü o kaza gecesi, adam Diane'la birlikte kapının önüne kadar gelmiş, çocuğu incelemişti. Önce sarsılmış görünmüş, sonra da beklenmedik bir şey yaparak onu, Diane'ı öpmeye kalkmıştı. O sırada bu öpücüğün nedenini anlayamamıştı Diane. Adamın ona adice asılmak istediği düşüncesini bir türlü kabul edememekte haklıydı. Öpücük başka bir gerçeği saklıyordu: gözcüsüne kavuşmuş, kendisini gizleyen bir adamı. Anlaşılmaz tebessümünün ardına saklanmış, gençliğinin karanlık topraklarına dönmek için belirli bir tarihi bekleyen, geçmişi korkunçluklarla dolu adamı.

Charles Helikian, yaş elli sekiz. Yönetim psikolojisi konusunda bir sürü danışmanlık şirketinin sahibi. Büyük Fransız patronlarının özel danışmanı, bazı bakanların ve politikacıların strateji uzmanı. En üst iktidar çevrelerinde gezen, vericiliğinden, insanlığından hiçbir şey yitirmemiş, güçlü ve ünlü bir adam.

Diane geçmişi hakkında hiçbir şey bilmiyordu. Konuyla ilgisini gösterebilecek bir tek şey dışında; Charles gençliğinde Troçkist eğilimli bir solcuydu. En azından, hareketli gençliğini parlak gözlerle yâd ederken, öyle söylüyordu. Yoksa aslında parti üyesi, katı ve tam bir komünist olmamış, 1969 yılında, tıpkı Philippe Thomas gibi demirperdeyi geçecek kadar gözü kara davranmamış mıydı? Helikian yarım bir gerçeği açıklayarak, böylelikle geçmişiyle ilgili tüm merakları önleyecek kadar akıllıydı.

Onu 1968 mayısında, genç ve yakışıklı, barikatlar önünde öfkesini haykırırken görebiliyordu. Nanterre Psikoloji Fakültesi'nin sıralarında, Philippe Thomas'yla yan yana otururken de. Paris ayaklanması bozgunundan sonra iki adam ilgilerini mantıksız bir tasarıya, kızıl kıtanın ortasına yerleşmeye kaydırmış olmalıydı. Muhtemelen olağandışı yetenekler konusunda aynı tutkuyu paylaşıyor, çalışmalarını SSCB'de derinleştireceklerini umuyorlardı.

Tablo ortaya çıkmaya başlamıştı. Sovyetler Birliği'ne ayak basan iki kafadar, tokamakın parapsikoloji laboratuvarına katılmışlardı. O dönemde TK 17'de yürütülen deneylerde yer almışlardı. İmkânsızın peşindeki bir avuç insandan ikisi olarak.

Diane minicik odasındaki gece lambasını yakmamıştı. Elbiseleriyle yorganın altına girmiş, dizlerini göğsüne çekerek, kıvrılmıştı. Üç saatten beri düşünüyordu. İnançları durmaksızın kesinleşiyordu. Onu kusursuz bir kurban, kusursuz bir gözcü annesi gibi gören üvey babası tarafından kandırılmış, oynatılmış, kullanılmıştı.

Şimdi artık Lucien'ın Paris'e gelmesinden sonra geçen başka olayları yorumlamaya çalışıyordu. Diane'ın açıklayamadığı bir nedenden, Charles Helikian ile Philippe Thomas birbirlerine düşman olmuşlardı. İşte müze sahibinin Helikian'ın habercisini öldürmek istemesinin ardındaki neden de buydu. Yoksa Lucien'ı öldürerek, buluşma gününü öğrenmemesini sağlamak, böylelikle de zamanında tokamakta bulunmasını önlemek mi istemişti? Charles diğeri için bir tehlike mi oluşturuyordu? Eğer Charles da olağanüstü bir yeteneğe sahipse, neydi bu yetenek? Diane tokamaktan arkadaşı Rolf van Kaen'i kazadan haberdar eden, akupunktur yoluyla Lucien'ı kurtarmasını isteyenin de Charles olduğunu düşünüyordu. Eski laboratuvar üyeleri arasında ittifak ve düşmanlık ilişkileri kurulduğu apaçıktı da, bu ilişkiler ne adına kuruluyordu?

Charles Helikian hâlâ yaşıyor muydu?

Eğer hayattaysa, o da bu taş çemberin yolunda mıydı?

Öğrenilmesi en kolay olanı buydu kuşkusuz. Diane yatağının üzerine oturup, saatine baktı. Saatin ibreleri, karanlıkta üçü gösteriyordu. Sabahın üçü. Paris'te saat akşamın sekiziydi hâlâ.

Yataktan kalktı, el yordamıyla duvara yaklaştı. Uydu telefonunu aldı. Karanlıkta, telefonun antenini pencerenin gece mavisi çerçevesine doğrulttu. Kuvars ekrandan, bağlantı sağlanamadığını gördü.

Çoraplarını bile giymeyi düşünmeden, koridora çıktı.

Elli üçüncü kısım

Etraf, sessizdi. İyi tutturulmamış tahtaların ayaklarının altında oynadığını hissetti. Gözleri bir süre sonra loşluğa alıştı. Koridorun ucunda, ayın camlı bir çerçevede yansımasını gördü. Tam istediği şey.

Pencerenin yanına vardığında, kanatlardan birini açtı. Buz gibi rüzgâr yüzünü dağladıysa da, karşılığında uyduların uzak dünyasıyla yeniden temas kurmasını sağladı. Telefonunun antetini pencereden dışarı uzatıp gözlerini ekrana dikti; cihaz, uydu sinyallerini alıyordu. Tek bir hareketle, Suchet Bulvarı'ndaki dairenin numarasını tuşladı. Cevap yok. Annesinin cep telefonunu denedi. Birkaç elektronik vızıltı, uzakta üç zil sesi, sonra da duyulan o tanıdık "Alo?" sesi.

Ses çıkarmadı. Annesi hemen sordu:

– Diane, sen misin?

– Evet, benim.

Annesine bu kadarı yeterliydi anlaşılan.

– Tanrım, neler oluyor? Neredesin?

– Söyleyemem. Lucien nasıl?

– Ortadan kayboluyorsun, polis seni arıyor, sen de telefon ediyor ve hiçbir açıklama yapmıyorsun. Bu olur mu?

– Lucien nasıl?

– Önce nerede olduğunu söyle.

Teknoloji mucizesi yine sahnedeydi. Aralarında on bin kilometre bulunmasına rağmen, hâlâ sanki yan yanaymış gibi dalaşıyordu iki kadın. Diane pencerenin pervazına dayanıp, sesini yükseltti:

– Bu oyun hiç bitmez. Tekrar ediyorum, sana hiçbir şey söyleyemem. Olacakları daha önceden söylemiştim sana.

Sybille soluk soluğaydı. Devam etti:

– Bu işle ilgilenen polis komiseri...

– Biliyorum.

– Senin bu işle ve başka bir kadının ölümüyle ilgili olduğunu...

– Bana güvenmeni söylemiştim.

Annesinin sesi alçaldı.

– Hiç olmazsa neler olduğunun farkında mısın?

Sybille gerçeği kabullenmeye başlamıştı anlaşılan. Diane tekrarladı:

– Lucien nasıl?

Ses biraz daha zayıfladı. Solukları, söylediği her kelimeyi ötekinden ayırıyordu:

– Çok iyi. Her geçen gün, daha da iyileşiyor. Gülümsemeye başladı. Daguerre'e kalırsa, bilincinin açılması artık sadece birkaç günlük bir iş.

Bir sıcaklık dalgası, Diane'ın damarlarında dolaştı. Bir neşe belirtisiyle yükselen o küçük dudakları gördü. Belki bir gün, sükûnet ve mutluluk içinde, birlikte olacaklardı. Sordu:

– Ateşi?

– Yok. Ateşi sabit.

– Ya hastanede? Dikkat çekecek bir şey oldu mu?

– Ne olmasını istiyorsun? Bu kadarı yetmiyor mu?

Diane tahminlerinin birer birer gerçekleştiğini anladı. Söz konusu olan ne transtı, ne de kriz. Lüü-si-anlar artık komplonun, tehlikenin dışındaydı. Şimdi artık gözler tokamaka çevrilmiş olmalıydı. Annesi yine bağırdı:

– Bana bunu nasıl yapabildin? Korkudan çılgın gibiyim.

Diane gözlerini karanlıkta belli belirsiz seçilen kente çevirdi. Manastırın önünden geçen, geniş caddeyi, geceyi yaran, tozdan bembeyaz birkaç Japon yapımı otomobilin farlarını görebiliyordu. Bağlantının öbür ucunda, annesinin sesinin arkasında, trafiğin uğultusunu duyuyordu. Pırıl pırıl otomobilleri, Paris sokaklarının çağdaş ışıklarını hatırladı. Şimdi artık asıl soruyu sormanın sırası gelmişti:

– Charles yanında mı?

– Birazdan buluşacağız.

Saat sekiz. Tüm akşamların başlama saati. Annesinin neden nefes nefese kaldığını anlamıştı; Sybille acele adımlarla buluşma yerine, bir akşam yemeğine ya da gösteriye gidiyor olmalıydı. Sordu:

– Charles nasıl?

– Benim gibi, endişeli.

– Onun açısından, dikkate değer bir şey var mı?

– Ne demek istiyorsun?

– Ne bileyim, bir yolculuk, falan?

– Ama... tabiî ki hayır. Yine neler saçmalıyorsun?

Varsayımları yine yıkılıyordu. Tahminleri çıkmaz sokaklara dalmıştı. Birden tahminlerinin ne denli boş olduğunu anladı. Üvey babasını nasıl olup da bu maceranın kargaşasına sokabilmişti? Sakin ve dingin Paris yaşamını, kendi kâbusunun dişlilerinin arasına nasıl atabilmişti?

Arkasında bir ses duydu. Sola doğru giden koridora bir göz attı. Kimse yoktu. Oysa ses tekrar duyuldu, üstelik daha yakından. Telefonu kapatmadan önce, mırıldandı:

– Seni ararım.

Aynı anda, yaklaşık yirmi metre ötesinde bir gölge belirdi. Kısa boylu, üzerinde uzun bir palto ve iyi yerleştirilmemiş bir şapka bulunan birinin sırtı. Diane, Tseven fizikçinin aynı şapkalı fotoğrafını bir şimşek hızıyla hatırladı. Soluk soluğa "Talikh..." diye fısıldadı.

Adamın peşine takıldı. Gölge sallanarak ilerliyor, zaman zaman duvara dayanmak zorunda kalıyordu. Diane'ın gözü bir ayrıntıya takıldı; adamın sağ kolu, dirseğine kadar sıvanmıştı. Adam koridorun sonuna vardı. Her katta bulunan, bir çeşit ortak banyo gibi kullanılan su tulumbasına doğru eğildi. Diane biraz daha yaklaştı. Adam sol eliyle tulumbayı çalıştırıyor, sağ elini de musluğun altına tutuyordu. Daha su gelmemişti.

Diane olduğu yerde kaldı. İçgüdüsünün etkisiyle başını sağdaki duvara çevirdi ve küçük bir el izi gördü; kanlı bir iz. Aynı anda tulumbaya eğilmiş gölgeye döndü ve gergin kolun üzerindeki gölgeleri gördü. Neler olduğunu şaşkınlıkla anladı; katil burada, ondan birkaç metre ötedeydi. Manastırın ortasında, birini öldürmüştü yine.

Şapkalı adam Diane'a döndü. Kafasında, sadece gözlerini açıkta bırakan siyah bir başlık vardı. Diane yün deliklerin arasından, gecenin karanlığında iki vernik damlası gibi parlayan gözlerine baktı. Katilin düşüncelerini okuduğu, tıpkı bir aynaya bakar gibi, kadının bakışında kendi cani kimliğini gördüğü duygusuna kapıldı. Bir saniye sonra. kaybolmuştu. Diane ne yaptığını bilmeden koşmaya başladı. Koridorun ilk köşesini döndüğünde sadece boşlukla karşılaştı. Koridor elli metre boyunca uzayıp gidiyordu. Katilin birkaç saniyede bu kadar uzaklaşması imkânsızdı. Odalar... Demek kattaki odalardan birine girmişti...

Adımlarını yavaşlattı, sağdaki ve soldaki kapıları inceledi. Birden daha yoğun bir soğuk hissedip, bakışlarını kaldırdı. Aralanmış bir tavan penceresi. Solda, düzensiz tahtalarla kaplı duvar, kusursuz bir merdiven oluşturmuştu. Bir sıçrayışta pencereye tutundu, iki elini ahşap çerçeveye dayadı.

Gecenin görkeminden gözleri kamaştı. Yıldız dolu, çivit renkli gök. Tatlı bir meyille inen kiremitler. Boşluğun karşısında, bir Eskiçağ gemisinin burnu gibi devrik, kalkık saçaklar. Pirinç kaplamalı bir duvardan geçiyormuş, bir Asya tablosunun tersinden yürüyormuş gibi hissetti kendini. Bir eskiz üzerindeki mürekkep fırçası gibi, zarafetin özünde ilerliyordu artık.

Damda kimse yoktu. Tek sığınak, biraz ilerideki bacaydı. Diane çatının kirişine doğru tırmandı. Soğuğa, korkusuna rağmen büyü dağılmıyordu. Kırmızı dalgalı, pişmiş topraktan bir deniz üzerinde yürüyor gibiydi. Köşeye ulaşıp, bacaya yaklaştı. Usulca çevresinden döndü. Kimse yoktu. Hiçbir ses, hiçbir titreşim.

O saniyede, tam karşısında, bacanın tepesinde dertop olmuş bir insan gölgesi fark etti. Yine katilin bütün düşüncelerini okuduğu, kendisinin onun kararını anladığı izlenimine kapıldı. Katil, konuşmasını önlemek için Diane'ı öldürmeye kararlıydı. Diane bütün bunları kavramaya çalışırken, gölge büyüdü, uzun bir çizgiye dönüştü. Sonra üzerine düşen korkunç ağırlık, Diane'ı ezdi. Diane düştü, ama bir el onu durdurdu. Bakışlarını kaldırdı; çatının üzerinde bir hayvan gibi çömelmiş, bir eliyle genç kadının kazağına yapışmış, oradaydı. Gecenin çiğ maviliği üzerinde, başlığının çizgileri seçiliyordu.

Diane'ın dövüşecek gücü kalmamıştı. Onu yere seren, korkudan çok, bitkinlik ve umutsuzluktu. Bir de çok daha boğuk, çok daha belirsiz başka bir duygu; bu sahneyi daha önce yaşamış olma duygusu. Belki inlemek, belki de yalvarmak için dudaklarını araladı, ama adam onu yattığı yerden kaldırdı, damın tepesine kadar çıkardı. Diane kendini sırtüstü yatar buldu.

Canavar, genç kadının üzerine eğilirken bir yandan da ağzını ölçüsüzce açtı. Yavaşça, bir büyü yapıyormuşçasına, kanlı parmaklarını ağzına yaklaştırdı. Diane birden elin ne aradığını gördü; dilinin altına sıkıştırılmış, pırıl pırıl parlayan, ince kesici bir alet. Şiddetle dikildi. Böyle ölmemeliydi. Ayağının altında kiremitler oynadı. Birden, içini çılgın bir umut kapladı; damdan aşağı koşmak, sonra da boşluğa atlamak. Bacaklarını toplayıp katilin göğsüne şiddetli bir darbe vurdu. Sağına yattı, kiremitlerin üzerinde yuvarlanmaya başladı. Saniyeler darbelere dönüştü. Hızı arttı. Artık kiremitlerin çıkıntılarından, gecenin soğuğundan, onu bekleyen, yutan boşluğun derinliğinden başka bir şey hissetmiyordu. Ölüm. Huzur. Karanlıklar.

Saçağın üzerinden aştı, vücudunun düştüğünü hissetti. Ama düşmedi. İçinden gelen bir dürtüyle, saçağa tutunmuştu. Parmaklarına batan kıymıklar, onu sağa sola doğru sallayan buz gibi rüzgâr ve boşluğa uçmaya yanaşmayan eller. Diane'ın bilincinin yapabileceği bir şey kalmamıştı artık; vücudu onun adına karar vermişti. Hayatta kalmak için, kaslarının, sinirlerinin kurduğu bir birlik...

Birden, iki bileğine yapışan elleri hissetti. Bakışlarını kaldırdığında, soluğu kesildi. Tepesinde Giovanni'nin yüzü, sırrını sadece kendinin bildiği o şaşkınlık ifadesiyle, göğün önündeydi. Gözden kayboldu. Diane adamın güçlü soluklarını duydu, sonra da bir harekette yükseldi. Boş bir çuval gibi damın üzerine yığıldı.

– İyi misiniz? diye sordu Giovanni.

Güçlükle mırıldanabildi:

– Üşüyorum.

Giovanni kazağını çıkarıp genç kadının omuzlarına sardı.

Sonra sordu:

– Neler oldu?

Diane cevap vermeden büzüldü. Giovanni diz çöktü. Sesi gecenin içinde titriyordu:

– Keşişler... Odalardan birinde bir ceset buldular...

Diane dizlerini kollarının arasına almış, usulca öne arkaya sallanıyordu.

– Üşüyorum.

İtalyan tereddüt etti, sonra fısıldadı:

– Aşağı inmemiz gerek. Polisler birazdan gelir.

Sanki ilk kez görüyormuş gibi baktı adama. Şımarık çocuk çizgilerini, normal bir dünyada yaşayan normal insanlara özgü şaşkınlığını izledi. Sonunda fısıldadı:

– Giovanni... öğrenmek gerekecek...

– Öğrenmek mi?

Gözyaşlarının yanaklarını aydınlattığını tahmin ediyordu:

– Beni tanımayı öğrenmek.

Elli dördüncü kısım

Gözlerinden uyku akan keşişler, yarı aydınlık koridor boyunca, dirsek dirseğe oturuyorlardı. Polisler -belki de askerler, Diane'ın kim olduklarından haberi yoktu- tam bir aramaya karar vermişler, manastırı boşaltarak tüm sakinlerini Ulan-Bator'un bir yerinde bir yönetim binasına tıkmışlardı. Uzun koridorlarla bölünmüş, duvarları bomboş, kırık camları karton parçalarıyla kaplatılmış dev bir beton blok. Parkelerde oyuklar açılmış, duvarları da karanlıkta fosilleşmiş ağaç şekillerini andıracak kadar çatlamıştı.

Diane ve Giovanni ayrıcalıklı bir muameleden yararlanmışlardı. Bir subayın odasında, yanmayan bir sobanın yanında bekleşiyorlardı. Başlarında şapkaları, bir türlü ısınmaksızın titreşiyorlardı. Anlaşılmaz bir nedenle -ya da bir dalgınlık sonucu- bomboş odada, kurbanın odasından toplanan giyim eşyaları ve valizle yalnızdılar. Diane kapının aralığından dışarıya bir göz attıktan sonra, giysilere yaklaştı.

– Ne yapıyorsunuz?

Donmuş karanlıkta, Giovanni'nin sesi gerçekdışı, neredeyse büyülü bir özelliğe sahip gibiydi. Diane İtalyan'a bakmadan, cevap verdi:

– Görüyorsunuz işte, karıştırıyorum.

Diane elini siyah yün paltonun ceplerine daldırdı. Zeytin yeşili bir pasaport çıkardı. Kapağın üzerindeki yaldızlı armayı ve harfleri inceledi: Çek Cumhuriyeti. Sayfaları çevirip, pasaport sahibinin adını buldu: JOCHUM HUGO. Fotoğrafı tanımakta güçlük çekmedi; bu, birkaç saat önce, manastır yemekhanesinde arkalarında oturan güneş gözlüklü adamdı. Alnı kahverengi lekelerle dolu, kırışık ve bakırımsı bir yüz.

Kuşkusuz, taş halkaya doğru yola çıkmış, bir başka tokamak üyesi.

Öteki cepleri araştırdı, bir şey bulamadı. Giovanni yanına yaklaşmıştı:

– Çılgın mısınız, nesiniz?

Diane şimdi valize geçmişti. Bavul kilitli değildi. Aceleyle içindekilere baktı. Pahalı çamaşırlar, kaşmir kazaklar, markalı gömlekler. Adam Çeklerin çoğundan daha varlıklı görünüyordu. Biraz daha karıştırdı. İki karton sigara. Zarf içinde iki bin dolar. Kumaşların arasında, Hugo Jochum imzalı, bir üniversite yayınevince basılmış, Almanca bir kitap. Giovanni kekeledi:

– Çıldırmışsınız siz, birazdan...

– Almanca okuyabilir misiniz?

– Ne dediniz? Ben... evet, ben...

Diane kitabı adama attı:

– Bana şunu bir çeviriverin. İç kapağı. Yazarın tanıtımını.

İtalyan kapıya doğru baktı. Eşiğin ötesinde, gerçek bir sessizlik hüküm sürüyordu; biraz ötede, sorguya çekilmeyi bekleyen otuza yakın kişinin bulunduğuna kimse inanmazdı. Giovanni titreyerek okumaya koyuldu.

Diane aramayı sürdürüyordu. Ne bir silah, ne bir bıçak, hiçbir şey yoktu. Adam korkmuyordu demek. Üstelik bölgeyi de tanıyordu; bavulda ne bir seyahat rehberi ne de bir harita vardı. Birden Giovanni'nin sesini duydu:

– İmkânsız.

Adama doğru döndü. Tersini duysa, şaşırırdı. Bir el hareketiyle, açıklamasını istedi:

– Prag'da Charles Politeknik Enstitüsü'nde profesörmüş.

– İmkânsız olan ne?

– Kaynak arayıcısıymış. Burada yazılanlara göre, toprağın derinliklerindeki su kaynaklarını bulma becerisine sahipmiş. Gerçek bir doğaüstü yetenekten söz ediliyor. Bir bilim adamı olarak, Jochum olayları kendi vücudunda inceliyormuş.

Diane aklından TK 17 parapsikologlarının listesini tamamladı: Eugen Talikh ve biyoastronomi; Rolf van Kaen ve akupunktur; Philippe Thomas ve telekinezi. Şimdi de Hugo Jochum ve insan manyetizması.

Kapının eşiğinde bir gölge belirdi.

Giovanni kitabı bavula attıktan sonra, Diane ancak kapağı kapatacak zaman bulabildi. İki kafadar, elleri arkalarında, döndü.

Bu, keşişlerin toplanmasını denetleyen adamdı; başında siyah bir bere, deri bir palto giymiş bir dev. Polis şefi ya da onun gibi bir şey. Elinde, kendisinin kedi, karşısındakilerin de fare olduklarını belli etmek istercesine, pasaportlarını tutuyordu.

Doğruca Giovanni'ye bakıp, Moğolca konuştu; kesik heceler, gırtlaktan gelme sesler. Elçilik ataşesi sabırsızlıkla başını salladı. Sonra burnunun üzerindeki gözlükle hassas bir ameliyat aletiymiş gibi oynayarak, Diane'a döndü, fısıldadı:

– Onunla gidip, cesede bakmamızı istiyor.

Elli beşinci kısım

Gittikleri yer hastane değildi, morg bile değildi.

Diane buranın tıp fakültesi ya da Ulan-Bator Bilimler Akademisi olabileceğini düşündü. Çok güçlü aydınlatılmış bir amfiye girdiler. Yer sertleştirilmiş topraktı. Masaların ardına dizilmiş sıralar, çeyrek daire halinde tavana kadar yükselerek gidiyordu. Solda, karatahtanın üzerindeki resimli tablolarda hâlâ Karl Marx'ın, Friedrich Engels'in ve Vladimir İliç Lenin'in portreleri görülüyordu.

Masaların önündeki bölümde, zemine oturtulmuş metal bir masa vardı. Masanın üzerinde de, ceset.

Masanın iki yanında, hareketsiz duran erkek hastabakıcılar. Geleneksel giysilerinin üzerine uzun naylon önlükler geçirmişlerdi. Onların yanlarında da, Çin usulü kıtık paltoları, yaldız işlemeli kırmızı kasketleriyle ayaklarını oynatan, ısınmak için avuçlarına hohlayan polisler.

Polis şefi, peşinde Diane ve Giovanni'yle yaklaştı. Diane Moğol'un onları buraya neden getirdiğini anlayamıyordu. Bu olayda zanlı, hatta tanık olarak gösterilmeleri imkânsızdı; katille karşılaşmasından kimseye söz etmemişti. Manastırdaki tek Batılılar olmaları nedeniyle, deri giysili aynasızın onları kurbanın yakını sandığını tahmin ediyordu.

Polis şefi kaba bir hareketle çarşafı çekti, Hugo Jochum'un başı ve göğsü göründü.

Diane sarımtırak saçlarla çevrelenmiş, çıkık kemikli zayıf

yüze baktı. Kemiklerin üzerindeki gergin deri, fosilleşmiş amber sarılığındaydı. Ama dikkati çekecek başka bir ayrıntı vardı; ceset kahverengi lekelerle kaplıydı. Göğsünde, yaşlılık izleri. Tenin üzerinde uçsuz bucaksız bir coğrafya çizen, siyah, tane tane izler. Kısa bir an için, leopar kürkünü düşündü Diane.

Sonra cesedin göğsünde o belli belirsiz çiziği, katilin işaretini gördü. Yumruğunu cebinde sıkarak eğildi ve yarayı inceledi; Jochum'un göğsü, içeriden itilmişçesine şişmişti. Bu gövde, diğer organların arasından kalbe ulaşmak için kaburgaların altına giren kolun izini taşıyordu.

Bakışlarını kaldırdı; bütün erkekler ona bakıyordu. Düşünceli yüzlerde yeni bir gerçeği gördü. Paris'te, cinayet yönteminin katilin çılgınlık derecesi dışında bir önemi yoktu. Oysa Ulan-Bator'da, daha farklıydı bu işler. Herkes bu tip yarayı tanıyordu. Katil kurbanlarını isteyerek, hayvan öldürür gibi öldürüyordu. Bu yara sayesinde, kurbanlarını hayvan seviyesine indiriyordu. Eugen Talikh'i ve manastır koridorunda yakaladığı gerçeği düşündü. Eğer gerçekten suçlu oysa, zararsız bir fizikçinin vahşi bir katile dönüşmesini kim, nasıl açıklayacaktı? Hayvanlar gibi öldürülmeleri için, bu insanlar ne gibi bir kötülük yapmış olabilirlerdi?

Polis şefi elinde hâlâ iki pasaportla, bir adım atıp, Diane'ın karşısında durdu. Gözlerini Diane'dan ayırmadan, Giovanni'ye seslendi. İtalyan da yaklaştı, alçak sesle sordu:

– Bu adamı tanıyıp tanımadığınızı soruyor.

Diane başıyla hayır işareti yaptı. Artık adamın soruşturmanın tamamlanması için ya da herhangi bir başka nedenle onları burada alıkoymasından çekiniyordu. Oysa tokamaka varmak için topu topu üç günü vardı. Kısık sesle, endişelerini Giovanni'yle paylaştı. Diplomat devle kısa bir konuşmaya girişti. Her türlü beklentinin tersine, koca adam bir kahkaha attı ve kısa bir cevap verdi. Diane sordu:

– Ne diyor?

– Elimizde resmî izin belgeleri var. Bizi tutmak için hiçbir sebep göremiyor.

– Neye güldü?

– Ne olursa olsun, kaçma fırsatı bulamayacağımızı düşünüyor.

– Neden?

İtalyan, polis şefine dönüp nazikçe gülümsedi, sonra göz ucuyla Diane'a baktı:

– Kelimesi kelimesine şöyle dedi: "İnsan hapishaneden her zaman kaçabilir. Ama özgürlükten?"

Elli altıncı kısım

Tupolev'in içinde koltuk falan yoktu; hatta yolcu kabini bile yoktu. Bindikleri uçak yüz metre boyunca uzayan iki gri bölmeden ve bu bölmelere tutturulmuş, içine eşyaların konduğu ya da insanların tutunduğu ağlardan oluşuyordu sadece. Dirsek dirseğe sıkışmış yüzlerce Moğol yere çökmüş, çuvallarının ya da karton kutularının üzerine tünemiş, çocuklarını ve koyunlarını tutmaya çalışıyordu.

Diane da kalabalığın ortasına çömelmiişti. İsteri krizine yakın bir coşku içindeydi. Uyumamış olmasına rağmen, en ufak bir yorgunluk hissetmiyor, bir gece öncesinin dam boğuşmasından kalma sızılarını bile duymuyordu. Gecenin şiddeti geride yoğun bir asabiyetten, vücudunun içinde bir titreşimden başka bir şey bırakmadan, geçip gitmiş gibiydi.

Cinayete rağmen, manastırdaki esrar perdesine rağmen, Diane'ın gerçeğin yüzde ona yakınını anlatmış olmasına rağmen, sıvışmamıştı Giovanni; macerayı Sibirya sınırına kadar sürdürmek kararındaydı. Çantalarını hazırlayıp, birer fincan sıcak çay içtikten sonra, iki kafadar başkentin yaklaşık beş yüz kilometre kuzeydoğusundaki yerleşim merkezi Mörön'e gidecek olan haftalık uçağa yetişmek üzere yola koyulmuşlardı.

Uçak bir saatten beri havadaydı. Motorların gürültüsü kulakları sağır ediyor, kolları bacakları uyuşturuyordu. Koyunlar bile küçük heykeller gibi donmuş, kıpırdamıyordu.

Hareket eden bir tek Diane vardı; doğruluyor, yolcuların arasında sırtını dayayacak bir yer arıyordu. Sükûnetine kavuşmaya çalışıyor, bu arada da çevresindeki erkekleri ve kadınları süzüyordu.

Gördüğü yüzler Ulan-Bator'dakilere benzemiyordu. Erkeklerin koyu esmer yüzleri, derin çiziklerle, buruşukluklarla kaplıydı; oysa kadınların ve çocukların cildi pürüzsüz, neredeyse yarısaydamdı. Deellerin parlak renkleri de genç kadının gözünden kaçmadı. Çevresinde mavi, yeşil, sarı yamaçlar, kırmızı, beyaz parıltılar, portakal rengi, pembe, mor yükseltiler vardı.

  · Diane hemen yanında, bir karton kutunun üzerine çömelmiş çocuğu Giovanni'ye göstererek sordu:

– Adı neymiş?

İtalyan, çocuğun annesine döndü, cevabı dinleyip çevirdi:

– Hoserden, yani Çifte Mücevher. Moğolistan'da her adın bir anlamı vardır.

– Ya şunun?

Çivit rengi bir türbana bürünmüş anasının kucağında uyuklayan çok daha küçük bir çocuğu gösteriyordu.

– Mart Güneşi, diye çevirdi ataşe.

– Bu?

– Çelik Zırh.

Diane soru oyununa son verdi. Şimdi artık kadınların siyah saçlarını saran eşarplarına bakıyordu. Baskı motiflerin içinde, hayvan resimlerini seçti. Boynuzları görkemli ren geyikleri, kanatları altın saçaklarla son bulan kartallar, pençeleri kahverengi freskler gibi açılan ayılar. Daha dikkatli bakıldığında, başka şeyler de görülüyordu. Boynuzlar, kanatlar, pençeler, ipeğin gölgeleriyle kollara, insan siluetlerine, insan yüzlerine dönüşüyordu... Aslında, kumaşın üzerinde iki ayrı resim görmek mümkündü. Işığın işbirliği yaptığı, iki yüzlü bir sır gibi bir şey. Diane bu yanılsamanın önemli olduğunu, bilerek yapıldığını tahmin edebiliyordu.

– Taygada, insan ile hayvan özdeşleşir, diye açıkladı Giovanni. Avcı ormanda hayatta kalabilmek için, ezelden beri hayvanları örnek almıştır. Onlarda kendine özgü uyum yöntemleri bulur. Hayvan aynı zamanda hem av hem de simgedir. Hem düşman hem de suç ortağı.

Motorların gürültüsünü bastırmak için, İtalyan avazı çıktığı kadar bağırıyordu:

– Bu özdeşleşme, şamanlarda daha da ileridir. Eski inanışlara göre, şamanlar gerçekten hayvana dönüşme gücüne sahiptir. Ruhlarla temasa geçmeleri gerektiğinde, ormana gidip insan alışkanlıklarından arınırlar –örneğin pişmiş et yemezler– sonra da ruhlar dünyasına varabilmek için, son değişim evresinden geçerler.

Ataşe soluklanabilmek için birkaç saniye kadar sustu, sonra da bir sır vermek istiyormuşçasına, Diane'a yaklaştı. Uçağın gri bölmeleri gözlüğüne yansıdı, camlarını bronz kubbelere benzetti.

– Çok ünlü bir Tseven geleneği vardır; hâlâ var oldukları dönemlerde, çeşitli kabilelerin şamanları gizli buluşma yerlerinde toplanıp, taptıkları hayvanın şekline bürünerek birbirleriyle yarışmak zorundaydı. Bu çarpışmalar Tsevenleri hem dehşete düşürüyor hem de onlar için son derece önemli sonuçlar doğuruyordu.

– Neden?

– Çünkü galip gelen yenilenin de güçlerine sahip oluyor, o yetenekleri kabilesine götürüyordu.

Diane gözlerini yumdu. On yıldan fazla bir süredir yırtıcı hayvanları inceliyor, davranışlarını gözleyip, tepkilerini ölçüyordu. Bütün bu araştırmaların sonunda, sadece tek bir amaç vardı; hayvanlardaki şiddeti anlamak, mümkünse, bu anlayışa dayanarak şiddetin temelini bulmak.

Şaman gelenekleri kendi çalışmalarının çok da uzağında değildi. Hayvan-insanlarca girişilen amansız bir kavga düşüncesi, ona çok çekici görünmeye başladı. Gençliğinde başından geçenlerden sonra, kendisi de hayatta kalabilmek için incelediği yırtıcıların ruhuna sığınmıştı.

Gözlerini açtı, uçağın tozlu ışığında, rengârenk deelli yolcuları, kadınların göz okşayıcı başörtülerini izledi. Tuhaf bir şekilde, sanki o'da tayganın ucuna bir buluşmaya gidiyor gibiydi.

Kendisiyle buluşmaya.

Elli yedinci kısım

Akşama doğru, yollarına ikinci uçakla -rüzgârların ve bulutların arasında sallanıp duran minicik bir çift kanatlı- devam ederlerken, altlarındaki step birden sık ormanlara büründü. Tepeler kırmızı ve altın yamaçların üzerinde yükseliyor, açıklıklar koyu renkli derinliklere dönüşüyor, toprak yüzlerce ırmakla parıldıyordu. Ülkenin kuzey sınırına varmışlardı. Sibirya kapılarına.

Böylesi bir güzellik karşısında canlanıp güçlenmek yerine, üzerine yorgunluk çöktüğünü hissetti Diane. Oysa Giovanni manzaraya bakıp heyecanlanıyordu. Cama yaklaşarak, "Göller bölgesi. Moğol İsviçresi!" diye haykırdı. Bir harita çıkardı, pervanelerin gürültüsünü bastırmak için, bağırarak yorumladı durumu: "İnanılmaz bir yolculuk olacak. Bizler öncüyüz, Diane!"

Akşamın altısı. Ovaya iniş. Tsagaan-Nuur topu topu otuz kadar barakadan oluşuyordu; pastel renklere boyanmış, ahşap kulübeler. Mörön uçağının yolcuları, kendileriyle birlikte yolculuk eden Avrupalılarla bekledikleri kadar ilgilenmemişlerdi. Tsagaan-Nuur yerlileri ise, özellikle de Diane'ın şapkasının altından görünen sarı saçlarını gördükten sonra, yabancılara büyük ilgi gösterdiler.

Giovanni yaşlı bir ren geyiği yetiştiricisiyle konuşurken, Diane hayvanları çevreleyen çite yaklaştı. Siyah ya da beyaz lekeli küçük hayvanlar, içi doldurulmuş oyuncaklar ile granit heykelcikler arasında gidip gelen, ölçekle ufaltılmış modellere benziyordu. Sadece boynuzları ren geyiklerine belirli bir soyluluk kazandırıyordu. Her hayvanın kafasının üstünde, yılın bu ayında parçalanıp dökülen gri kadifemsi bir tabakayla kaplı uzun dallar vardı.

Etnolog gelip Diane'a durumu anlattı. Yetiştirici onlara altı ya da yedi hayvan "kiralamaya" hazırdı ama, bir tek şartla; daha önce geyik binmek konusundaki yeteneklerini görmek istiyordu. Öfkelenen Giovanni, hiç beklemeden hayvanlardan birine binmek istedi. Üçüncü düşüşten sonra, olanları seyretmek için toplanan Moğolların kahkahalarından bıkmış gibiydi. Beşinci düşüşte, malzemeyi gözden geçirdi; peki ama eyer neden sıkılmamıştı? Yedinci düşüşte, yaya gitme ihtimalinden söz eder oldu. Sonunda, yetiştirici birkaç açıklamada bulunmaya lütfetti. Ren geyiklerinin postu öylesine pürüzsüz, öylesine kaygandı ki, üzerine bir şey bağlamak imkânsızdı; kısacası kolan sarılamıyordu. Tam tersine koşumları gevşek tutmak ve hayvanın hareketine uymak gerekliydi; boynuna bakarak hangi yöne adım atacağını tahmin etmek ve sağrısında süzülmek. Anlattıklarını göstermek istercesine, hayvanlardan birinin sırtına bindi, çitin içinde bir tur attı.

Diane ve Giovanni eğitime başladılar. Yeni düşmeler oldu, yeni kahkahalar patladı. Ter ve çamura bulanmış iki yolcu, köyün neşeli havasına uydu. Diane öylesine uzundu ki, üzengileri ayağına geçirmeden bacağını hayvanın üzerinden attığında, öbür tarafta yere değiyordu. Böylesi bir ölçüsüzlük, izleyicilerin kahkahalarını tutamamalarına neden oluyordu. Böylesi bir neşe patlaması karşısında, iki kafadanın endişesi dağıldı.

En önemlisi, her düşmeden, her kahkahadan sonra, gizli bir özlemin avucunda buluyorlardı kendilerini. Bakışlarını kaldırıyorlar ve karşılarında, ufku bir kuvars sessizliğiyle kapatan yüksek Horidol Sarıdağları'nı görüyorlardı. Yaldızlı akşam güneşi birden haklarını hatırlıyor, ısınmış yüzlerini kamçılıyordu. İşte o zaman Diane'ın bakışları Giovanni'ninkilerle buluşuyor, isteksizce süzülerek uzanan otların ne fısıldadığını birden anlıyorlardı; yaralı kalplerin, dönüşü olmayan gidişlerin türküsü. Karanlık çöktüğünde, sonunda o küçük gri sırtlara tutunabildiklerinde, bir başka sırrı daha öğrenmişlerdi; tayganın endişeli özlemini.

Elli sekizinci kısım

Macera şafakla birlikte başladı.

Diane ve Giovanni sonunda yetiştirici ile oğlunu onlarla birlikte gelmeye ikna etmişlerdi. Konvoyu oluşturan yedi hayvandan üçü, malzemeyi taşıyordu: tüfekler, mataralar, Sovyet askerî çadırlarının bez ve direkleri, bezlere sarılmış koyun parçaları, Diane'ın ne olduğunu anlayamadığı daha bir sürü şey. Yavaş ilerliyorlardı. Ren geyikleri küçük adımlar atıyor, dalgalanan ovaları yarıyor, kızılımsı yaprakların altına süzülüyor, ilk kayalıklara taş takırtılarıyla varıyordu. Sakin ve tehlikesiz, soğuğun işkencesi olmasa yeknesak denebilecek bir yolculuk.

Oysa soğuk, giysilerdeki en ince aralıktan sızıyor, derinin üstünü buzdan bir zarla kaplıyor, elleri ayakları uyuşturuyor, parmakları donduruyordu. Saat başı yürümek, hareket etmek, çay içmek, yani yaşamaya devam etmek için durmaları gerekiyordu. Moğollar bıçaklarının ucuyla gözkapaklarının içini kazırlarken, Diane ve Giovanni tek kelime bile etmeden hareketsiz durup titreşiyor, ayaklarını beceriksizce yere vurup ısınmaya çalışıyorlardı. Eldivenlerini çıkarmak söz konusu bile olamazdı; en küçük bir taşa dokunmak bile, aya derilerinin soyulmasına neden olurdu çünkü. Büyük ısı farkları diş minesinin çatlamasına neden olacağından, çayı kaynar içmemek de gerekiyordu. Biniciler belli belirsiz gevşemiş vücutlarını ren geyiklerinin sırtlarına yeniden yerleştirdiklerinde, içlerinde bir mağlubiyet, kaçınılmaz bir ölüm duygusu oluyordu; soğuk hâlâ içlerindeydi.

Kimi zamanlar da güneş kavurucu ışınlarıyla çıkıyordu ortaya. İşte o zaman, tıpkı çölde de olduğu gibi, güneş yanığından korunmak için yüzlerini örtmek zorunda kalıyorlardı. Rüzgâr öylesine şiddetli ve açgözlüydü ki, neredeyse yönünü ters çevirdiğini, insanın yüzünden kavrulmuş ince pullar kopardığını düşündürüyordu. Köreltici çember sonra birden kayboluyor, dağ da uğursuz derinliğine yeniden kavuşuyordu. Soğuk yine gelip, buzdan bir lale gibi, kemiklerin çevresine kenetleniyordu.

Öğleden hemen sonra geçide, üç bin metreye ulaştılar. Manzara değişti. Bulutların altında her şey karardı, kısırlaştı, bir ay görüntüsüne dönüştü. Otlar büzüştü, yosun ve liken oldu. Ağaçlar seyreldi, kurudu, sonra toptan kaybolup yerlerini bakırımsı kayalara, taş kuyulara, çıplak yükseltilere bıraktı. Geçit bazen birkaç çamla süslenmiş yeknesak bataklıklardan geçiyordu. Kimi zaman da manzara gerçekten kanamaya, alyuvarlarını menekşelerin oluşturduğu fundalıkları göstermeye başlıyordu. Donmuş bağırsaklı, erişilmez ve unutulmuş tundra, bir beddua gibi çevrelerini sarıyordu.

Diane gökte ters yönde, sıcağa doğru uçan göçmen kuşları izliyordu. İçin için bir gururla uzaklaştıklarını hisseder gibiydi. Dudakları koruyucu kremden bembeyaz, gözlerinde şakaklarını da kapatan gözlüğü, dağlara tırmanmaya her zamankinden de kararlıydı. Her duyguya, her acıya katlanıyor, hatta bu hislerden garip bir zevk bile alıyordu. Bu macerayı, girmeyi hak ettiği bir tür sınav gibi görüyordu. Bu ülkeyle karşılaşmak zorundaydı. Bu kayalık yamaçları arşınlamak, soğuğa, kavurucu sıcağa, bu çetin granit çöle dayanmalıydı.

Buraları Lucien'ın memleketi olduğu için.

Çocuğun kökenine doğru ilerlediğini hissediyordu. Çevresini saran duvarlar, önüne dizilen engeller, cildini solduran çatlaklar, bütün bunlar bir doğumun olmazsa olmaz aşamaları gibiydi. Lucien'la arasındaki bağlar bu granit koridorda güçleniyordu. Onun da hamileliği, doğumu bu acımasız, amansız yolculuktu. Bu ateşten ve buzdan doğum, çocuğuyla mutlak bir birlikteliğe açılacaktı, tabiî eğer hayatta kalabilirse.

Birden manzaranın daha da değiştiğini fark etti. Bir yumuşaklık, bir fısıltı çevrenin sertliğini hafifletiyordu. Nazlı tanecikler havada süzülüyor, giderek tundrayı örtüyordu. Lekesiz bir beyazlık dalları kaplıyor, köşeleri törpülüyor, yumuşak ve içten bir eser gibi, her çizgiyi, her şekli yeniden biçimlendiriyordu. Diane gülümsedi. Zirveye yaklaşıyor, karın kutsal ülkesine varıyorlardı. Konvoy toprağın, suyun ve havanın tam sınırında, giderek daha incelen, giderek daha şeffaflaşan bir aydınlığın ortasında ilerliyordu.

Kafile farkında olmadan yavaşladı, ren geyiklerinin sessiz adımlarına kapılıp uyuştu. Moğol yetiştirici haykırmaya başladı. Bitkin hayvanlar da bağırdı, hareketlendi; kafile beyaz sınırı aşıp, usulca dağın öte yamacına ulaştı. Toprak düzleşti, tereddüt eder gibi oldu, önce hafif, sonra dik bir meyle yönelerek yosundan halıların, çalıların arasına daldı. Otlar gözüktü, sonra da tek tük ağaçlar. Biniciler birden, aşağıda, son vadiye açılan yamaca vardılar.

Karaçamların tepeleri tutuşmuşa benzer bir buğuyla tütüyordu. Kayın ağaçlarının yaprakları pembe ve toprak rengi parıltılar saçıyor, kurumuş olanlar da gri maden oymalar, gibi şekiller alıyordu. Çamlar gölge ve yeşilliklere bürünmüştü. Ağaçların altındaki otlar öylesine parlak renkler, öylesine taze bir görünüm sergiliyordu ki, tümüyle yeni bir hayranlık uyandırıyordu; çocukça bir hayranlık, bir kan yenilenmesi. En önemlisi, bu kocaman beşiğin ortasında bir göl vardı.

Tsagaan-Nuur.

Beyaz Göl.

Dupduru suların üzerinde Horidol Sarıdağları'nın mavi ve beyaz tepeleri dikilirken, yine aynı kımıltısız suyun üzerinde aynı tepeler, bu kez baş aşağı, modelleri önünde tapınır gibi duruyor, ama onları saflıkta ve görkemde aşıyordu. Huzur vardı. Sevgi. Gerçek dağlar ile sudaki köklerinin birleştiği bulanık ve gizemli çizgide, sarsıcı bir kucaklaşma.

Gözleri kamaşan kafile, olduğu yerde durdu. Tek duyulan, üzengilerin tıkırtısı ile ren geyiklerinin hızlı soluklarıydı. Diane bineğinin üzerinde dengede durmaya çabaladı. Görmesini engelleyen buğuyu silmek için, başparmaklarını gözlüğünün camlarına sürdü.

Buğuyu silemedi.

Donmuş gözlerinden akanlar, gözyaşlarıydı.

Elli dokuzuncu kısım

O akşam, gölün kıyısında kamp kurdular. Çadırlarını çam dallarının altına kurduktan sonra, yemeklerini soğuğa rağmen dışarıda yediler. İki Moğol önce ruhlara dua etti, sonra da geleneksel yemeği hazırladılar: haşlanmış koyun eti, kuyruk yağıyla kokulandırılmış çay. Diane böylesi yiyecekleri yutabileceğini tahmin etmiyordu. Ne var ki, bir gece önce olduğu gibi, o akşam da tek bir kelime etmeksizin önündekileri yedi. Ateşin yanına çömelmişti.

Üstlerinde gök lekesiz, dupduruydu. Diane birçok kez, geceleri, özellikle Afrika çöllerinin göklerine hayranlıkla baktığını hatırlıyordu, ama böylesine şiddetli bir duruluk ve yakınlıkta bir gökyüzü görmemişti hiç. "Büyük patlama"nın tam altında bir yerdeymiş gibi hissediyordu kendini. Samanyolu binlerce yıldızını sınırsız bir cümbüş gibi gözler önüne sermişti. Yıldız toplulukları bazen öylesine yoğundu ki, göz kamaştırıcı alevler yayıyordu. Kimi zaman da tam tersine, sedefimsi sislerin ardında saklanıyor gibiydi. Bazıları ise, yıldızlar arası boşlukta buharlaşmaya hazır, titrek ışıklar saçıyordu.

Diane bakışlarını indirince, rehberlerinin karanlıkta yüzünü göremediği bir yabancıyla konuştuğunu gördü. Ateşi görüp, yiyeceklerini paylaşmak için yanlarına gelen yalnız bir çobandı herhalde. Kulak kabarttı. İspanyol vurgularının ve inişli çıkışlı seslilerin tuhaf bir biçimde böldüğü kaba heceler dizisi. Moğolca'yı ilk kez dikkatle dinliyordu. Yeni gelen, kollarını göğe kaldırmıştı.

– Giovanni?

Anorağının içine sığınmış İtalyan beresini yukarı çekti. Diane sordu:

– Bu gelen kim, biliyor musunuz?

Giovanni ellerini ceplerine gömdü.

– Sanırım buranın yerlisi. Anlaşılmaz bir lehçesi var.

– Ne dediğini anlayabiliyor musunuz?

– Eski efsanelerden bahsediyor. Tseven öykülerinden.

Diane doğruldu.

– Sakın Tseven olmasın?

– Çok kalın kafalısınız; size daha önce de söyledim, şimdi de tekrar ediyorum, Tsevenler yok oldu!

– Ama eğer Tseven öyküleri anlatıyorsa...

– Tseven öyküleri yerel folklorun bir parçası. Geçidi aşmakla, Türk asıllı etnik grupların topraklarına girdik. Burada herkesin damarlarında az ya da çok Tseven kanı vardır. En azından herkes, eski öyküleri bilir. Bu onların Tseven oldukları anlamına gelmez.

– Yine de ona bir sorsanız?

İtalyan içini çekerek doğruldu. Giovanni önce kendilerini tanıttı. Konuklarının adı Gambohuu'ydu. Cildi buruşuk, yaşlı bir mask gibiydi. Yıldızların aydınlattığı yüzünde ürkütücü gölgeler görünüyordu. Etnolog adamın cevaplarını çevirdi:

– Moğol olduğunu söylüyor. Beyaz Göl'de balıkçılık yapıyormuş.

– Tokamak faaliyetteyken de burada mıymış?

Giovanni balıkçıyla konuşup cevap verdi:

– Burada doğmuş. Taş çemberi bugünkü gibi hatırlıyor.

Diane içinde yepyeni bir heyecan dalgası hissetti; taş çemberi çalışır halde gören biriyle ilk kez karşılaşıyordu. Sormayı sürdürdü:

– Tokamakın çalışmaları hakkında ne biliyor?

– Diane, bakın, bu adam basit bir balıkçı, onun için...

– Sorun!

Giovanni söyleneni yaptı. Buz gibi rüzgâr çamları sallıyor, gecenin içine öylesine güçlü, öylesine inatçı reçine kokuları salıyordu ki, insan genzinde bir is tadı duyuyordu. Diane kendini tayganın dokusunca kuşatılmış, eritilmiş hissediyordu. Yaşlı Moğol başıyla hayır diyordu.

– Tokamaktan bahsetmek istemiyor, dedi İtalyan. Ona göre, oraları lanetliymiş.

– Neden lanetliymiş? (Diane'ın sesi yükseliyordu.) Israr edin. Bu benim için çok önemli!

Etnolog genç kadına kuşkuyla baktı. Diane biraz sakinleşerek bastırdı:

– Giovanni, lütfen.

Giovanni balıkçıyla konuşmaya devam etti. Yaşlı adam, demir dirsekli bir anahtara benzeyen bir pipo çıkardı, sabırla tütün doldurdu. Küçücük bir korla yaktıktan sonra, anlatmaya başladı. Giovanni duyduklarını anında çeviriyordu:

– Özellikle parapsikoloji laboratuvarını hatırlıyor. Sibirya sınırından demiryoluyla gelen insanlardan söz ediyor. Getirilip tokamaktaki binalardan birine tıkılan şaman gruplarından. Bölgedeki herkes gelenlerden bahsediyormuş. İşçilerin gözünde, bundan daha büyük günah olamazmış. Büyücüleri hapsetmek, ruhlara meydan okumak demekmiş.

– O laboratuvarda neler yapıldığını biliyor muymuş?

Giovanni soruyu tercüme etti, ama ziyaretçi donup kalmış gibiydi. Yanık piposu uzaktaki bir deniz feneri gibi göz kırpıyordu.

– Cevap vermek istemiyor, diye kestirip attı İtalyan. Sadece orasının lanetli olduğunu söyleyip duruyor.

– Neden? Deneyler yüzünden mi?

Diane neredeyse haykırmıştı. Birden yaşlı gırtlaktan, piposundan çektiği iki duman arasında, kelimeler yükseldi.

– Kan döküldüğünü söylüyor, diye açıkladı etnolog. Bilginlerin çılgın olduğunu, korkunç deneyler yaptıklarını. Fazla bir şey bilmiyor. Kan döküldüğünü söylüyor yine. Ruhların da bu yüzden intikam aldıklarını.

– İntikamlarını nasıl almışlar?

Gambohuu artık sonuna kadar gitmeye kararlı görünüyordu. Giovanni'nin tercüme etmesine fırsat vermeden anlatıyordu. Etnolog adamın anlattıklarını özetledi:

– Bir kaza yaratmışlar.

– Ne kazası?

Giovanni'nin çizgileri gecenin karanlığında sertleşiyordu. Fısıldar gibi cevap verdi:

– 1972 baharında, taş çember patlamış. İçinden bir şimşek geçmiş.

Diane o şimşeğin kendi içini parçaladığını sandı. Başından beri tüm düşüncelerini parapsikoloji laboratuvarı üzerinde toplamış, asıl felaketin sınırları aşmak için yapılan çalışmalar sırasında geldiğini sanmıştı. Oysa gerçek trajedi, o cehennem makinesinden kaynaklanmıştı. Yine sordu:

– Ölen olmuş mu?

Giovanni balıkçıya döndü, cevabını yüzü solarak dinledi.

– En azından yüz elli ölüden bahsediyor. Ona göre, çember patladığında, işçilerin tümü içerideymiş. Bakım çalışması diyor ya, pek anlamadım. Borulardan sızan plazma hepsini canlı canlı kavurmuş.

Gambohuu artık hep aynı kelimeyi tekrarlıyordu; Diane'ın çok iyi bildiği bir kelimeyi.

– Neden Tsevenlerden bahsediyor? diye sordu.

– İşçilerin hepsi Tsevenmiş. Bölgedeki son Tsevenler.

Hem Diane hem de Giovanni haklı çıkmıştı. Tseven halkı önce Sovyet kırımına kurban gitmiş, ne var ki içlerinden bazıları hayatta kalmayı başarmıştı. Zorla yerleşik düzene geçirilmişler, kolhozda çalışmaya zorlanmışlar, nükleer ölüme mahkûm köle işçilere dönüştürülmüşlerdi. Etnolog devam ediyordu:

– Hayatta kalanlardan bazılarının bağırsaklarını ellerinde tuttuklarını söylüyor; yüzleri öylesine yaralıymış ki, kadınlar kocalarını tanımayıp, yardım etmeye yanaşmıyorlarmış. Yaralarının korkunçluğuna rağmen, zavallıların haykırarak su dilendiklerini anlatıyor. Öldüklerinde, çeneleri cam gibi kırılmış. Cesetlerin üzerinde öylesine çok sinek varmış ki, görülenin yanık yarası mı, yoksa gövdelerini kaplayan böcekler mi olduğunu anlamak imkânsızmış.

Diane hayatta kalan diğerlerini, yanıktan kurtulduğunu sananları düşündü. Trityum radyoaktivitesinin etkileri konusunda bilgisi yoktu ama, uranyum ışınlarının insanlarda ne etki bıraktığını biliyordu. Hiroşima'dan artakalanlar, patlamadan sadece birkaç hafta sonra, hayatta kalma kavramının bile atom dünyasına ait olmadığını anlamışlardı. Önce saçları dökülmeye başlamış, sonra önüne geçilmez bir ishale yakalanmışlar, kusmuşlar, iç kanamalar geçirmişlerdi. Sonra da onulmaz hastalıklara gelmişti sıra: kanser, lösemi, tümör... Tseven işçiler de aynı işkencelerle karşı karşıya kalmış olmalıydı. Bir de tabiî, patlamadan aylar sonra küçük hilkat garibeleri doğuran kadınlar vardı; ya da hamile olmayan ama radyasyon sonucu doğurganlıklarını yitirenler.

Diane başını göğe kaldırdı. Acıma duygusunu reddediyordu. Yıkılıp acımaya vakti yoktu; yapması gereken bu yeni bilgilerden biraz olsun anlam çıkarabilmek için mantığını zorlamaktı. Birden gözlerinin önünde Eugen Talikh'in resmi belirdi; gerçekleştirdiği nükleer denemelerle, bilmeden de olsa kendi halkının ölümüne neden olmuştu. Dâhi bilim adamı, Tsevenlerin ulu kahramanı, kendi soyunu kurutmuştu...

Diane'ın aklına başka bir varsayım geldi. Eugen Talikh'in o ölümcül deneyle bir ilgisi olmadığı kabul edilse, kazadan onun sorumlu olmadığı düşünülse, o zaman onun öç almaya çalıştığı söylenemez miydi? Diane yeni varsayımını şekillendirdi. Ya, henüz bilmediği bir nedenle, patlamanın sorumluları parapsikoloji laboratuvarındaki araştırmacılarsa? Talikh, o sakin sığınmacı, katil araştırmacıların cinayet yerine dönmek üzere olduklarını öğrendiğinde, acımasız bir caniye dönüşmüşse?

Altmışıncı kısım

Diane güneşin ilk ışıklarıyla uyandı. Giyindi, pantolonunun üzerine su geçirmez bir tulum geçirdi, üzerine de yine su geçirmez bir pançо aldı. Sırt çantasını hazırladı; halojen el feneri, ip, kazma, yedek pil. Silahı yoktu, bıçak bile yoktu. Bir an, yandaki çadırda uyuyan Moğollardan bir tüfek aşırmayı düşündü, ama hemen vazgeçti; böylesi fazla tehlikeli olurdu. Çantasının fermuarını kapatıp, günün ilk ışıklarıyla buluştu.

Her yer donmuştu. Bembeyaz otların arasında, kimi zaman mavimsi birikintiler vardı. Çiğ damlaları buzlu hareketsizlikleriyle parıldıyordu. Ağaçların altında, dallara asılıp durmaya çalışan güçsüz sarkıtlar. Bütün bunlar, hafif bir saydamlıkla çevrelerini saran, okşayan buğular yüzünden daha güçlü, daha ışıltılı görünüyordu.

Uzakta, ren geyiklerini duydu. Buzu kazıyan toynaklarını, aşırı soğuk bölgede ısı alanları açan boğuk soluklarını işitiyordu. Siste hayvanları görmese bile, kayaların dibinde, likenlerde, ağaç kabuklarında yalayacak tuz aradıklarını tahmin edebiliyordu. Daha da uzaktan, gölün düzenli şapırtısı geliyordu kulağına. Diane soğuk havayı soludu, kampa baktı. Ne bir ses ne de bir hareket vardı, herkes uyuyordu. Billur çalıları kırmamaya özen göstererek ağaçların arasına daldı. Yüz metre kadar ötede rahatlamak için durdu, tümüyle giyinmeden önce işemeyi düşünemediği için kendi kendine küfürler savurdu.

Ağaçların arkasında, tulumundan kurtulabildiği ölçüde çömeldi. Sidiğindeki tuzun kokusunu alan ren geyikleri hemen o tarafa doğru koştu, donmuş dallar arasında tarifsiz bir gürültü çıkardı. Olanca hızıyla giyinip kaçacak zamanı ancak bulabildi. Yeterince uzaklaştığına inandığında yavaşladı; gülmekten katılacak gibiydi. Sinirli, gergin, sessiz, ama rahatlatıcı kahkahalar. Başparmaklarını sırt çantasının askılarına geçirip yürümeye koyuldu. Gölün kıyısına ulaştığında, sağa, Moğol rehberlerin, ardında tokamakın bulunduğunu söyledikleri yamaca baktı. İki kilometrelik bir yol. Karaağaçların altına girdi ve tırmanmaya koyuldu.

Birazdan solukları canını acıtmaya, tüm vücudu tere batmaya başladı. Sis damlacıkları pançosunun üzerinde mücevher gibi parlıyordu. Soluğu billurumsu bir yağmur gibi düşüyordu. Otların arasında gölgeli yarıklar gördü. Yaklaştı. Hâlâ vücut ısısında, alageyik ya da maral barınakları. Diane eldivenlerinden birini çıkardı, çıplak parmaklarıyla barınağın kenarlarını okşadı. Sonra bakışları ayaklarının arasındaki kahverengi köklere takıldı. Kökleri okşadı, sertliklerinin tadına vardı.

Tırmanmayı sürdürdü. İşte o zaman Gambohuu'nun sözlerini hatırladı. Atom felaketini ve kurbanların acılarını anlatmak için söylediklerini. Öte yandan, bir gece önce vardığı sonuçlar, daha gerçekçi görünüyordu. Bilmediği bir nedenden ötürü, parapsikologlar tokamakın başarısızlığının sorumluğuna ortaktı. Şu ya da bu şekilde, kazayla ilgiliydiler. Birden, bir dizi anı canlandı kafasında. Hugo Jochum'un kahverengi lekelerle kaplı cesedini gördü. Egzaması gerçek bir deri değiştirmeye dönüşmüş Philippe Thomas'nın pembemsi cildini. Belleğinin bir köşesindeki bir anıyı da hatırladı o zaman; Rolf van Kaen'i o kırmızı meyvelerle geviş getirmeye zorlayan tuhaf mide hastalığını...

Bütün bunları neden bir gece önce de düşünmemişti?

Parapsikologlar da radyasyona maruz kalmışlardı.

Her biri, daha uzaktan –yani daha hafif– maruz kaldıkları atomun izlerini taşıyordu. Radyasyonun etkileri yıllar sonra, birbirinden farklı ve çok değişik hastalıklar altında ortaya çıkabiliyordu. Parapsikologların rahatsızlığındaki tuhaflık, deneylerinin yeniliğiyle açıklanabilirdi kuşkusuz. Aslında, daha önce kimse trityum radyasyonuna maruz kalmamıştı.

Diane varsayımını daha da geliştirdi; ya o nükleer patlama, insanların metabolizmasını sakatladığı gibi, beyinlerinde de bir hasara neden olduysa? Belki de atom bilinçlerinde var olduğu iddia edilen gücü artırmış, paranormal yeteneklerini geliştirmişti.

Böylesi bir olayda, rastlantıya inanmak güçtü. Buradan hareketle, araştırmacıların radyasyona gönüllü olarak maruz kaldıklarını neden düşünmemeli? Ya da kişisel deneyimlerinin yanı sıra, trityum patlamasının Tseven işçilerde bilinç değişimlerine yol açtığına tanık olduklarını? Parapsikologlar işte o zaman aşırı bir deney gerçekleştirmişler, isteyerek bir atom şimşeği oluşturmuşlardı. Bir yerde hata yapmışlardı, insanlar –bütün bir halk– ölmüştü ama, büyücü çırakları amaçladıkları sonucu elde etmişlerdi. Yetenekleri atomun etkisiyle çoğalmıştı. Müneccimdi o adamlar. Nükleer çağın müneccimleri.

Diane kararlı adımlarla ormanda ilerleyerek kanını ısıtırken, giderek bu gerçeğin içine yerleşiyordu. Artık her şey uyum içindeydi. Kaza bir avuç bilim adamının gerçekleştirdiği bir sabotajın sonucuydu. İşte Talikh de onları bu yüzden izliyor, ölümün eşiğindeyken, onlara bu nedenle hayvan muamelesi yapıyordu.

Kuşkusuz adamların taş çembere geri gelmelerinin nedeni de buydu. Deneyi tekrarlamak için; radyasyona maruz kalmak, güçlerini yeniden canlandırmak için...

Diane durdu. Tepenin üstüne varmış, sisin arasından, bir sonraki vadideki çukurluğu görmüştü.

O açıklığın ortasında da, tokamakın dev tacını.

Altmış birinci kısım

Diane gözünün önündekini bir kente benzetti. Taş halkanın çevresinde, hektarlarca bir alana yayılan, yükseltileri sislerin içinde kaybolan ve paslı demir aksamları olan binalar vardı. Sağda, dağa bitişik, termonükleer şebekeyi besleyen elektrik santralının türbinleri. İnmeye devam etti. Kayaların arasına yapılmış binaların ötesinde, yolların ve rayların yarı görünür izlerini seçebiliyordu. Sovyetler merkezin yapılması için gerekli personel ve malzemeyi taşımak için bu altyapıdan yararlanmıştı. Diane'ın başı döner gibi oldu; ölümcül bir alevle yok olan bu projeye kaç mühendis, kaç işçi, kaç ruble gömülmüştü?

Çemberin batı yanını döndü. Ayaklarının altında, beton parçaları, giderek otların yerini alıyordu. Molozları, hurda demir parçalarını aştı, sonra önüne çıkan ilk binaya girdi. İçerisi, camları kırılmış odalara bölünmüştü.

Diane koridorun sonunda, zemini molozlarla ve çam iğneleriyle kaplı, soğuktan çatlamış beton bir avluya çıktı. Yaklaştığını gören kırmızı gagalı kırlangıçlar havalandı. Kanatlarının gürültüsü beton duvarlarda yankılandı, yeşilimsi duvarlar kızıl bir renge büründü. İçinde korku yoktu genç kadının. Bulunduğu yer öylesine kocaman, öylesine terk edilmişti ki, insana gerçekdışı geliyordu. Sola döndü, pencerelerinden günün ilk ışıklarının sızdığı bir bloka girdi. Çatlaklarında süpürgeotları ve yabanmersinleri biten duvarlar boyunca ilerlemeyi sürdürdü.

Karnı deşik şiltelerle, dev aletlerle, karanlık makinelerle dolu salonlardan geçti. Biraz ötede, bir alt kata inen bir merdiven buldu. Fenerini yaktı. En alt basamakta, önüne bir dizi parmaklık çıktı. İtti, parmaklık açıldı. Korkusunu bastırarak, karanlık odaya daldı. Kendi soluğu tüm mekânı dolduruyormuş gibi geliyordu.

Görebildiği kadarıyla, zindandaydı. Fenerinin ışığı, salonun iki yanına dizilmiş hücreleri aydınlatıyordu. Duvarlarla birbirinden ayrılmış, zeminlerinde zincirler bulunan, basit odacıklar. Diane hapishanelerden ve Sibirya kamplarından "ithal edilmiş" şamanları düşündü. Binlerce muhalifin "tedavi" edildiği Rus psikiyatri merkezlerini düşündü. Bu gizli merkezde neler yaşanmıştı? Zindanda, hâlâ karanlıkta titreyerek kaderlerini bekleyen, korkmuş büyücülerin çığlıkları, inlemeleri yankılanıyordu.

Fenerinin ışığı birden duvara kazınmış bir yazıya takıldı. Yaklaştı. Kurçatov Enstitüsü'nde gördüğü, burada da görür görmez tanıdığı Kiril harfleri. TALİKH. Onun yanında da, anlayamadığı bir kelime ve birkaç sayı: 1972. Diane'ın bilincine bir ses, bir çeşit korku hâkim oldu. Tokamakın büyük patronu Eugen Talikh de burada zincire vurulmuştu. Öteki şamanların acılarını paylaşmıştı.

Bir açıklama bulmaya çalıştı. Aslında bu gördüğü, birçok soruyu aydınlığa kavuşturuyordu. Evet, TK 17 büyücülerin kobay olarak kullanıldığı sadist deneylere sahne olmuştu, ama Eugen Talikh bu çeşit uygulamalara katılmamıştı. Tam tersine, karşı çıkmış, işkencecileri parti yönetimine şikâyet etmekle korkutmuştu. Her şey işte o zaman değişmişti. Parapsikologlar, kuşkusuz tokamaktaki askerlerin de desteğiyle, fizikçiyi herhangi bir vatana ihanet suçlamasıyla tutuklatmış, zindana atmışlardı. Ne de olsa bir Tseven, hep Tseven kalacaktı. Üstelik Rus askerleri de, çekik gözlü küçük adamın gururunu kırma fırsatını kaçırmak istememiş olmalıydı. Diane parmağını duvardaki yazının üzerinde gezdirdi. Bilim adamının taşa kazınmış öfkesini duyar gibi oldu. Uçları kıvrık harfleri anlayamamakla birlikte, yazıların 1972 baharındaki felaketle ilgili olduğunu tahmin ediyordu.

Demek doğru düşünmüştü; Talikh patlama sırasında tokamakın yönetiminde değildi artık; adî bir siyasî tutuklu gibi, zindandaydı.

Diane basamakları tırmandı, bulduklarıyla şaşkın, önüne ilk çıkan koridora saptı. Boyutların giderek arttığını anlaması çok zaman almadı. Kapıların pervazları uzuyor; tavanlar ölçüsüz yüksekliklere varıyordu. Diane tokamaka yaklaşıyordu.

Sonunda, denizaltılardaki gibi bir çarkla açılan, hava geçirmez, etrafı çelik, kurşun bir kapının önüne vardı. Kapının hemen üzerinde, yarı silinmiş, kırmızı bir işaret: dünyanın her köşesinde, radyoaktif bir kaynağa yaklaşılmakta olduğunu gösteren o kırmızı pervane.

Diane fenerini dişlerinin arasına sıkıştırdı, eldivenli elleriyle kapının üzerindeki çarkı kavradı. Uzun uğraşlardan sonra, çarkı döndürmeyi başardı. Gücünü artırdı, sonunda tam döndürdü, kapıyı çekti, pervaz boyunca bitmiş likenleri söktü. Kapı önce biraz aralandı, sonra da bir rayın üzerinde kaymaya başladı. Gözlerine inanamıyordu; yarısı beton, yarısı kurşun kapının kalınlığı bir metreden fazlaydı.

Eşiği geçtiğinde, şaşkınlığı daha da arttı; koridor aydınlıktı. Floresanlar beyaz bir ışık yayıyordu. Böyle bir yerde elektrik olması mümkün mü? Tokamakın öteki üyelerini hatırladı. Yoksa daha önce başkaları mı gelmişti? Buradan sonra geri dönemezdi artık. Hele amacına bu kadar yaklaşmışken...

Dikkatli adımlarla taş çembere girdi.

Altmış ikinci kısım

Diane on beş metre genişliğinde, yuvarlak bir koridorda buldu kendini. Bu koridorun ortasında, üzeri kablolarla, tellerle, bobinlerle, mıknatıslarla kaplı, çember içinde çember, silindir bir kanal vardı. Bütün bu karmaşanın üzerindeki yarım daire biçimindeki mıknatıslar, bu ilginç boruhattına çelikten bir koruma sağlar gibiydi. Burada her şey dairenin, kıvrığın, çemberin kurallarına uygun olarak yapılmış gibiydi...

Diane yaklaştı. Karmakarışık kablolar, sarmaşıklar gibi sarkıyordu. Bakır bobinler, düzenek boyunca düzenli aralıklarla sıralanıyordu. İnsanın ağzında bayat bir bonbon tadı bırakan uçuk bir pembeyle parlıyordu. Altta, bütün bunları taşımak için, siyah metalden geometrik şekiller. Diane borunun birkaç metre ötesindeydi. Bütün malzeme karışıklığının arasından, siyah ve pürüzsüz çelik yüzeyi, içinde bir zamanlar plazmanın ışık hızına yakın bir süratle dolaştığı, yıldız füzyon ısısına ulaştığı vakum odasını görebiliyordu.

Zemini kaplayan molozların üzerinde hiç tıkırtı çıkarmamaya çalışarak, dikkatle ilerlemeye devam etti. Kendini hiç bu kadar küçük, bu kadar sefil hissetmemişti. Bu makine başka bir ölçeğe, başka bir mantığa aitti. Diane tümüyle insanın büyüklük kompleksine, yeryüzü kurallarını altüst etme, maddenin en derin yapısını sarsma isteğine hizmet için yaratılmış bu eserin karşısında garip bir ürküntü duyuyordu. Kamil, Prometeus'tan, yıldırım hırsızından bahsetmişti.

Gambohuu da insanların cüretini cezalandıran ruhlardan. Bu çemberin içinde yapılmak istenenler ne denli akıl almaz olursa olsun, Diane tokamakın kutsal olan her şeye yönelik bir saygısızlığa, üstün güçlere bir meydan okumaya sahne olduğunu anlıyordu şimdi.

Koridorun dönmesini izleyerek, dakikalarca yürüdü, sonra geri dönmeyi düşündü. Bu çemberde onun için hiçbir şey yoktu. Bu teknolojik çılgınlıklar ona en küçük bir ipucu bile vermiyor ve... Çığlık metalik bir ses gibi yayıldı.

Elleriyle kulaklarını kapattı. Çığlık bu kez daha güçlü duyuldu. Fır dönen dayanılmaz bir tiz dalga gibi. Diane içinde bulunduğu şoka rağmen, duyduğu tiz sesin bir çığlık değil, bir alarm olduğunu anladı; tokamak harekete geçmek üzereydi.

Uğursuz bir teyit gibi, sağındaki duvarda gördüğü kurşun kaplı kapı hızla kapandı, kilitlendi. Diane çarkın döndüğünü, kapının üzerindeki kırmızı pervanenin yandığını gördü. Bütün çember canlanıyor gibiydi. Aslında tehlike derecesi yüksek tüm merkezler, böyle çalışırdı; alarm durumunda alınacak ilk önlem, tehlikeli bölgeyi tecrit etmek, bütün çıkışları kapamaktır; insan hayatı pahasına olsa bile. Tsevenlerin diri diri kavrulmalarının nedeni de buydu. Diane da böyle ölecekti.

Açık bıraktığı kapıyı hatırladı. Topuklarının üzerinde dönüp bacaklarının var gücüyle koşmaya başladı. Gözleri dönen ışıklardan kamaşıp, kulakları alarm sesinden vınlarken koştu, koştu, koştu. Yolunun üzerinde, o geçerken kapanan bir sürü kapı gördü. Güvenlik mekanizmasından daha hızlı koşabilecek miydi?

Birden, ayaklarının altında bir homurtu duydu. Düzenek harekete geçiyordu. Düşünceler kafasını karıştırdı. Bir elektrik akımı oluşacak mıydı? Atomların milyonlarca derecelik bir ısıya ulaşmaları ne kadar zaman alırdı? Çember boyunca, yüreği alev alev, koşmaya devam etti. Homurtu artıyordu. Titreşim duvarları, yeri, kabloları sarsıyor, Diane'ın vücuduna dehşet dalgaları yayıyordu. Sonunda, girdiği kapıyı gördü; hâlâ açıktı. Aynı anda, kapı rayın üzerinde kaymaya başladı. Diane kara makaraların döndüğünü, menteşelerin yana doğru hareketlendiğini, beton kalınlığın pervazı kaplamaya başladığını gördü.

İnsanüstü bir gayretle sıçradı, aralıktan geçerken beton

köşenin kaburgalarına değdiğini hissetti. Ayağı çelik eşiğe takıldı, tökezledi, kapı kapandığı anda dışarı çıkmayı başardı. Soluk soluğa, düşünemez bir halde haykırıyor, topuklarını yere vuruyor, zemini yumrukluyordu. İçindeki panik, uzaktan gelen, yaşadığı tüm tehlikelerden doğan panik canlanmıştı.

Sarsıntı arttı, Diane'ın sesini kesti. Duvar, bir davulun derisi gibi titremeye başladı. Diane iyice dertop oldu, kasları gergin, çenesi sıkılı, altındaki zeminin güçlü bir dalga gibi yükseldiğini hissetti. Bütün bunlar bir an sürdü. Saniyenin bir bölümü, kadar. Sonra sessizlik alarmın sağır edici dalgasını uzaklaştırdı. Siren sesi azalmaya başladı. Zemin hareketsizleşti. Diane çömelmiş, gözleri sabit, donuk kaldı.

Düşünceler usulca beynine dönmeye başladı. Bilincinin bir yerinde bir şey, uzak, çok uzak bir mırıltı: her şey bitti. Tokamakın devreye girmesi sadece birkaç saniye sürmüştü. Başka bir çağdan kalma güvenlik yöntemleri, yıkıcı şiddeti durdurmuştu. Diane termonükleer düzeneğe bağımsız bir varlık gibi, bir hayvan ya da volkan gibi baktığını fark etti. Oysa gerçek değişikti. Yeni elektrik arkının gerisinde bir insan eli vardı. Kim? Üstelik, neden? Öldürmek için, onu öldürmek için mi? Daha fazla soru soramayacak kadar bitkindi. Yeni soru üretmek için çok bitkin.

Gerilip ayağa kalktı. O zaman, pançosunun sol tarafının erimiş olduğunu gördü. Kopardı. Parkası da kararmış, uzun bir yırtıkla açılmıştı. Diane elini parkanın içine soktu, polara, polyester liflere dokundu. Onlar da yanmıştı. Sert bir hareketle, böğrünü açtı. Kasığından koltukaltına kadar bütün cildi yanık izleriyle kabarmıştı. Vücudunu kaplayan, derisi yüzülmüşlerin anatomik gravürlerini hatırlatan, kırmızı bir kırışıklıklar. Diane anlayamıyordu. Üstelik acı olmaması, dehşetini daha da artırıyordu.

Eğildi, kurşun kapıda kendi oturduğu hizayı inceledi. Metalin üzerinde minicik dikey çatlaklar vardı. Kışların donu, yazların kavurucu sıcağı kurşunun geçirmezliğini bozmuştu. Atom ışınları bu çatlaklara sızmış, genç kadının da en mahrem yerlerine kadar ulaşmıştı. Dehşet içinde geriledi. Ölümden kurtulduğunu düşünmekle yanılmıştı.

Radyasyona maruz kalmıştı.

Ölecek derecede.

Altmış üçüncü kısım

Vadinin üzerinde güneş doğuyordu. Ufka doğru saldırıya geçmiş gibi görünen yeşil vadilerin sağında ağaçlıklı tepeler, solunda da hâlâ sisle örtülü yamaçlar vardı. Diane yüz metre ötede, belirginleşen bir nokta gördü. Gözlerini kıstığında, omzunda tüfeğiyle ona doğru yaklaşan Giovanni'yi tanıdı. Dizlerine kadar gelen otların arasında onu arıyordu.

– Ne oldu? diye haykırdı Giovanni. Bir sarsıntı duydum, sonra...

Rüzgâr, cümlenin gerisini yuttu. Diane sendeleyerek İtalyan'a yaklaştı. Yanığını hissetmiyordu ama, yüzünü kamçılayan rüzgârı, otların bacaklarını okşamasını, ruhuna işleyen temiz havayı tüm açıklığıyla duyuyordu.

– Beni beklemeliydiniz, diye homurdandı İtalyan yaklaşınca. Ne oldu?

– Tokamak harekete geçti. Neler olduğunu bil...

– Ya siz? diye sordu Giovanni. İyi gibisiniz.

Diane hıçkırıklarını durdurmak için gülümsedi.

– Gözlem gücünüz çok iyi, dedi.

Parmaklarını saçlarına götürdü, büyük bir kolaylıkla bir tutam kopardı. Radyasyon etkilerini göstermeye başlamıştı bile. Vücudunu oluşturan milyarlarca atom birbirinden ayrılıyor, yok olmasına kadar varacak bir dizi tepki oluşturuyordu. Daha ne kadar zamanı vardı? Birkaç gün? Birkaç hafta? Mırıldandı:

– Makinenin içindeydim, Giovanni. Radyasyona maruz kaldım. İliklerime kadar.

Etnolog nihayet parkadaki yırtığı görebildi. İki parmağıyla kumaşı araladı, kırmızımsı yanığı buldu. Deri çatlamaya, parçalara ayrılmaya başlamıştı. Kekeledi:

– Sizi... sizi tedavi edeceğiz, Diane. Sakın umudunuzu kaybetmeyin.

Diane dinlemiyordu. Ne umut ne de umutsuzluk batağına batmak niyetindeydi. Onu tek ilgilendiren, önündeki zamandı. İblislerin maskelerini düşürecek, gerçeği ortaya çıkaracak ve çocuğunun sonsuza dek huzura kavuşmasını sağlayacak kadar yaşamak zorundaydı.

– Sizi tedavi edeceğiz, dedi İtalyan inatla.

– Susun.

– Emin olun, sizi en çabuk şekilde geriye gönderecek ve...

– Size susun dedim.

Giovanni durdu. Diane devam etti:

– Duymuyor musunuz?

– Neyi?

– Yer sarsılıyor.

Yoksa tokamak yeniden harekete mi geçiyordu? Diane atomun soluğu altında tutuşan vadiyi düşündü. İşte o zaman sarsıntının tokamaktan değil, vadinin öbür ucundan geldiğini fark etti. Gözlerini tam karşıya, tepe ile taş yalıyarın arasına dikti. Dev bir toz bulutu, toprak ve ot karışımı bir sis, ufku kaplıyordu.

Onları gördü.

Görür görmez tanıdı.

Tsevenler.

On değil.

Yüz değil.

Binlerce.

Sırtları bulutların aynası altında parlayan ren geyikleri üzerinde, binlerce binici. Bitmek tükenmek bilmeyen bir yansıma. Yamaçlardan inen, yayılan ve şiddeti, gürültüsü, güzelliği durmadan artan sonsuz bir sel. Artık renklerden bahsetmek imkânsızdı; adamların hepsi kara deellerini giymişti; çevrelerinde de gri ve beyaz ren geyikleri. Koşuyorlar, beyaz ve lekeli karınlarını sürtüyorlar, hareketli ağaççıklara, masalımsı mercanlara benzeyen, rüzgârın ve yaşamın şekillendirdiği boynuzlarını tokuşturuyorlardı.

Gözlerinin kamaşması Diane'ı öylesine sevindiriyor, aşıyor, soluksuz bırakıyordu ki, nereye bakacağını bilemiyordu. Dikkatini toplayacağı belirli bir nokta ararken, aradığını birden buldu. Eğer şimdi ölecekse, gözbebeklerinde bu görüntü kazılı kalacaktı.

Kadınların görüntüsü.

Sürünün iki ucunda, hayvanları yönetenler onlardı, sadece onlar. İçlerinden çoğu, atlara binmişti. Yanakları alev alev, ayakları üzengide, haykırıyorlardı. Diane başörtülerinin üzerinde, uçaktayken gördüğü, büyülü dönüşümleri temsil eden şekilleri düşünebiliyordu. Oysa şimdi sanki bu destansı yaratıklar toprağı ezmek, kesekleri, otları koparaarak yok etmek için ipekten fışkırmış gibiydi.

Kadınlar karınları ve kalçaları bineklerine yapışık dönüyor, geri geliyor, zarif bir atlayışla, öfkeli bir sıçrayışla yerden havalanmak için hayvanın vücudunun içinden geçer gibi görünüyorlardı: göğe kadar yükselen bir hayat patlaması.

Giovanni dörtnalın gümbürtüsünü bastırmak için haykırdı:

– Bunlar da nereden çıktı? Ezecekler bizi!

Diane uçuşan perçemlerini kenara iterek cevap verdi:

– Hayır. Bana kalırsa... bizi almaya geliyorlar.

Uzun otların arasında ilerlemeye başladı. Karşısında, beyaz ve kül rengi ren geyikleri, ot dalgalarını yarıyor, dörtnallarından vazgeçecek gibi görünmüyorlardı. Diane hâlâ yürüyordu. Binicilerin arkasında, daha küçük bineklerin üzerine yerleştirilmiş tahta semerler üzerinde dengede oturan çocukları gördü. Kızıl yüzleri arada sırada, boynuz kalabalığının arasından görülüyordu. Sarıp sarmalanmış, portakal renkli bineklerinin üzerinde kayıtsız, prensler gibi oturuyorlardı.

Kalabalık yüz metre ötedeydi şimdi. Diane hepsinin önünde ilerleyen bir adam gördü. Heybetli duruşu, hareketleri, kalabalığın efendisi olduğunu belli ediyordu. Oysa genç bir adamdı –neredeyse bir çocuk– sadece; başında uzun ve siyah bir şapka. Diane gerçeği anladığını düşündü; bu çocuk bir kral gözcüydü, halkının saydığı, erkekliğe yükselmiş bir gözcü. Lucien'ı hatırladı. Gözünün önünden belli belirsiz, karmakarışık olaylar, çocuk hırsızlıkları, etlere kazınmış işaretler, yaşam ile ölüm arasındaki çizgi, cinayetler, işkenceler geçti. Bütün bunlar bir yerde toplanacaktı. Hem üstelik, şimdi hiç aldırmıyordu. Çünkü bu fırtınanın ortasında, ölülerin arasından fışkırıp gelen bu halkta, yeniden parlayan bir ışık görüyordu.

Bu halk hâlâ yaşıyorsa, belki kendisi için de hâlâ umut vardı...

Dalgakıranın durdurduğu bir deniz gibi, bütün hayvanlar aynı anda durdu. Diane'ın yirmi metre önünde. Genç kadın ilerledi. İlk saftaki ren geyikleri, gözyaşlarıyla ıslanan yanaklarındaki tuzu yalamak için boyunlarını uzatıyorlardı bile. Bitkin, sendeleyerek, anlaşmak için neyi, hangi dilde söyleyeceğini düşündü.

Gereksizdi merakı.

Genç kral, kocaman sakin gözlerle onu izleyen koşumlu bir hayvanı gösterdi.

Altmış dördüncü kısım

Dev konvoy zaman kaybetmeden yamaçların yolunu tuttu. Sürü şimdi sakince, yavaş adımlarla ilerliyordu. Kalabalık kısa süre sonra ağaçların altına süzülen, korulukların kenarlarını dolaşan, son ağaçları çevirip soluk tundraya kadar uzanan taşlık araziye vardı. Kafile sık otlarla kaplı, koruluklara benzer granit bloklarla çevrili geniş bir platoya ulaştı. Onlarca erkek ve kadın çadır kuruyor, dallardan yaptıkları yüksekçe piramitleri askerî bezlerle kaplıyordu.

Diane'a muhafızlık yapan Giovanni mırıldandı:

– Bunlar yurt, Tseven çadırı. Bir gün bir yurt göreceğim hiç aklıma gelmezdi.

Başka gruplar kayın kütüklerinden çitler yapıyor, ren geyiklerini çitlerin içine sürüyorlardı. Hayvanların iç organlarını saran gömlek yağı tahta sırıkların üzerinde çarşaflar gibi kurumaya bırakılmıştı. Diane binek hayvanının dizginlerini bıraktı, istediği yönde gitmesine izin verdi. Cildi ürpertilerle elektrikleniyor, kanı çekilmiş derisi pul pul oluyor, öte yandan da yanığı giderek belirginleşiyor, acısını soğuğun sızısına bırakıyordu.

Gözlerini çevresinden alamıyordu genç kadın. Bir hiçten fırlayıp gelmiş, dağlarını kaplayan sisler sayesinde hava keşiflerinden kurtulabilmiş bu halkı izliyordu. Yüzleri geniş, sert ve buruşuktu. Rüzgârın ve soğuğun harap ettiği yüzlerdi bunlar. Sert iklim koşullarının güçlendirdiği, keskinleştirdiği, aynı zamanda da soyaçekimden, akraba kanından bitkin düşmüş suratlar. Hepsi –kadınlar; erkekler, çocuklar– mor ya da çivit rengine çalan koyu renk deeller giyiyordu. Farklılığı yaratan tek şey, başlıklarıydı: sığırtmaç kasketleri, kürk şapkalar, kalpaklar, kenarlıklı şapkalar, sadece gözleri açıkta bırakan şapkalar... bineklerinin hareketine uyarak, kafaların üzerinde salınıp titreşen, gerçek bir saraband.[2]

Kampın ortasına vardıklarında, bir sürü kadın Diane'ı yere inmeye zorladı. Genç kadın hiç direnmedi. Sadece Giovanni'ye, "Sakın endişelenme" diyecek zaman bulabildi. Kadınlar onu yüz metre ötede, kenardaki kayalıkların dibinde bir çadıra götürdüler. Çadırın içi, birkaç metrekareydi. Yerde, yosunlu birkaç taştan ve ottan başka bir şey yoktu. Diane bakışlarını kaldırdı; yurdun direklerine donmuş et parçaları asılmıştı. Solunda, asılmış ya da ağaç kabuğundan alçak sehpaların üzerine yerleştirilmiş tören eşyaları: taçlar, kuş yuvaları, yavru ren geyiklerinin çenelerinden yapılmış tespihler. Bir de hayvanın kurutulmuş paçasına ya da penisine benzer kararmış ve donmuş şekiller gördü.

"Refakatçilerinden" ikisi Diane'ı soyarken, bir üçüncüsü de ocağa ren geyiği kılları attı, birkaç damla votka döktü. Birkaç saniye sonra, Diane kendini bir demir levhadan daha da sert bir deri parçasının üzerinde, çırılçıplak buldu. Gözleri kapkara derinin üzerindeki solgun, orantısız, sıska görünen vücuduna dikilmiş, titriyordu. Yurda üç erkek girdi. Diane dertop oldu. Girenler ona bakmadılar bile. Başlıklarını –kayak beresi, kalpak, kenarlı şapka– bir kenara fırlatıp, sunağın yanındaki dümbelekleri aldılar. Gümbürtü hemen yükseldi. Sert, sığ, yankısız darbeler. Diane, Giovanni'nin anlattığı bir ayrıntıyı hatırladı; taygada, tören dümbelekleri sadece yıldırım çarpmış ağaçlardan oyulur.

Ritimde bir değişiklik oldu; vuruşların arasına gırtlaktan gelme hırıltı karışıyor, dümbeleklerin karşısında boğuk bir yankı, gecikmiş bir mırıltı oluşturuyordu. Siyah ve yıpranmış deeller giymiş adamlar –üç kaya suratlı– çomaklarını havaya kaldırdılar, bir ayaktan diğerine salınmaya koyuldular. Hâlâ ormanla bütünleşmiş, somurtuk ayılara benziyorlardı.

---

2 Eski bir İspanyol dansı. (ç.n.)

Kadınlar Diane'ı uzanmaya zorladılar. Çıplaklığını örtmek için sıçradı, ama ocaktan çıkan dumanın, vücudunu gizleyecek kadar yoğunlaştığını görüp rahatladı. Kadınlardan biri göğsünün üzerine talkla çizgiler çekerken, ikincisi kaynar bir şey içirdi. Diane'ın içinden, hiçbiri diğerine üstünlük sağlayamayan duygular geçiyordu: soğuk, panik, boğulma... Kafasını deri parçasının üzerine bırakıp, artık çekilmek için çok geç olduğunu anladı. Gözleri kapalı, elleri omuzlarının üzerinde titrerken, dua ettiğini fark edip şaşırdı. Gerçekten de olması için dua ederken, Tseven büyüsünün onu kapıp kurtarması için...

Vuruşlar arttı. Karşı tarafta soluklar yükseliyor, kapalı dudaklardan dökülüyor, çıldırtıcı bir nabız gibi atıyordu. Diane kendini tutamadı, gözlerini açtı. Terden sucuk gibiydi. Yoğun dumanın içinde belirsiz gölgeler gibi görünen adamlar, yan yan hareket ediyor, her dümbelek vuruşunda dizlerini büküyorlardı. Kadınlar Diane'ın çevresine, çömelmişlerdi. Gözkapakları inik, ellerini armağan sunmak istercesine dizlerine yerleştirmiş eğiliyorlar, doğruluyorlar, yeniden eğiliyorlardı. Bir ayrıntı gözüne takıldı; kulaklarından sarkan küpeler göçmen kuş gölgeleri çiziyordu.

Birden, törenin dokusu yırtıldı. Kadınlar yenlerinden flütler çıkarmış, bu boynuz boruları hep bir ağızdan üflüyorlardı. Çıkan ses öylesine tiz, öylesine inatçıydı ki, gürültü bakımından dümbelekleri bastıracak gibiydi. Kadınlar oturdukları yerde salınıyor, ses, ipek ve ateş topaçları gibi, kendi çevrelerinde dönüyorlardı. Dudakları lanetli çalgıya yapışmışa benziyordu. Şişmiş yanakları kutsal korları koruyan buhurdanlıklar gibiydi.

Kadın gürültünün içinden dumanların arasından çıkıp geldi.

Beresinin kenarlarına takılmış kartal tüyleri saçak saçak yüzüne dökülüyordu. Küçücük vücudu, ağır metal parçalarıyla kaplı mantosunun içinde kayboluyordu. Bir yumruk gibi büzülmüş, düzenli fakat küçük adımlarla ilerliyor, elinde gizemli bir şey taşıyordu. Üstü kürk kaplı, kese gibi bir şey. Diane donmuş gibi, kadının yaklaşmasını izledi. Duyulmamış tizlikte bir ses dümbeleklerin ve flütlerin gürültüsünü bastırdı. Diane'ın bu sesin bir çığlık olduğunu anlaması, birkaç saniye sürdü. Önce büyücü kadının saçakların arasından çığlık attığını sandı, sonra olanları kavradı; haykıran şaman kadın değil, elindeki kürk keseydi.

O şey canlıydı.

Kadının yumrukları arasında uzun siyah tüylü bir kemirgen korkudan kıvranıyordu. Diane çadırın bir kenarına büzüldü, kesik kesik görüntüleri dehşetle izledi: belden yukarılarını hırsla öne arkaya sallayan erkekler, fifrelerinin üzerine eğilmiş kadınlar ve bir kuş gibi saçaklarla bezenmiş, kollarını kaldırmış, memeli bir hayvanın kafasını gösteren büyücü kadın.

Bu kâbustan kaçmak, unutmak gerekiyordu... Birden, omuzlarının kuvvetle deri parçasına yapıştırıldığını hissetti. Refakatçileri flütlerini bırakmış, onu yere devirmişlerdi. Haykırmak istedi, ama boğazına ağız dolusu duman kaçtı. Debelenmek istedi, ama panikten parmağını bile kıpırdatamadı; flütçü kadınların yüzü değişmişti. Gözleri kan çanağına dönmüştü. Kırmızı cila sürülmüş gibi. Diane törenin insan vücudunu ilk kargaşaya, ilkel hayat taşmasına sürüklediğini anladı. Her yürek şaşırıyor, her damar çatlıyordu.

Şaman kadın oradaydı artık, hemen yanında. Avuçları arasındaki hayvan hâlâ çığlık atıyor, sivri ve ürkütücü dişlerini gösteriyordu. Yaşlı kadın canavarı yanığa yaklaştırdı. Diane bakışlarını talk kaplı karnına indirdi. Beyaz izlerin altında, derisi şişmiş, pütürleşmiş, çürümenin önüne geçilmez gücü karşısında yer yer çatlamıştı. Son bir hareketle kurtulmaya çabaladı, ama şaşkınlıktan donakalmıştı.

Büyücü kadın hayvanı yaranın üzerine bastırıyor, kürklü vücudunu açık yanığın üzerine sürtüyordu. Hayvanın gözleri bir saniyede kızıl bir zarla kaplandı: bir kan tabakasıyla. Şaman kadın inatla, gayretle, bir çeşit çılgınca tutkuyla kürk topunu yaranın üzerinde gezdiriyordu.

Müdahalenin mantığı buydu işte; büyücü kadın atomun etkisini kemirgenin yardımıyla silmeye çalışıyordu. Hayvanı bir ağrı süngeri, yanık izlerini süpürecek, ölümü çekip yok edecek büyülü bir mıknatıs gibi kullanıyordu.

Birden hayvan cızırdamaya başladı. Kürkünden kıvılcımlar çıktı. Diane gözlerine inanamıyordu; küçük hayvan, genç kadınının yanıklarına dokununca, ateş alıyordu. Vücudu büyücünün çengelimsi parmakları arasında tütüyordu.

Sonra her şey birkaç saniyede bitti.

Şaman meşale hayvanı çadırın tepesine doğru kaldırdı. Bir saçak ve metal karmaşası yaratarak kendi çevresinde döndü, sonra ayakları havaya dikilen hayvanı kayanın üzerinde ezdi. Aynı anda yeninden çıkardığı hançerle, hayvanın karnını organından boğazına kadar yardı. Diane yarılan karnın içinde tüten bağırsakları ve büyücünün düğüm düğüm parmaklarını hayvanın karnına soktuğunu gördü. İç organların karanlık şekillerinin arasında, daha koyu bir kaynaşma, dokulardan ve liflerden sızan sağlıksız bir hücre kalabalığı seçti. Korku tohumları. Acı belirtileri. Bir ölüm havyarı.

Bayılmadan önce, gerçeği anladı.

Kanser.

Atomun kanseri hayvanın vücuduna geçmişti.

Altmış beşinci kısım

Diane uyandığında, güneş batmak üzereydi. Gerindi, bütün kaslarının gevşediğini hissetti, sonra çadırın ortasında gürül gürül yanan ateşin tadına vardı. Uzaktan, kampın uğultusu geliyordu kulaklarına. Her şey öylesine yumuşak, öylesine bilindikti ki...

Yurtlardan birindeydi. Çevresinde eşya olarak birkaç tahta semer, bir çıkrık ve mobilya olarak kullanılan, olmazsa olmaz taşlar vardı. Kulak derisinden yapılmış elbiseler giydirilip asılmış figürler, küçük kemirgen somaklarından yapılmış kolyeler dışında, şamanizmden eser yoktu. Kafasını kaldırdığında, çadırın tepesindeki açıklıktan gökyüzünü gördü. Giovanni'nin sözlerini hatırladı: "Yuva hep kozmosla temas edebilsin diye, Moğol çadırlarının tepesi açık olur."

Şiltenin üzerine oturdu, keçe battaniyeyi kaldırdı. Üzerinde yeni çamaşırlar vardı. Blucini ile balıkçı yaka kazağı özenle katlanmış, yanına bırakılmıştı. Hatta, otların arasında gördüğü ışık parıltısı, gözlüğünün bile orada, elinin altında olduğunu müjdeliyordu. Farkında bile olmadan gözlüğünü taktı, yanık yarasına bakmak için tişörtünü kaldırdı. Gördüklerine şaşırmadı. Kendini şükran duygusuna batmış, güçlü bir sevgi nehrine kapılmış gibi hissetti. Giyinmeyi tamamlayıp, yurttan çıktı.

Kamp kurulmuştu. Açıklıkta, kırk kadar çadır görülüyordu. Batan güneşin yatay ışıkları altındaki tundra her zamankinden fazla bir ay görüntüsünü andırıyordu. Göçmenlerin hepsi işleriyle meşguldü. Yurtların altında, kadınlar yemek hazırlığındaydı. Erkekler son sürüleri de çitlerin arkasına götürüyorlardı. Çocuklar koşuşturuyor, dumanların içinden geçiyor, kahkahalarıyla gri havayı yırtıyorlardı.

Diane ateşin yanında tek başına oturan Giovanni'yi görünce gülümsedi. İtalyan'ın yanına, eğerlerin ve çuvalların arasına yerleşti. Giovanni ona çay dolu bir maşrapa uzattı:

– Şimdi nasılsınız?

Diane maşrapayı aldı, çayın kokusunu içine çekti, ama cevap vermedi. Giovanni ısrar etmedi. Parkasının içine büzülmüş, kuru bir dalla ateşi karıştırıyordu. Sonunda Diane mırıldandı:

– Bir daha hiç eskisi gibi olamayacağız, Giovanni.

İtalyan duymamış gibi davrandı. Israr etti:

– Şimdi nasılsınız?

Diane gözleri alevlere dikili, devam etti:

– Batı'da, şamanların gücünün sadece batıl bir inanç, bir kandırmaca olduğunu düşünürler. Böylesi şeylere inanmayı, zayıflık görürler. Ne yanılgı! Bu iman, büyük bir güç.

Giovanni cevap vermek zorunda kalmamak için eğildi, korları üflemeye girişti. Tutuşan otlar portakal rengi iplikler gibi kıvrıldı, alevli bir dansa girişti. Diane sözünü tekrarladı:

– Büyük bir güç, Giovanni. Bunu bugün anladım. Çünkü inanan insan, güce doğru ilk adımı atmış oluyor. Belki de gücün kendisi oluyor. Evrenin tüm parçalarının paylaştığı gücün insan tarafı.

İtalyan birden ayağa kalktı. Saçı sakalı birbirine karışmıştı, sanki sakalının ardına saklanmak istiyormuş gibi.

– Diane, duygularınızı anlıyorum, yine de bunlara inanmanızı...

– Burada inanacak ya da inanmayacak bir şey yok.

Kazağını ve tişörtünü kaldırdı, karnını gösterdi. Cildi bembeyaz, pürüzsüzdü, üzerinde neredeyse iz bile kalmamıştı. Daha birkaç saat önce derisinin yandığı yerlerde sadece hafif bir kızarıklık görülüyordu. Giovanni şaşkınlıktan bakakalmıştı.

– Büyücü yanık yarasını iyileştirmeyi başardı, diye devam etti Diane. Radyasyonun izlerini silmeyi becerdi. Tutuşmuş bir kemirgenin yardımıyla, kanseri kopartıp, attı. Buna ne dersen de; büyücülük, ruhların müdahalesi, olağanüstü güçler... Ama sözünü ettiğim ruh gücü, düşünülmeyecek kadar duru. Farkında olmadan, senli benli konuşmaya geçmişti. Artık insanların birbirlerine "siz" dedikleri bir boyutta yaşamıyorlardı. Giovanni, gözlerinde inanmazlık, cevap vermek için ağzını açtı, sonra teslim oldu:

– Tamam. Aslında, hiç önemli değil; çok mutluyum, Diane.

Birkaç ağaç kabuğu parçası alıp ateşe attı. İpliklerin dansı yeniden başladı.

– Bana artık her şeyi anlatmanın zamanı geldi. "Her şey" derken, laf olsun diye söylemiyorum.

Diane çaydan bir yudum aldı, kafasını toplamak için biraz bekledi, sonra söze girişti. Lucien'ın evlat edilişini, çevre yolundaki tuzağı, Rolf van Kaen'in müdahalesini anlattı. Çocuğun köklerini, onunla ilgilenen insanları. Tokamaktan, tokamakta çalışanlardan, parapsikoloji bölümünden bahsetti. Gözcülerin esrarlı bir buluşmanın tarihini nasıl parmaklarıyla taşıdıklarını anlattı. TK 17'de çalışan araştırmacıların ellerine olağanüstü güçler geçirip geliştirdiklerine inandığını söyledi. Sonunda da özetledi; aynı adamlar aynı sır yüzünden bugün tokamaka geri dönüyorlardı. Güçlerini yeniden canlandırıp pekiştirmek için bu tokamakta buluşmaya karar vermişlerdi; 20 ekim 1999 günü, yani birkaç saat sonra.

Giovanni genç kadının sözünü kesmedi. Hiçbir şaşkınlık belirtisi, inanmadığını gösterir hiçbir hareket yapmadı. Diane'ın anlattıkları bitince, sadece sordu:

– Bu adamlar söylediğiniz gücü nasıl ele geçirdiler? Böylesi... imkânsız yetenekleri nasıl geliştirdiler?

Diane sırtında akşamın soğuğunu, yüzünde de ateşin sıcaklığını hissetti. Kanının kaynamakta olduğunu düşündü. Kanının tutuşmuş reçine gibi, portakal rengine kestiğini tahmin etti.

– Tam olarak bilemiyorum, diye mırıldandı. Tek söyleyebileceğim, buraya gelinceye kadar, her konuda yanıldığım.

– Ne demek bu?

Genç kadın derin bir soluk aldı. Duman, ağız dolusu tütsü gibi, genzini doldurdu. Onu iyileştiren töreni hatırlayıp konuştu:

– İlk düşüncem, parapsikologların Sibirya'dan gelen şamanları incelediklerinde önemli bir buluş yaptıkları oldu.

– Anlattıkların da zaten bunu doğrulamıyor mu?

– Düşündüğün gibi değil. Onlara sözünü ettiğim gücü kazandıran, yaptıkları bu araştırmalar değil.

– Neden?

– Birçok nedeni var. Önce yıllarını çalışma kamplarında, zindanlarda geçirmiş bitkin şamanları bir düşün. Bilim adamları onlarda nasıl bir güç bulabilirdi ki? Onlarda translar ya da uyanık uyku halleri oluşturduklarını düşünebilir misin?

– Belki de sadece sorguya çekmişlerdir.

– Büyücülerin ağzından laf almış olmaları mümkün değil.

– Sovyetler'in ikna yöntemleri gelişmişti.

– Doğru, haklısın. Yine de bana kalırsa, şamanlar bitmiş, tükenmişti. Kültürlerinden, güçlerinden uzakta, parapsikologlara anlatabilecekleri bir şey kalmamıştı. İsteseler bile kalmamıştı.

– Öyleyse?

Diane bir yudum çay içti.

– Bu sabah, bambaşka bir şey düşündüm. Parapsikologların gücü belki de bir dış etkenden kaynaklanıyordu. Çalışmalarıyla hiçbir ilgisi olmayan bir kaynaktan.

– Hangi kaynak?

– Tokamaktaki patlama. Radyoaktivite insan vücudunun yapısını etkileyebildiğine göre, neden bilincini, aklını etkilemesin?

– Araştırmacılar da radyasyona maruz kalmışlar mı?

– Emin değilim. Ama ölenlerin üzerinde çok tuhaf belirtiler vardı. Işın altında kalmanın neden olabileceği cilt hastalıkları, yetersizlikler, hastalıklar. Kazayı bilerek yaptıklarını radyasyona isteyerek maruz kaldıklarını bile düşündüm.

– Ama artık düşünmüyorsun...

– Düşünmüyorum. Tokamak patlaması bambaşka bir rol oynadı. Açıklayıcı bir rol.

– Anlamadım.

Diane alevlerin üzerine eğildi, Giovanni'nin gözlerinin içine baktı.

– 1972'deki kaza, dolaylı olarak, bu vadiye egemen olan

şaşırtıcı güçleri ortaya çıkardı.

Kampa, çevreyi kutsamak için geceyle birleşen duman perdelerinin arasında çalışan Tsevenlere baktı.

– Şu erkeklere ve kadınlara bir bak, Giovanni. Nereden gelmişler? Bir halk baskıya, el koymaya, açlığa gizlice nasıl direnebilir? Emin olduğum bir şey var; yetmişli yıllarda, iki çeşit Tseven vardı. Dağlara saklanmayı becerenler ile vadide kalan, yerleşmeye zorlanan, kültüründen koparılıp boyun eğdirilenler. Tokamakta çalışanlar, en tehlikeli işleri kabul edenler bu ikinciler. 1972 baharında çemberin içinde diri diri kavrulanlar da onlar. Oysa o zamanlarda olanları pekâlâ tahmin edebiliyorum.

Giovanni yüzünü buruşturdu

– Ben edemiyorum.

– Biraz gayret et. Yanmış, radyasyona uğramış, can çekişen işçileri getir gözünün önüne. Sovyetler'in vaat ettiği yardımın hiç gelmeyeceğini bilen umutsuz kadınları. Ne yaptılar sanıyorsun? Ren geyiklerini koşup dağlara, hâlâ olağanüstü tedavi güçlerine sahip Tseven büyücüleri aramaya gittiler.

– Dalga mı geçiyorsun?

– Hiç de değil. Vadideki Tsevenler başından beri dağda kendilerinden bir grup insanın yaşadığını, gelenekleri koruduğunu ve ruhlarla derin ilişkide olduğunu biliyordu.

– Bana kalırsa bu hikâye senin sinirlerine...

– Beni dinle! Kadınlar dağa çıktılar. Büyücülere durumu anlattılar. Yalvararak, vadiye inip kurtulabileceklerin hayatta kalması için bir tören düzenlemelerini istediler. Şamanlar kabul etti. Görülüp yakalanma tehlikesini göze aldılar, kardeşleri için şamanlara özgü bir tören düzenlediler. Yananlardan birçoğu kurtulduğuna göre, başarılı bir tören.

– Nasıl bu kadar emin olabiliyorsun?

Diane'ın yüzüne ateşli, geniş bir tebessüm yayıldı.

– Eğer ben bugünkü radyasyondan kurtulduysam, demek 1972'de de aynı şeyler oldu.

Etnoloğun yüz çizgileri, duyduklarını kabul ettiğini gösterir gibi gevşedi. İkna olmaya başlamıştı.

– Sence, sonra neler oldu?

– Tsevenlerin asıl kâbusu başladı. Bir şekilde parapsikologlar Tseven işçileri kurtaran mucizeden haberdar oldular.

Olağanüstü gerçeği anladılar; üç yıl boyunca Gulag'dan gelme şamanları inceleyerek aradıkları yetenekler, aslında laboratuvarlarının birkaç kilometre ötesindeydi. Ellerini uzatıp, alabilecekleri bir yerde. Hem de inanılmayacak kadar güçlü bir şekilde! Uzun zamandan beri aradıkları gücün beşiğinde olduklarını anladılar.

– Ve şamanları tutukladılar...

– Virtüözler ellerindeydi artık. O bulunmaz inciler. İnsan deneylerine yeniden başladılar, bu kez başardılar da. Şaman bilgilerini koparıp almayı becerdiler.

– Nasıl?

– İşte eksik nokta burası. Ama araştırmacıların şamanların gücünü ellerine geçirdiklerinden kuşkum yok. Şimdi olağanüstü yeteneklere sahip olmalarının nedeni de bu. Soruşturmam boyunca anlaşılmaz olaylarla karşılaşmamın nedeni de bu. Buraya bunun için dönüyorlar; deneylerine yeniden başlamak için, zamanında onlara bu yetenekleri kazandıran deneylerine.

İtalyan usulca kafasını sallıyor, itiraz ediyordu:

– Bu kadarı çılgınlık olur.

– Evet, öyle de denebilir. Elimde son bir şey daha var; cinayetlerin gerçek nedeni, çalınan şaman sırları. Eugen Talikh halkının öcünü alıyor ama, senin sandığın şekilde değil. Çemberde ölen Tseven işçilerinin değil, daha geniş anlamda, yağmalanan Tseven kültürünün öcünü alıyor. Küfrün öcünü. Bu alçaklar Tsevenlerin yeteneğini çaldılar. Şimdi de bedelini ödüyorlar.

– Neden otuz yıl sonra? Neden tokamaka dönmeleri beklendi?

– Cevap, tarihin bilmediğimiz bir sayfasında yazılı olmalı. Belki de şamanların güçlerini ele geçirmek için kullandıkları yöntemde. Parmakları yanık çocuklar aracılığıyla iletilen buluşma tarihinde...

Ayağa kalktı. Etnolog ona bakıyordu.

– Ama... ya şimdi? Şimdi neler olacak? Biz ne yapacağız?

Diane parkasını giydi. Yaşam sarhoşu hissediyordu kendini, gerçeğin sarhoşu.

– Oraya dönüyorum. Laboratuvarlarını bulmam gerek. Her şey orada oldu.

Altmış altıncı kısım

Hava kararıyordu. Kollarını kaldırmış, Giovanni'nin getirdiği asetilenli iki gemici feneri taşıyorlardı. Bu görüntüleriyle unutulmuş bir galeri labirentinde yollarını kaybetmiş, geçmiş bir çağdan kalma madencilere benziyorlardı. Fenerlerinin yakıt haznesini değiştirmek için durduklarında, üç saatten fazla bir süredir yürümekte olduklarını fark ettiler. Bir kelime bile konuşmadan yola devam ettiler, yeni makineler, yeni reaktörler, yeni koridorlar buldular. Ama hâlâ aradıklarına uygun düşecek en ufak bir ize rastlamamışlardı.

Geceyarısına doğru, tümüyle boş, duvarları çıplak bir salonda durdular. Yorgunluktan ve açlıktan başları dönerken, bu kez soğuğun darbesini yediler. Diane bitkince bir moloz yığının üzerine çöktü. Giovanni soluk soluğa konuştu:

– Araştırmadığımız tek bir yer kaldı.

Genç kadın başını salladı. Başka bir yorumda bulunmaksızın, yola koyuldular, taş çembere doğru yöneldiler. Yeni koridorlardan, yeni avlulardan geçtikten sonra, Diane'ın görür görmez tanıdığı bir salona vardılar: tokamakın bekleme odası. Solunda, vestiyeri andıran bir oda gördüler. Diane orada, Bruner'in çevre yolunda giydiğinin eşi parkalar gördü. Parkaların yanında da maskeler, eldivenler, Geiger sayaçları. İki kafadar olabildiğince giyindi, ölçü aletlerini aldılar.

Taş çembere girdiler. Bu kez, neonlar yanmıyordu. Giovanni büyük şalterin yanına yaklaştı, kaldırmaya davrandı. Diane adamın kolunu tuttu, maskesinin içinden mırıldandı:

– Hayır. Sadece lambalarımız.

Parmakları, adımlarına uyarak sallanan lambalarına kenetlenmiş, yürümeye devam ettiler, karanlıkta tozlu sislerden geçtiler. Gizli bir bölmeyi barındıracak bir girinti, bir aralık arayarak, cüzamlı duvar boyunca ilerlediler.

– İşte.

Giovanni eldivenli elini çemberin iç duvarına gömülmüş bir kapıya uzatıyordu. Kapıyı açabilmek için birlikte yüklenmeleri gerekti. Açılan gölgeli girişi görünce, Diane bir an tereddüt geçirdi. Etnolog fenerini eline aldı, genç kadının önüne geçti. Diane bir saniye kadar bekledikten sonra, peşine takıldı. Yeni bir boşluğa vardıklarında, Geiger sayacının ekranına baktı. İbre yerinden kıpırdamamıştı; anlaşılan, radyoaktivite zamanla yok olmuştu. Diane maskesini çıkarınca, Giovanni'nin ilk basamaklarını indiği bir döner merdiven gördü. Basamaklar dev bir taşıyıcı sütunun çevresinde dönüyordu. Tokamakın altına, makinenin temellerine iniyorlardı.

Karşılarına çıkan çift kanatlı kapı çelikten ya da kurşundan değil, bu kez bakırdandı. Giovanni omzunu dayayarak kanatları birbirinden ayırdı, içeri sızdı. Diane da peşinden. Asetilenli fenerlerinin kesişen ışığında, sonunda insanca boyutlarda aletlerle dolu, yuvarlak bir salonda bulunduklarını anladılar. Hem karmaşık hem de kaba görünen, deneysel psikoloji çalışmalarında kullanıldığı düşünülebilecek makineler. Diane çevresine bakar bakmaz, aradıklarını bulduklarını sezdi. Ruh çemberi, atom çemberinin altındaydı. Kimsenin aramayı düşünemeyeceği bir yerde, cehennem dairesinin altında.

Parkalarını çıkarıp yürüdüler. Duvarlar, tavana asılı zincirlerin izlerini taşıyan parlak bir likenle kaplıydı. Halkalar bir hayalet gemi salıntısında, iç karartıcı bir düzenle tıngırdıyordu. Giovanni elektrik düğmesini aradı.

Diane bu kez ona engel olmadı. Böylesi bir yeri karanlıkta gezmek söz konusu olamazdı. Neonlar tereddütlü bir cızırtıdan sonra yandı. Salon tamamen aydınlandı. Yuvarlak duvarda, başka bir kapı yoktu. Tavanda, yarı kopuk kabloların arasında daire biçimindeki floresanlar, alanlarının dışında kalan her şeyi karanlıklara terk ediyordu.

Sanki soyguncular buralara kadar gelmeye cesaret etmemişler gibi, çevrede herhangi bir yağma belirtisi yoktu. Diane'ın dikkatini ilk çeken aletler, Faraday kafesleriydi. Mutlak bir elektrostatik tecrit sağlayan, kenarları birer metre olan, bakır kutular. Genç kadın çömeldi, kafeslerden birinin içini araştırdı. Parıltılı kahverengi zeminde elektrotlar görünüyordu; buraya insan sokulmuştu anlaşılan. Diane doğrulduğunda biraz önünde, kilise iskemleleri gibi yüksek arkalıklı, kelepçe ve deri kayışlarla donatılmış koltuklar gördü. Koltukların yanlarındaki siyah sayaçların bağlı olduğu vantuzlar, burada güçlü elektroşoklar uygulandığı izlenimini veriyordu. Yerde, mantarların ve tozların arasında, saç perçemleri gördü. Elektrotların daha iyi yerleştirilebilmeleri için, kafalar tıraş edilmişti.

Birkaç adım daha. Diane duyumsal tecrit sandıklarına, yaklaşık iki metre uzunluğunda lahitlere rastladı. Eğildi; sandıklardan birinin içindeki tuzlu suyun yüzeyinde kemik parçacıkları yüzüyordu. Küçük kemikler, muhtemelen kısa boylu adamlara ya da çocuklara ait. Lucien'ı hatırlayıp, bayılacak gibi oldu; bilincinde boşluklar oluşuyordu. Arkasındaki Giovanni birden homurdandı:

– Daha fazla dayanamayacağım. Çıkalım buradan.

– Hayır, dedi Diane kararlılıkla. Daha aramamız gerek. Burada neler yapıldığını anlamamız gerek.

– Anlayacak bir şey yok! Çılgın herifler zavallı adamlara işkence yapmış, hepsi bu!

Diane dilini dudaklarından geçirdi. Hava üzüntü doluymuşçasına, tuz yüklüydü. Salonun sonunda, madenî paravanalarla ayrılmış başka bir oda gördü. O tarafa doğru yürüyünce paslanmaz çelikten bir masa, donun parçaladığı kavanozlar yerleştirilmiş metal raflar gördü. İlerledi. Cam kırıkları ayaklarının altında çıtırdadı. Ağından çıkan buhar, çevresinde bir gerçekdışılık halesi oluşturuyordu. Kavanozların dibinde soğuğun ve yalnızlığın mumyalaştırdığı kararmış birikintiler, kahverengileşmiş organlardan başka bir şey kalmamıştı.

Mekânın mantığını anlamaya başlamıştı. Her makine,

her alet yapılış gayesinden saptırılmış, işkence için kullanılmıştı. Geleneksel inceleme yöntemleriyle bir yere varamayacaklarını anlayan alçaklar, cellatlığa soyunmuş, gerçeği acıyla koparmaya, ağrılar ve kesikleri izleyerek, ellerinden kaçırdıkları bir gerçeği yakalamaya çalışmışlardı. Tseven şamanların sırlarını da böyle mi sökmüşlerdi? Sanmıyordu Diane. Parapsikologların söz konusu yetenekleri ne denli şiddetli, ne denli mantıksız olursa olsun, acıyla elde etmiş olmaları mümkün değildi. Burada bile, zincirin son halkasının eksikliği açıkça belliydi.

Ameliyat masasının yanında, üzerinde bıçakların, çengellerin, sivri uçlu aletlerin sıralandığı, tekerlekli bir başka masa gördü. Bunlar, silah ile ameliyat aleti arasında bir şeylerdi. Kıvrık sapları, fildişi, sedef ya da boynuz gibi değerli maddelerle kaplı, süslü aletler.

Diane birden dondu, kaldı. Anlatılanlara göre, bazen yıldırım çarpması öylesine çabuk gerçekleşir ki, insan ateşi izlemekte güçlük çeker. Kurban yanmaz, ateşten donar. İşte etinin en gizli dokuları o şimşeği, o ele geçirilmeyi sonsuza dek unutmaz. Diane kendini tam böyle hissediyordu. Bir zamanlar yıldırıma yakalanmış, acısı benliğine işlemişti. İşte şimdi de o yıldırım kıvılcımı vücudunun her hücresinde canlanıyordu.

Üzerinde işlemeler olan aletleri hatırlıyordu. Kendi geçmişine aitti o aletler. Bayılmak üzereyken, son anda masanın kenarına tutundu. Giovanni atıldı:

– İyi misin?

Diane iki eliyle tekerlekli masaya dayandı. Keskin aletler yere, kavanoz kırıklarının arasına saçıldı. Cam şangırtısına karşı demir tıngırtısı. Parıltılar kırpışan gözkapaklarının altında dans ediyordu. İtalyan yerdeki bıçaklara bakıp sordu:

– Ne var? Ne oldu?

– Bu... bu aletleri tanıyorum, diye kekeledi.

– Ne! Ne diyorsun?

– Benim üzerimde kullanıldı.

Giovanni genç kadını şaşkın, aynı zamanda da bitkin bakışlarla izledi. Diane birkaç dakika tereddüt etti, artık geri çekilmek için çok geçti.

– 1983'teydi, diye anlattı. Kavurucu bir temmuz gecesi.

On dördüme basmak üzereydim. Paris'in banliyösünde, No-gent-sur-Marne sokaklarında tek başıma, bir düğünden ya-ya dönüyordum. Bana saldırdıklarında, nehrin kıyısında yürüyordum.

Duraklayıp yutkundu.

– Neredeyse hiçbir şey göremedim, diye devam etti. Ken-dimi sırtüstü yatar buldum. Kukuletalı bir adam yüzümü eziyor, ağzıma otlar tıkıştırıyor, beni soyuyordu. Boğuluyor-dum, bağırmaya çalışıyordum; sadece... sadece uzaktaki sö-ğütleri, birkaç evin ışığını görebiliyordum.

Soluğu tükenince, derin bir nefes aldı; tuzlu hava boğazı-nı daha da kuruttu. Oysa tuhaf bir rahatlık hissediyordu. Bu kelimelerin dudaklarından döküleceğine hiç inanamaz-dı. İtalyan çekinerek sordu:

– O adam, sana ne yaptı? Sana...

– Tecavüz mü?

Çizgileri bir tebessümle yumuşadı.

– Hayır. O anda sadece korkunç bir yanma hissettim. Gözlerimi açtığımda, kaybolmuştu. Orada, nehir kenarında, şok geçirmiş durumdaydım. Bacaklarım kan içindeydi... Eve kadar gitmeyi başardım. Yaramı dezenfekte ettim. Pansu-man yaptım. Doktora falan gitmedim. Anneme hiçbir şey an-latmadım. Yaralarım geçti. Çok sonraları, anatomi kitapları-nın da yardımıyla, o alçağın bana ne yaptığını anladım.

Durakladı. O anın korkunçluğunu şimdi anlıyordu. Tüm çabalarına, tüm inadına rağmen, hayatının her dakikasını, her saniyesini o sarsıntıyla geçirmişti. İşte o zaman o yasak kelimeler, ağzında korlaşmış çakıl taşları gibi bekleyen o sözler döküldü:

– Saldırgan cinsel organımı doğradı.

Bakışlarını kaldırdığında İtalyan'ın, kendi şaşkınlığının hedefi olmuş gibi donup kaldığını gördü. Adam sonunda mı-rıldanmayı başardı:

– İyi ama, bu anlattıklarının tokamakla ne ilgisi var? Bu aletlerle?

Diane kısık sesle devam etti:

– O gece görebildiğim tek şey, saldırganın eldivenli elinde tuttuğu silahtı. (Ayağıyla yerdeki neşterlerden birine dokun-du.) Bunlardan biriydi; aynı fildişi sap, aynı işlemeler...

Giovanni'nin mantığı bu son bilmece karşısında şaha kalkmış gibiydi.

– Bu dediğin... imkânsız, dedi.

– Tam tersine, her şey mümkün. Ve mantıklı. Bu işteki rolüm, o birinci saldırıdan kaynaklanıyor. Belki de tam tersi; belki de saldırı, bu taş çemberin altında yazılmış tarihin bir halkasıydı. Bir kadın olarak, bu kesikle doğdum. Belki de soruşturmanın anahtarını bize bu kesik verecek.

Diane birden sustu.

Salonun loşluğunda alkışlar duyuluyordu.

Altmış yedinci kısım

Işık halesinin içinde duran adam tamamen tüysüzdü. Kahverengi geniş şapkasının altında, şakakları tümüyle çıplaktı. Ne kaşı ne de kirpiği vardı. Neonların aydınlığında, yüzünün sert çıkıntıları parlıyordu sadece. Gözünün üzerindeki kemerler, gaga gibi bir burun, son derece beyaz bir cilt. Çıplak gözkapaklarının kırpışması, bir yırtıcı kuşun acımasızlığını andırıyordu.

– Düş gücünüze hayranım, dedi adam Fransızca. Korkarım gerçek biraz daha değişik...

Adamın elinde yarısı krom, yarısı siyah otomatik bir tabanca vardı. Şaşırması için mevcut bütün nedenlerin arasında, Diane şimdilik sadece birini seçti; adamın konuşmasındaki Slav aksanı az da olsa hissediliyordu. Sordu:

– Kimsiniz?

– Yevgeniy Mavriskiy. Hekim. Psikiyatr. Biyolog. (Alaycı bir tavırla eğildi.) Novosibirsk Bilimler Akademisi'nden mezun.

Rus ilerledi. Kısa boylu, tıknaz biriydi, üzerinde kürklü yakası kalın boynunda iliklenen gri renkli kısa bir asker ceketi vardı. Altmışlarında olmalıydı, ama köse yüzü, ürkütücü bir biçimde, zaman içinde o yüzün hiç değişmediğini ve değişmeyeceğini gösteriyordu. Diane'ın yönelttiği pek de soruya benzemiyordu.

– Parapsikoloji laboratuvarında çalışıyordunuz?

Mavriskiy kürk siperliğini salladı.

- Sağaltıcılara ayrılmış bölümü yönetiyordum. Ruhun insan psikolojisi üzerindeki etkisi. Bazılarının biyotelekinezi olarak adlandırdıkları.

- Siz de mi sağaltıcısınız?

- O zamanlar birtakım çok fazla gelişmemiş yeteneklerim vardı. Her birimizin olduğu gibi. Bir bakıma, felaketimizi hazırlayan da, bu ya...

Diane ürperiyordu. Sorular beynini dövüyordu.

- Gerçek güçler elde etmeyi nasıl başardınız?

Cevap yerine, yeni cam çıtırtıları duyuldu. Kalın bir ses yükseldi:

- Korkmayın, Diane; etraflı bir açıklamayı hak ettiniz.

Işığın altındaki adamı hemen tanıdı: Paul Sacher, Saint-Germain Bulvarı'ndaki hipnotizmacı.

- Nasılsınız, Küçükhanım?

Diane umutsuzca düşüncelerini olayların hızına yetiştirmeye çalışıyordu. Oysa adamın burada olmasında pek de şaşılacak bir şey yoktu. Sacher bilginler çevresine dahil olmak için ideal özelliklere sahipti; Çek, göçmen, insan bilincinin gizemli bir yanının, hipnozun uzmanı. Aynı anda İrène Pandove'u ondan önce ziyaret edip, Eugen Talikh'i arayanın da Sacher olduğunu anladı. Zavallı kadın "Gözler... onlara dayanamazdım..." dediğinde, hipnotizmacının karşı durulmaz bakışından söz ediyordu.

Sacher gelip Mavriskiy'in yanında durdu. Başında sık dokunmuş beyaz bir kalpak, üzerinde koyu mavi bir parka, ellerinde de deri eldivenler vardı. Val-d'Isère kayak pistinden geliyormuş gibi. Tabii eğer sağ elindeki otomatik tabanca olmasa.

Diane titremelerinin geri döndüğünü hissetti. Sacher'nin varlığı Charles Helikian'ı çağrıştırıyordu. Aklına eski düşündükleri geldi. Yoksa o puro meraklısı da bu cehennem çemberinin üyesi miydi? O da bu kırk sekiz saatlik yolculuğa katılıyor muydu? Yakınlarda bir yerde miydi? Yoksa ölmüş müydü?

Çek hekim heyecansız bir sesle konuştu:

- Şimdi öykümüzün ana hatlarını bildiğinizden kuşkum yok.

Diane bildiklerini göstermekten tuhaf bir gurur duydu.

Her şeyi, bildiklerini ve tahmin ettiklerini anlattı. Talikh tarafından kurulan merkezin 1968 yılında parapsikolojiye bulaşması. Doğu ülkeleri aracılığıyla, içlerinde bir ya da daha fazla Fransız'ın bulunduğu uzmanların toplanması. Laboratuvarın amacından saparak işkenceye ve acıya yönelmesi. Talikh'in direnmesi, Rus askerlerinin de yardımıyla tutuklanması. Sonra, muhtemelen Talikh'in teknik yönetimden uzaklaştırılmış olmasından kaynaklanan tokamaktaki kaza. İşçilerin kurtarılmasıyla dağlarda yaşayan kardeşlerinin ortaya çıkması. Aralarında üstün güçlere sahip şamanların da bulunduğu çok saf bir halkın varlığı.

Soluk soluğa durdu. Mavriskiy usulca kafasını sallıyor, fildişi yüzü ışıkta parlıyordu. Hayranlık belirtisi olarak, dudaklarını ısırdı.

– Sizi kutlarım. Yaptığınız araştırma... etkileyici. Birkaç ayrıntının dışında, olaylar sizin anlattığınız gibi gelişti.

– Hangi ayrıntıların?

– Tokamak kazası. Dediğiniz gibi olmadı kaza. Doğru, mühendislerimizin disiplinleri her zaman kusursuz değil, ama farkında olmadan böylesi bir makineyi harekete geçirmelerini beklemek insafsızlık olur. SSCB'de bile, güvenlik sistemleri çok ve etkilidir.

– Öyleyse, makineyi kim harekete geçirdi?

– Ben. (Sacher'yi işaret etti.) Biz. Tüm ekip. Ne pahasına olursa olsun, Tseven işçilerden kurtulmamız gerekiyordu.

– Bunu... bunu sizler mi yaptınız? İyi ama, neden?

Sacher bir yargıç edasıyla araya girdi:

– Talikh'in bu adamların yüreğinde ne denli önemli bir yeri olduğunu tahmin edemezsiniz. Onların efendisiydi. Tanrısıydı. Onu tutukladığımızı duyar duymaz, hemen güç kullanarak onu kurtarmaya kalktılar. Bir ayaklanma, o sırada hiç istemeyeceğimiz bir şeydi. Size nasıl anlatayım? Burada, laboratuvarda bir gücün varlığını hissediyorduk. Muazzam bir buluşun eşiğinde olduğumuzu hissediyorduk. Ne olursa olsun, araştırmalarımıza devam etmek zorundaydık...

– Ve birkaç silahsız işçiden korktunuz, öyle mi?

Mavriskiy gülümsedi.

– Size bir anekdot anlatayım. Kızıl Ordu 1960 yılında Moğolistan'ın en ücra köşelerine kadar uzandı, her etnik grubu hayvanlarını devlete vermeye zorladı. Siz de biliyorsunuz, Tsevenler sürülerini teslim etmektense kendi elleriyle boğazlamayı tercih ettiler. Sovyet subayları şaşkındı. Bir sabah, tüm ovanın karnı yarılmış ren geyikleriyle kaplı olduğunu gördüler. Tsevenlere gelince, çoktan kaybolmuşlardı. Birlikler izlerini sürmeye çalıştılar, elleri boş döndüler. Göçebelerin dağlara çekildiğine karar verdiler. Başka bir deyişle, ölümü seçtiklerini düşündüler. Kıştı, yılın o döneminde hayvansız, etsiz, tundrada kimse hayatta kalamazdı. Askerler, dağların Tsevenlere mezar olacağını düşünerek döndüler. Yanılıyorlardı. Göçebeler kaçmamıştı. Sadece gözlerinin önünde saklanmışlardı.

Diane'ın yüreği hızla çarpmaya başladı.

– Nereye?

– Geyiklerinin içine. Karnı yarılmış hayvanların karınlarına. Erkek, kadın, çoluk çocuk ren geyiklerinin bağırsaklarının arasına saklanmış, "Beyazların" gitmesini bekliyordu. İnanın bana, böylesi şeyler yapabilen bir halktan korkulur.

Anlatılan her şey karşı gelinmez bir gerçek gibi çınlıyordu. Diane cinayetlerde kullanılan yöntemi düşündü; kurbanının bağırsaklarına dalan bir kol. Her şey birbirine bağlıydı. Her şey her şeyin içindeydi. Yeni bir gerçeği daha kavradı.

– 1972'de, diye araya girdi Diane. Tokamakı ölümcül bir makine gibi kullandınız. Dün de beni ortadan kaldırmaya çalışarak işe yeniden başladınız.

Rus usulca başını sallıyordu.

– Türbinleri ve alternatörleri harekete geçirmek için çağlayanın önündeki engeli kaldırmak yeterli. Elektrik üretilmeye başlar başlamaz, trityum kalıntılarını serbest bıraktım. Vakum odasında hep boşluk vardı; bu nedenle radyasyondan emindim.

– Beni neden basit bir kurşunla öldürmek istemediniz?

– Tarihimiz bu taş çemberin altında yazıldı. Tokamak sayesinde öldürdük. Tokamakı bir daha kullanmak bana mantıklı göründü.

– Katilden başka bir şey değilsiniz.

Diane, Giovanni'ye bir göz attı. Hem şaşkın hem de art arda gelen bunca bilgiye kendini kaptırmış görünüyordu. İkisi de biliyordu; öleceklerdi. Buna rağmen, her ikisi de aynı şeyi istiyordu: öykünün gerisini öğrenmek.

Hipnotizmacı kaldığı yerden sürdürdü:

·– Kazanın ertesi günü, radyasyonlu bölümü kapattık ve denemelerimizi sürdürdük. İşte mucize o zaman gerçekleşti. Hayatta kalanların yerleştirildiği ambarları korumakla görevli askerler, bazılarının mucize denecek şekilde iyileştiklerini gördü.

Diane lafı adamın ağzından kaptı:

– O zaman da bu kaza sayesinde, Tseven şamanlarını saklandıkları yerden çıkardığınızı anladınız. Vadinin, düşünmeye cesaret bile edemeyeceğiniz güçleri barındırdığını. Aradığınız gücün en saf haliyde burada, laboratuvarlarınızdan sadece birkaç adım ötede, Sibirya'nın dört köşesinden getirttiğiniz yaşlı şamanlarda bulunduğunu fark ettiniz.

Sacher gülümseme zahmetine katlandı.

– Öykünün en can alıcı yeri de burası ya. Yanlarında "hastalarıyla" dağa çıkmakta olan büyücüleri yakalamayı başardık. Onların sayesinde, başka bir gerçeğin sırlarını anlayacağımızdan emindik. Paranormal evrenin sırlarını.

Diane gözlerini yumdu. Sonunda, bilinmezin eşiğine varmıştı.

– Ellerindeki gücü nasıl çaldınız? diye sordu.

Cevabı, heyecandan titreyen sesiyle Mavriskiy verdi:

– O iki Fransız sayesinde.

Diane gözlerini açtı. Böyle bir cevap beklemiyordu.

– Hangi Fransızlar?

Bayrağı Sacher aldı; daha alçak sesle:

– Maline ve Sadko; Rus adları böyleydi. İdeallerimizi paylaşan, Rusya'ya sığınmış iki psikolog. O ana kadar kanlı çalışmalarımıza, daha çok pasif de olsa, katılmışlardı. Tseven büyücüler geldiğinde, bize farklı bir inceleme yöntemi uygulamayı önerdiler.

– Nasıl bir yöntem?

– Sadko'nun fikriydi. Şamanların gücü tümüyle zihinsel olduğuna göre, sırlarını çözmenin tek bir yolu vardı. Beyinlerine girmek. Onları... içeriden incelemek.

– Nasıl?

Rus başını salladı.

– Şaman olmaya çalışarak.

Mavriskiy mantık kıyılarından ayrılmış, çılgın bir denizciyi andırıyordu. Sacher daha sakin bir sesle devam etti:

– Fransızların fikri buydu işte. Tseven geleneklerini öğrenmemiz gerektiğini söylüyorlardı. Bilincin öte yanına geçebilmek için, büyücü olmamız gerekiyordu. Sadko ısrar ediyordu. "Gerçeği öğrenmenin tam zamanıdır" diyordu.

Diane duyduğu çılgınlığa inanmaya hazırdı. Bir bakıma, en makul açıklamaydı, bu. Oysa olayların mantığını hâlâ kavrayamamıştı. Sormaya devam etti:

– Tutsak şamanların sizi eğiteceklerine nasıl inanabiliyordunuz? O insanların size sırlarını açacaklarını umuyor muydunuz?

– Bir aracımız vardı.

– Kim?

– Eugen Talikh.

Diane çılgın bir kahkaha attı.

– Talikh mi? Zindana attığınız Talikh? Kardeşlerini katlettiğiniz?

Mavriskiy biraz daha ilerledi. Artık sadece birkaç santim ötedeydi. Diane adamın kartal yüzünü en ince ayrıntısına kadar görebiliyordu şimdi.

– Haklısınız, dedi birden çok sakinleşmiş bir sesle. O alçak aslında hiç bizimle pazarlığa yanaşmayacaktı. Onun için, başka bir yöntem kullanmamız gerekti.

– Başka bir yöntem?

– Tatlılık?

– Hangi tatlılık?

Adam duymamışçasına devam etti:

– Bu rolü Sadko üstlendi.

– Neler söylüyorsunuz siz? Sadko Talikh'i nasıl yumuşatabilirdi ki?

Mavriskiy geriledi. Birden kaşları, şaşkınlığını gösterircesine kalktı. Eğleniyormuşçasına cevap verdi:

– Anlaşılan size temel ayrıntılardan birini anlatmayı unutmuşlar.

Diane öfkeyle bir çığlık attı. Nefreti soğuğa, mantığı çılgınlığa karşı direniyordu.

– HANGİ AYRINTIYI?

– Sadko'nun kadın olduğunu.

Diane, şaşkınlıktan yıkılırcasına tekrarladı:

– Ka... ka... kadın mı?

Sağdan ayak sesleri duyuldu. Diane başını neonların ötesindeki gölgeli bölüme çevirdi. Yaşadığı macera boyunca zekâsını, gücünü, soğukkanlılığını korumuştu. Oysa şimdi yine o çocukluğundaki kambur, beceriksiz, ikircikli genç kız oluvermişti.

Işıkta beliren gölgeye bakıp seslendi:

– Anne?

Altmış sekizinci kısım

Annesi hiç bu kadar güzel olmamıştı.

Ayağında ünlü bir İtalyan markası, dağda kayak sonrası giyilen yumuşak ve sıcak tutan ayakkabıları vardı. Tek bir lekenin, tek bir yersiz çizginin görülmediği, akrilik bir zarafet örneği. Zayıf noktaları bulabilmek için, Diane'ın annesinin yüzüne bakması gerekti. Kadının sarı perçemleri, kırmızı kar başlığının altında daha beyaz, daha cansız görünüyordu. Ya gözler? Her zaman öylesine duru, öylesine mavi olan gözler, şimdi buzdan kabarcıklara benziyordu. Diane durumun ciddiyetine uygun bir cümle aradıysa da, sorusunu yinelemekle yetinmek zorunda kaldı:

– Anne? Burada ne arıyorsun?

Sybille Thiberge bir tebessümle cevap verdi:

– Bu tüm hayatımın öyküsü, güzelim.

Diane, tıpkı öteki ikisi gibi, annesinin elinde de otomatik bir tabanca olduğunu gördü. Tabancanın modelini hatırladı; bir Glock, hani Bruner Vakfı'nda kullandığının eşi. Nedenini anlayamamakla birlikte, bu ayrıntının ona bir çeşit güven verdiğini hissedip, buyurdu:

– Anlat. Bize borçlusun.

– Gerçekten mi?

– Evet. Seni dinlemek için buralara kadar geldiğimiz yetmez mi?

Tebessüm. Diane'ın çocukluğundan beri nefret ettiği o

çok tanıdık gülümseme.

– Doğru, dedi Sybille. Ama korkarım epey zamanımızı alacak.

Diane gözlerini geniş salonda gezdirdi, zincirleri, lahitleri, ameliyat masasını gördü.

– Önümüzde bütün bir gece var, öyle değil mi? Deneyinizin şafaktan önce başlayacağını sanmıyorum.

Sybille başını salladı. İki Slav yanındaydı şimdi. Solukları ince ince billurlaşıyordu. Birinin kahverengi şapkası, diğerinin beyaz kapüşonu buzdan parıldıyordu. Annesinin iki yanındaki bu hareketsiz adamlar, ürkütücü bir mükemmellik sergiliyordu ama, Diane'ı olduğu yere çivileyen bu değildi; işkencecilerin Sybille'e bakışlarındaki katıksız hayranlıktı genç kadını asıl sarsan.

– Yazgımı anlayacağından kuşkuluyum, diye söze girişti Sybille söze. Amaçlarımı. Ana nedenlerini.

– Neden anlamayayım?

Sybille önce dalgınca Giovanni'ye baktı, sonra gözlerini kızının gözlerine dikti.

– Çünkü senin bilmediğin bir dönemden bahsediyorum da, ondan. Düşünde bile görmediğin bir soluktan. Sizin kuşağınız içi boş cüruftan, ölü bir kütükten başka bir şey olamadı. Ne bir düş ne bir umut, hatta ne bir pişmanlık. Hiç.

– Ne biliyorsun?

Annesi, sanki kendi kendine anlatıyormuşçasına devam etti:

– Sizler tüketim, yaldızlı materyalizm çağında yaşıyorsunuz. Aklınız sadece göbeğinizdeki o küçük delikte. (İçini çekti.) Belki de bu düşsüzlüğünüz, içinizde sizi yakacak bir alev olmamasından ileri geliyor. Oysa bizler öylesine tutkulu, öylesine arzuluyduk ki, her şeyinizi aldık...

Diane içinde bilindik bir öfkenin yükseldiğini hissetti.

– Sen neden söz ediyorsun? Hangi düşü kaçırmışız bakalım?

Bir sessizlik oldu. Sanki annesi, kızının bilgisizliğini ölçüyormuşçasına, şaşkınlık dolu bir sessizlik. Sonra, dudaklarını saygıyla bükerek, konuştu.

– Devrim. Ben devrimden bahsediyorum. Toplumsal eşitsizliklerin sonu. Proletaryanın iktidarı. Sonunda üretim araçlarını ellerinde bulunduranlara iade edilen zenginlik. İnsanın insanı sömürmesinin sonu.

Diane şaşkınlıktan yıkılacak gibiydi. Demek her şeyin kilit noktası, kâbusun altın sayısı bu iki heceli sözcüktü. Anasının konuşması hızlandı:

– Evet, küçüğüm. Devrim. Düş değildi. Bir öfkeydi devrim, bir gerçek. Toplumumuzu sınıflara ayıran, beyinlerimizi zincire vuran sistemi yıkmak mümkündü. İnsanı toplumsal ve zihinsel zindanından kurtarabilirdik. Adaletin, cömertliğin, bilincin egemen olduğu bir dünya kurabilirdik. Bu düşün ötekilerinden daha görkemli, daha büyük olduğunu kim reddedebilir?

Diane konuşanın Suchet Bulvarı'ndaki burjuva olduğuna inanamıyordu bir türlü. Annesinin söylediklerini geçmişte bildiği bir gerçeğe uydurmaya çalışıyordu. Oysa annesinin komünizmden, hatta politikadan bahsettiğini hiç duymamıştı. Belleğini zorlamaktan vazgeçti. Cevap nasıl olsa gelecekti. Cevap, tarihin ta kendisiydi:

– 1967'de, yirmi bir yaşındaydım. Nanterre Fakültesi Psikoloji Bölümü'nde lisans öğrenimimi sürdürüyordum. Bir küçük burjuvadan başka bir şey değildim, ama vücudumu ve yüreğimi çağıma adamıştım. Komünizm ve deneysel psikoloji en büyük tutkularımdı. Sosyalizm öğretisine dalmak için Moskova'ya gitmeyi istediğim kadar, kimyacıların LSD kullanarak insan beyninin bilinmedik noktalarına eriştikleri Berkeley Üniversitesi'nde okumak için Amerika'ya gitmeyi de istiyordum.

Kahramanımın adı Philippe Thomas'ydı. Sadece Nanterre'in en ünlü psikoloji profesörü olduğu için değil, aynı zamanda da komünist partinin önde gelen kişilerinden olduğu için. Verdiği her derse girdim. Gözüme olağanüstü, ulaşılmaz, elle dokunulamaz görünüyordu...

Villejuif Hastanesi'nde, laboratuvar testlerinde kullanmak için gönüllüler aradığını duyduğumda, hemen gidip başvurdum. Thomas o sıralarda bilinçsizlik ve paranormal yeteneklerin doğuşu üzerinde çalışıyordu. O dönemde bazı Amerikan hastanelerinin uyguladığı parapsikolojik deneylerin doğrultusunda, birtakım çalışmalar yürütüyordu. 1968 yılının ilk günlerinden itibaren, devamlı olarak Villejuif'e gitmeye başladım. Tam bir düş kırıklığı oldu; testler giderek sıkıcı olmaya başladı –genellikle iskambil kâğıtlarının rengini tahmin etmek gerekiyordu– üstelik Thomas da hastaneye hiç gelmiyordu.

Oysa bir ay kadar sonra beni çağıran, üstadın ta kendisiydi. Vardığım sonuçlar, istatistik olarak değerliymiş. Thomas o zaman bana bir dizi daha derin araştırma yapmamı önerdi, kendisi de araştırmacı olarak çalışmalara katılacaktı. Beni o öneride asıl şaşırtanın ne olduğunu hâlâ bilmiyorum; medyum olduğumu öğrenmek mi, yoksa kahramanımın yakınında haftalarca kalacağım mı?

Bütün gücümle çalışmaya koyuldum. Artık Philippe olarak adlandırdığım adamın yanında geçirdiğim saatlerin tadına doyum olmuyordu. Oysa davranışlarında beni ürküten bir şey vardı. Bende hayran kaldığı bir güç, bir yetenek görüyor gibiydi. Bir süre sonra, onun da bir yeteneğe sahip olduğuna inandığını anladım. Duyu ötesi bir algılama becerisinden çok, bir telekinezi yeteneği. Maddeyi –özellikle de metalleri– uzaktan etkileyebileceğine inanıyordu. Gerçekten de bunu bir ya da iki kez kanıtlayabilmişti ama, her istendiğinde tekrarlayamıyordu. Bir süre sonra, gerçeği anlamaya başladım; becerilerimi kıskanıyordu.

Mayıs 1968 olayları patladı. Philippe ve ben, barikatlardayken, sevgiliydik artık. Sanki bir rüyanın tenini, bir idealin vücudunu okşuyormuş gibiydim. Oysa aramıza bir dehşet dalgası girivermişti. İçime boşaldığı o bir asırlık saniyelerde, o tek bakış anlarında, gözlerinde nefretin parlaklığını gördüm.

Olanları ancak çok sonraları kavrayabildim. Thomas bir teori varlığıydı. Kendi kendine fikirler, insanüstü hevesler, ruhsal güçler yakıştıran biri. Oysa ben onu gerçeğine geri döndürmüş, vücuduma tutkun bir erkekten başka bir şey olmadığını göstermiştim. Ben onun gözünde düşüşünün, yıkılışının simgesiydim artık.

Ayaklanmanın sona ermesi için birkaç hafta yetti. İşçiler işlerinin başına döndüler, öğrenciler hizaya girdi. Thomas Avrupa'daki tüm devrimci hareketin yasını tuttu. Yoldaşlarımızdan bazılarının hevesi kırıldı, siyasal kavgadan çekildiler; bazıları da silahlı mücadeleye karar verip teröre daldı.

Philippe bambaşka bir proje düşündü: Doğu'ya gitmek. Komünist topraklara kavuşmak, bunca zamandır savunduğu sistemi yerinde yaşamak. Aslında, özellikle Rus parapsikoloji laboratuvarlarına girmek istiyordu. Oradayken, telekinezi yeteneklerini geliştireceğinden emindi. Oysa bir sorunu vardı, Ruslara önerebileceği hiçbir şeyi yoktu. O yıllarda demirperdeyi aşabilmek için, insanın sisteme yararlı olacağını kanıtlaması gerekiyordu. İşte o zaman Thomas giriş bileti olarak beni kullanmayı düşündü.

Moskova'ya resmî bir ziyaret yapmak bahanesiyle, SSCB Büyükelçiliği'nin kapısını aşındırdık. Thomas diplomatlardan çoğunu tanıyordu. Parapsikoloji testlerinden, o gri duvarlı, kirli perdeli bürolardan birinde geçtik. Thomas beceremedi, ama ben olağanüstü bir sonuç aldım. Ruslar önce başarılarımın ardındaki hileyi anlamaya çalıştılar, ama kısa sürede karşılarındakinin şimdiye kadar rastlamadıkları bir yetenek olduğunu kabul etmek zorunda kaldılar. Ondan sonra da, olaylar hızla gelişti.

Philippe'le gideceğimden kimsenin kuşkusu yoktu. Yoktu ama, ruhsal durumu her geçen gün daha kötüye gidiyordu. Bir yıl boyunca, iki kez bir kliniğe yatmak zorunda kaldı. Mani ile depresyon arasında gidip geliyordu. Acıya, şiddete, kana tutkundu. Bütün bunlara rağmen –belki de bütün bunlar için– ona her zamankinden daha çok âşıktım.

1969 ocağında Bulgaristan'da, Sofya'da "Tanımsal Bilimler" konulu bir kongreye katıldık. Orada KGB'nin adamları bizimle temas kurdu, bizlere Maline ve Sadko adına hazırlanmış Sovyet kimlikleri verdi. Bunu başından beri beklememize rağmen, çok ani, karanlık ve ürkütücüydü. Kırk sekiz saat sonra, SSCB'deydik.

Daha varır varmaz, gerçek bir düş kırıklığına uğradık. Birer kahraman olarak karşılanmayı umuyorduk, oysa casus muamelesi gördük. Eşitliğin hâkim olduğu bir dünya düşlüyorduk. Oysa burada haksızlık, hile ve baskıdan başka bir şey yoktu.

Philippe'in umutsuzluğu bana da bulaştı. Giderek daha acımasız, kolay öfkelenir oldu. Beni her zamankinden çok arzuluyordu, bu arzusu da onu sürekli kendini aşağılamaya itti. Sabahları uyandığımda, cildimin üzerinde kesikler görüyordum. Beni yaralayan, Philippe'ti tabiî, telekinezi deneylerinde kullandığı iğnelerle, bıçaklarla yaralıyordu beni.

Göz göre göre eriyip bitiyordum. Thomas'nın işkenceleri, soğuk, gıdasızlık, yalnızlık, pis laboratuvarlarda her gün katlanmak zorunda kaldığım deneyler, her şey beni yıkmak için el ele vermiş gibiydi. Aklımı yitiriyordum. Vücudumu yitiriyordum. O güne kadar kadın kimliğimi oluşturan şeyden de yoksundum: âdet görmüyordum. Birkaç haftadan beri, hamile olduğumun farkındaydım.

Mart 1969'da, parti yetkilileri Moskova'nın sekiz bin kilometre uzağında, Moğolistan'da bir laboratuvara gönderileceğimizi bildirdiler. Bu haber kanımı dondurdu. Oysa Philippe tam tersi bir tepki gösterdi, kendine güvenini yeniden kazanmaya başlamıştı. Bir bebek beklediğimi söylediğimde, beni dinlemedi bile. Gözünde artık tek bir şey vardı; Sovyet İmparatorluğu'nun en gizli kurumuna atanmıştık. Nihayet paranormal olayları inceleyecek, Rusların bu alandaki birikimlerinden yararlanabilecektik.

Moskova'daki doğumun bir teknoloji harikası olmayacağını biliyordum ama, böylesi bir barbarlığa, bir şiddete de hazırlıklı değildim doğrusu. Normal doğum yapamayacak kadar bitkindim. Diyafram ve karın kaslarımı sıkacak gücüm yoktu. Dölyatağı boynu gereğince açılamıyordu. Hemşireler dehşete kapıldı, sarhoş gezen nöbetçi doktoru çağırmak zorunda kaldılar. Votkalı soluğu, doğumhanedeki eter kokusunu bastırıyordu. İşte o ayyaş, sarsak ellerine bir forseps aldı.

Metal aletin rahmimi açtığını, tırmaladığını, iç organlarımı yaraladığını hissettim. Çığlıklar atıp debelendim, o her seferinde elindeki metal kıskaçla karnıma daldı. Sonunda sezaryene karar verdi. Anestezinin hiçbir etkisi olmadı. Uyuşturucunun süresi geçmişti.

Tek bir çözüm kalmıştı; sezaryeni canlı canlı yapmak. Bilincim yerindeyken, karnımı yardılar. Neşterin korkunç temasını hissettim, kanımın önlükleri ve duvarları kızıla boyadığını gördüm, sonra kendimden geçtim. On iki saat kadar sonra kendime geldiğimde, yanımda, plastik bir beşiğin içinde sen yatıyordun. Ameliyatın sonunda kısır kaldığımı bilmiyordum ama, eğer bilseydim, sevinçten şarkı söylerdim. Hareket edemeyecek kadar bitkin olmasam, seni tüm gücümle duvara fırlatırdım herhalde.

"Seni" sözcüğü Diane'ı yaraladı. Demek dünyaya gelişi böyle olmuştu. Kan ve nefret kapılarından. İşte onunla ilgili gerçek buydu; iki canavarın, Sybille Thiberge ile Philippe Thomas'nın kızıydı. İçinde tuhaf bir sıcaklık, bir çeşit rahatlık duydu. Bütün bu karışıklığın içinde, görebildiği tek bir gerçek vardı; annesine ve babasına çekmemişti. Genetik kurallarını ince bir örtü, zayıf bir perdeymişçesine yırtıp geçmişti. Dengesiz, biraz çatlak, değişik... belki. Yine de o iki vahşi hayvana hiç mi hiç benzemiyordu.

Annesi hâlâ devam ediyordu:

– İki ay sonra, 1969 sonbaharında Moğolistan'a hareket ettik. Orada dondurucu soğukla tanıştım. Yirmi dört saat boyunca, içinde tek bir insanın bile yaşamadığı aynı ormanı gözler önüne seren bu kıtanın uçsuz bucaksızlığını gördüm. Soğuğun çatlattığı garlar, askerî kamplara benziyordu. Her yerde haki renk, düşmanca bakışlar, üniforma ve Kalaşnikovlar. Her şey telgraf kablolarına ya da dikenli tellere sarılmış gibi. Sonu olmayan bir Gulag'a batıyor gibiydim.

Birbirine çarpan vagonların çıkardığı gürültüyü, rayların bitmek bilmez tıkırtısını hâlâ duyarım. Sanki benim soluğumun yerini alan, çelik bir nefes gibi. Ben de aşınmaz bir alaşımdan yapılmış, metal bir kadındım artık. Karnımı karıştıran aletlerin metalinden. Philippe'in bana işkence etmek için kullandığı metalden. Ondan ve ötekilerden korunmak için, üzerimden hiç ayırmadığım metalden. Artık doymak bilmez bir intikam isteğinden başka bir şey duymuyordum. Biliyordum üstelik, içgüdüm durmaksızın aynı şeyi fısıldıyordu; tayganın bir köşesinde, intikamımı alacaktım.

Altmış dokuzuncu kısım

Neonlardan yayılan ışık, soğuğa daha fazla direnemiyordu. Diane ellerinin ve ayaklarının uyuştuğunu, ağırlaştığını hissetti. Hikâyenin sonuna kadar dayanabilecek miydi? Şafağa kadar?

Mavriskiy ve Sacher kımıldamıyordu. Sybille Thiberge'in sözlerini, sanki söylenenlerin kendileri için yaşamsal değeri varmış gibi, gözlerini kırpmadan dinliyorlardı. Yüzlerinde heykel ciddiyeti vardı. Diane Çin tapınaklarının girişlerini koruyan taş hayvanları hatırladı.

Lanetli anne sözlerine devam etti:

– Biz tokamaka vardığımızda, parapsikologlar çalışmaları çoktan amacından saptırmışlardı. Thomas incelemelerdeki acımasızlığa daha başından tutuldu. Bense yapılan deneyleri kötü kaderimin yeni bir aşaması olarak görüyordum sadece. Bütün bunların içinde, soğukkanlı bir aldırmazlıkla yaşıyordum.

Ne var ki Tseven şamanları getirdiklerinde, harekete geçmeye karar verdim. Benim ile öteki araştırmacılar arasındaki güç dengesi son iki yılda çok değişmişti. Tüm çılgınlıklarına, bütün acımasızlıklarına rağmen, hepsi bana âşık olmuştu. Onlara Fransızca'yı ben öğrettim. İçkiliyken açıkladıkları sırlarını ben dinledim. Onlara bir nebze olsun yakınlık gösteren de bendim. Bana bu cehennemdeki her şeyden daha çok sevgi, saygı ve hayranlık duyuyorlardı.

Diane o Slav işkencecileri gözünün önüne getirmeye çalıştı. Anası gözüne yılan saçlı çılgın bir ejder gibi göründü.

– Bu kanlı yöntemleriyle hiçbir yere varamayacaklarını anlattım onlara, şamanların gücüne ulaşmanın tek yolunun öğretiden geçtiğini söyledim. Bize yardım etmesi için Talikh'i nasıl ikna edeceğimi biliyordum...

Diane kabaca sözünü kesti:

– İşte buna inanamam. Sibiryalı büyücülere işkence ediyorsunuz, Talikh'i zindana atıp kardeşlerini yakıyorsunuz, sonra da Talikh'in emirlerinizi yerine getirmesi için, senin hücresine girip gözlerini süzmenin yeterli olacağını sanıyorsunuz? Bütün anlattıkların palavra.

Sybille yüzünü buruşturdu.

– Yeteneklerimi hor görme, güzelim. Ama haklısın, başaramadım, Neyse ki Eugen'in başka bir planı daha vardı.

– Nasıl bir plan?

– Sabırlı ol. Bırak da her şeyi sırasıyla anlatayım.

Sözü Paul Sacher aldı. Ayrıntıların adamıydı o.

– Nisan sonuna doğru, Talikh ile Tseven şamanları serbest bıraktık. Dokuz şamanı. Hep birlikte burada, bu salonda toplandık. Dünmüş gibi hatırlıyorum. Sıska yüzlerini, ağaç kabuğu kadar sert derilerini, yıpranmış siyah deellerini. Hep birlikte, çemberi oluşturduk. Artık meclis başlayabilirdi.

– Meclis mi?

Sybille açıkladı:

– Tseven dilinde, iluk. Vatikan'da kardinallerin toplantısı gibi, dinî bir meclis; tek fark, burada toplananların şaman olması. Moğolistan'ın ve Sibirya'nın en güçlü şamanları. Taştan bir çemberin içinde toplanmıştık. Tsevenler toplantımıza "taş meclisi" adını verdiler.

Giovanni'nin içindeki etnolog birden uyanıp, sordu:

– Tören nasıl oldu?

Sybille İtalyan'a küçümseyen gözlerle baktı.

– Bir sırra ulaşmak, bir çizginin ötesine geçmek gibi bir şeydir. O sırrı açıklamak da, öte taraftan bu yana dönmek. Şamanlar ormanda bize rehberlik ettiler. Giderek insan âdetlerinden arındık, konuşmayı unuttuk, çiğ et yemeğe başladık. Tayga içimize girdi, parçaladı, yok etti. Deneme gerçek bir ölüm oldu ama, sonunda ellerimiz güç dolu, hayata döndük.

Diane sordu:

– Tam olarak, hangi güç?

– Öğrendiklerimiz, elimizdeki yeteneklerimizi sonuna kadar kullanabilmemizi sağladı.

Diane titremeye başladı. Gerçek, soğukla birlikte kanına işliyordu. Bulunduğu durumda, vücudun her üç dakikada bir derece ısı kaybettiğini biliyordu. Hep birlikte donarak mı öleceklerdi? Yine sordu:

– Tseven şamanlara ne yaptınız?

Mavriskiy sahte bir pişmanlıkla eğildi.

– Öldürdük. Bizim öykümüz, alçaklığın öyküsüydü. Sınırsız bir hırsın, bir gücün öyküsü. Bu sırları bizden başka kimsenin bilmesini istemedik.

– Ya Talikh? diye haykırdı Diane.

Sacher açıkladı:

– Artık aramızda dövüşmenin zamanı değildi. Nükleer kazayı araştırmak için gönderilen yeni parti komiserleri, yeni askerî birlikler yoldaydı. Elimizden sadece Suyan, seni iyileştiren büyücü kadın kurtuldu.

Diane annesine döndü:

– Sen ve Thomas, Fransa'ya nasıl döndünüz?

– Kolaylıkla. Bir süre Moskova'da kalıp adımızı unutturduktan sonra, Fransız Büyükelçiliği'ne başvurduk. Pişman olmuş kaçak rolü oynamamız yetti.

– Ruslar da gitmenize izin verdi, öyle mi?

– Tek bir sonuç bile alınmamış bir laboratuvardan gelme iki Fransız parapsikoloğu. Brejnev Rusyası'nın bizimle uğraşmaktan daha acil işleri vardı.

Diane gerisini yüksek sesle tahmin etti:

– Sonra da doğduğunuz ülkeye, adsızlar kalabalığının içinden birer adsız olarak döndünüz; Van Kaen, Jochum, Mavriskiy, Sacher... Bütün o yıllar süresince, elinizdeki gücü kullanarak iktidara, zenginliğe ulaştınız.

Sybille sırıttı. Gözleri ateşten buğulanmış gibiydi.

– Sahip olduğumuzu, içimizde sakladığımızı hiç anlayamayacaksın. Bizim gözümüzde materyalist gerçeğin hiçbir önemi yok. Kendi yeteneklerimiz dışında hiçbir şeyle ilgilenmedik. Ruhumuzda ve beynimizde gizlenen, istediğimiz gibi izlediğimiz, incelediğimiz, yönlendirdiğimiz o kusursuz mekanizmalardan başka hiçbir şeyin önemi olmadı. Bu söylediğimi unutma. Paranormal yetenekleri incelemenin tek bir yolu vardır; o yeteneklere sahip olmak. Sen bu anlattığım ufukları hayal bile edemezsin.

Diane bitkince cevap verdi:

– Aslında, önemli de değil. Ama anlayamadığım son bir şey daha var.

– Neymiş?

Ellerini açtı. Soğuk parmaklarının ucunu kemirmeye başlamıştı. Bundan, kalbinin yavaşladığını, derisine, kol ve bacaklarına yeterince kan pompalayamadığını anladı.

– Buraya neden geldiniz? Neden bugün?

– Çarpışmak için.

– Çarpışmak mı?

Kırmızı başlıklı kadın birkaç adım attı. Soğuğa karşı duyarsız görünüyordu. Eldiveninin ucuyla metal masanın üzerinde kalan ameliyat aletlerini okşadı:

– Meclis bize güçlerini devretti. Karşılığında, kurallarını sonuna dek uygulamamız gerekiyor.

– Hangi kurallar? Hiçbir şey anlamıyorum.

– Çok eski zamanlardan bu yana, Tseven büyücüleri burada birbirleriyle karşılaşır, yeteneklerini, güçlerini yarıştırır. Her karşılaşmanın galibi, diğerinin gücüne sahip olur. Bir gün dövüşmek, gücümüzü bu vadide ortaya koymak zorunda kalacağımızı başından beri biliyorduk. İşaret verildi. Birbirimizle çarpışmak için geldik.

Diane ve Giovanni birbirleriyle bakıştılar. Kargo uçağında gelirlerken, "Çeşitli kabilelerin şamanları gizli buluşma yerlerinde toplanıp, taptıkları hayvanın şekline bürünerek birbirleriyle yarışmak zorundaydı" demişti etnolog.

İnanılmaz.

Dehşet.

Karşılarındakiler birer Faust'tu.

Ruhlarla pazarlık etmişlerdi, şimdi de pazarlığın bedelini ödemek zorundaydılar. Tayganın yasasına boyun eğeceklerdi. Savaş yasasına.

Yetmişinci kısım

İnsan bu varsayımı kabul ederse, her şey yerli yerine oturuyordu. Eğer şamanlar bir hayvan şekline bürünüp rakiplerinin karşısına çıkıyorsa, aralarındaki düello, bir bakıma avı andırıyordu. Demek her şey, eski Tseven avları gibi gerçekleşiyordu.

Bu düellonun işaretini verenlerin, kapışmayı yönetenlerin de gözcüler olması gerekiyordu.

İşte çağdaş büyücüler tayga çocuklarını bu nedenle yanlarına almışlardı. Transa girdikleri bir sırada, kesin tarihin parmaklarının ucunda belirmesini bunun için beklemişlerdi. Tören kuralı böyleydi. Yasa böyleydi. Gözcü onlara düellonun tarihini, dönüş tarihini bildirecekti.

Hayvan sembolüyle ilgili bir gerçek daha vardı. Eugen Talikh kurbanlarını, kalplerini içten parçalayarak öldürüyordu. Orta Asya'da hayvan öldürmek için kullanılan yöntemle.

Diane'ın düşünceleri birden bambaşka bir şeye yöneldi. Bu büyücülerin davranışlarındaki ortak özellikleri hatırladı. Patrick Langlois, Rolf van Kaen'in kadınları tavlayabilmek için opera parçaları söylediğini anlatmıştı. Bununla da kalmamış, şarkılarının hastanedeki tüm kadın personeli etkilediğini de eklemişti. Diane, Charles Helikian'ın Paul Sacher'den söz ederken, "Dikkatli ol; çok çapkındır. Ders verirken, hep sınıfın en güzel kızını kapardı. Öteki öğrencilerin ağızlarını kapatmaktan başka yapacak bir şeyi kalmazdı. Gerçek bir sürübaşı" dediğini de hatırlıyordu şimdi.

Seksle ilgili davranışları, bir insanın en derinlerdeki ruh halini ortaya çıkarır hep. Bu büyücü yamakları da kurala uyuyorlardı. Diane artık emindi bundan; bu insanlar tutkuya kapıldıklarında, bazı hayvanların davranışlarını benimsiyorlardı.

Üstelik, herhangi bir hayvanınkini değil.

Etolog Diane, Van Kaen'e baktığında geyiklerin belirgin davranışını görüyordu. Bağırtıyı hatırladı. Geyikler, ren geyikleri bağırarak dişilerinde cinsel istek uyandırabilen tek memelilerdi. Ne kadar inanılmaz görünürse görünsün, Alman akupunkturcu da şarkıyla dişileri tavlarken, bir ren geyiği gibi davranıyordu.

Sacher'ye gelince, anahtar kelimeyi Helikian vermişti: "sürübaşı". Evet, sınıflarındaki en güzel kızı kendine ayıran, öteki tüm erkeklere yukarıdan bakan bir adamın kurttan başka bir şey olması mümkün değildi. Yani, dişileri tohumlayan, öteki erkeklerden sadece saygı ve itaat bekleyen, egemen sürü erkeği.

Diane daha sonra Philippe Thomas'nın kurduğu tuzağı hatırladı. Büyük bir dikkatle hazırlanmış, hipnoz ve göz boyama üzerine kurulmuş, sonsuz bir sabra ve kahredici bir müdahaleye dayanan bir tuzak. Böylesi bir yöntem, sadece bir hayvan çeşidini işaret ederdi; gövdesini kaldırarak, hareketsiz gözkapakları ve sabit bakışlarıyla avlarını yakalayan yılanları.

Büyücülüğe adım attıkları günden beri, yani "ölüp" vahşi hayatta, fetiş bir hayvanın koruması altında yeniden doğdukları andan beri bu şamanlar, "efendilerinin" davranışlarını benimsemişlerdi. Kendi totemlerinin buyruğuna girmişlerdi.

Van Kaen, ren geyiği.

Paul Sacher, kurt.

Philippe Thomas, yılan.

İşte o zaman beyninde yeni bir fikir daha patladı. Birden başka olaylar, başka ayrıntılar hatırladı. Nükleer radyasyona başladığı, oysa şimdi bambaşka bir açıdan yorumlayabildiği fiziksel belirtiler.

Rolf van Kaen, yediklerini geviş getirerek hazmetmesini

gerektiren bir mide hastalığı çekiyordu. Polis komiseri bu rahatsızlığı bir engel, açıklanamaz bir hastalık gibi görmüştü. Oysa Diane şimdi tam tersini düşünüyordu; Rolf van Kaen kendini yıllarca, yuttuğu yiyecekleri tekrar ağzına getirmeye zorlamış, sonunda da kendi morfolojisini bu mantıksız âdete uyarlamıştı. Midesi şekil değiştirmişti bunun sonucunda. Vücudu da değişime uğramış, Alman doktorun iç organları vahşi totemine, ren geyiğinin organlarına dönüşmüştü.

Diane, Paul Sacher'nin muayenehanesindeki hipnoz seansını da tüm ayrıntılarıyla hatırlayabiliyordu şimdi. Akşamın alacakaranlığında adamın gözlerinde beklenmedik bir parıltı, gümüşümsü bir tabaka görmüştü sanki. Gece hayvanlarının, mesela kurtların gözlerinde çakan şimşekler gibi bir parıltı. Böyle bir şey nasıl açıklanabilir? Kontak lens mi? Karanlıkları delip görmek için harcanan çabalar sonucu oluşan doğal bir değişim mi? Sacher'nin totemiyle, yani kurtla benzerliği de işte buydu.

Philippe Thomas daha da belirgin bir örnek oluşturuyordu. Banyodaki ölü deri parçacıklarını, tarazlanmış vücudu unutmamıştı genç kadın. Müze kurucusu salt beyin gücünü harekete geçirerek psikosomatik bir hastalık edinmeyi, egzama olmayı başarmıştı. Düzenli olarak deri değiştirmek zorundaydı. İsteyerek, inatla, yılan olmuştu.

Şaşkınlık içinde, bulduğu mantığı daha da genişletmeye çalıştı. Şimdi de Hugo Jochum'un kahverengi lekelerle kaplı iğrenç vücudunu hatırlıyordu. Yaşlı jeolog bu deri hastalığını düzenli olarak güneşe çıkarak edinmişti. Amacı, bir yırtıcının lekeli vücuduna sahip olmaktı. Tıpkı bir leopar gibi.

Ya Mavriskiy'in, Talikh'in vahşi kahramanları hangileriydi? Kime benzemeye çalışıyorlardı? Rus uzmana şöyle bir bakınca cevabı buldu. Sakalsız yüzü, bir gaga gibi uzanan burnunu ortaya çıkarıyordu. Kirpiksiz gözler, göz kırpma hareketini belirginleştiriyordu. Yüzünü tümüyle kazıyarak, yırtıcı kuşla olan doğal benzerliğini iyice belirginleştirmişti adam. Yevgeniy Mavriskiy kartal olmuştu.

Birden, annesinin sesini duydu:

– Sevgili Diane artık bizimle değil, galiba. Hayal mi kuruyorsun, küçüğüm?

Diane titriyordu ama, kanının kol ve bacaklarında yeniden dolaşmaya başladığını da hissediyordu. Kekelemeyi başardı:

– Siz... siz hepiniz hayvanları taklit ediyorsunuz.

Sybille sedef saplı bıçağı kaldırdı, ışıkta oynattı. Sahte bir çocuk sevinciyle cevap verdi:

– Yaklaşıyorsun güzelim, yaklaşıyorsun. Ben de bir hayvansam, hangisi olduğumu bulabildin mi?

Diane istemeden de olsa, annesini bu cehennem çemberinin dışında tuttuğunun farkına vardı. Sybille'in özel hayatıyla ilgili anılarını araştırdı. Hiçbir şey göremiyordu. Uzaktan da olsa, bir hayvanı hatırlatacak ne bir hareket ne bir alışkanlık ne de bir işaret. Totemin kimliğini belirtecek hiçbir şey, bir tek...

Birden, bir dizi anı belirdi gözlerinin önünde.

Bala bulanmış tırnaklarını yalayan anası.

Kovanları özenle sıralayan anası.

Anası ve o ünlü arısütü hapları.

Bal.

Kanında bala karşı bir tutku vardı. Vücudunda. Yüreğinde de.

Diane çocukken annesinin öpücüklerindeki tuhaflığı hatırladı. Annesinin sert ve pütürlü dilini gösterdiği öpücükleri. Aslında, Sybille kızını hiç öpmemişti; sadece belirgin bir hayvanın yöntemiyle yalıyordu Diane'ı. Güçlü bir sesle cevapladı:

– Sen, ayısın.

Yetmiş birinci kısım

Maskeler düşmüştü. Geriye kalan üç kişi. Üç hayvan. Üç savaşçı. Saatine bir göz attı; sabahın dördüydü. Bir saat kadar sonra, şafak sökecekti. Bir saat sonra, düello başlayacaktı. Nasıl? Çıplak elle mi? Yoksa sedef saplı silahlarla mı? Otomatik tabancalarla mı?

Diane artık lüü-si-anları düşünüyordu. Bu adamların, onlara artık kendi şamanlarıymış gibi saygı duyan Tsevenlerin elinden çocukları nasıl aldıklarını, kendi destekledikleri yetimhanelere o gözcüleri nasıl dağıttıklarını görebiliyordu. Bu işi yaparken ağustos ayını, evlat edinmek isteyen ailelerin yaz tatilinden yararlanarak yetimhaneleri boşalttıkları dönemi beklediklerini bile anlıyordu artık.

Yine de temel bir şey eksikti; bu adamlar o sırada, böyle bir örgütü nasıl kurabilmişlerdi? En az iki yıl öncesinden, gözcüleri toplama zamanının geldiğini, çocukların parmağına kazılı tarihin 1999 sonbaharı olacağını nereden bilmişlerdi? Cevabı Sacher verdi:

– Her şey düşlerle geldi.

– Düşler mi?

– 1997'den sonra, düşümüzde taş çemberi görmeye başladık. Geceler ilerledikçe, düş belirginleşmeye başladı. Tokamak beynimizi dolduruyordu. Mesajı anlamıştık; harekete geçmemiz gerekiyordu. Düello yakındı.

Böyle bir açıklama kabul edilebilir mi? Avrupa'nın dört

köşesine dağılmış yedi insanın aynı anda, aynı düşü gör-düğünü kabullenmek? Hipnotizmacı sözüne devam etti:

– 1999 sonbaharında düşlerimiz öylesine yoğunlaştı ki, düellonun çok yakın olduğunu anladık. Şimdi artık seçilmiş çocukları getirmenin, vücutları üzerindeki tarihi okumanın zamanı gelmişti...

– Neden çocukları kendi nüfusunuza yazdırmadınız?

– Gözcüler tabudur, dedi Sacher. Onlara dokunamayız. Sadece bakabiliriz. Yapabileceğimiz tek şey, yakın bildiğimiz bir yuvada, işaretin görülmesini beklemekti.

Lucien'a bakan inceleyen, ama hiç öpmeyen, hatta hiç dokunmayan annesini düşündü. Hastane ziyaretleri sırasında, sadece işaretin görülmesini bekliyordu. Diane Sybille'e yaklaştı:

– Gözcün için bir aile ararken, neden beni düşündün?

Sybille Thiberge irkildi. Acıma dolu bakışlarını kızına çevirdi.

– Çünkü... çünkü seni başından beri seçmiştim.

– Yani bu rolü oynayacağımı başından beri bildiğini mi söylüyorsun?

– Meclisin kurallarını öğrendiğim andan itibaren.

– Bir çocuk isteyeceğimi nereden biliyordun? Bir çocuk doğuramayacağımı nereden...

Birden, dehşet içinde, sustu. Sonunda, son gerçeği de anlamıştı. Marne Nehri'nin kıyısında, bir haziran gecesi ona saldıran, onu yaralayan annesiydi. Tokamakın aletlerini elinde tutan, annesiydi. Cam kırıklarının arasına diz çöktü:

– Aman Tanrım, Anne, bana ne yaptın?

Şaman kadın kızının üzerine eğildi. Sesi bir bıçak kadar keskindi:

– Bir zamanlar bana yapılandan fazlasını yapmadım. Seni karnımdan koparmak isterlerken içimi yırtan acıları hiç unutmadım. Seninle, bir taşla iki kuş vurmuş oldum. Hem öcümü aldım hem de seni geleceğe hazırladım. Hiç kimseyle ilişki kurmayacağından emin olmam gerekiyordu. Kimseden hamile kalmayacağından. Kadın sünneti sadece her türlü zevki köreltmekle kalmaz, aynı zamanda da cinsel birleşmeyi işkenceye döndürür; tabiî eğer cerahat dudakları birbirine kaynatmışsa. Seni böyle bir sonuca varacak şekilde kestim. Umduğumun da ötesinde davrandığını söylemek zorundayım, güzelim.

Diane gözyaşı dökmeden hıçkırıyordu. O sırada, Mavriskiy'in sesi yükseldi:

– Vakit geldi.

Diane dehşet içinde, bakışlarını kaldırdı; iki adam, ellerinde silahlarıyla, taş kapıya doğru geriliyordu. Haykırdı:

– Hayır! Durun!

Büyücüler genç kadına baktı. Annesi yerinden kımıldamamıştı. Diane yine haykırdı:

– Son ayrıntıları da bilmek istiyorum! Açıklamak zorundasınız!

Sybille bakışlarını kızına yöneltti:

– Bilmek istediğin ne kaldı?

Diane son bir kez daha olayların akışındaki sırayı hatırlamaya çalıştı. Parçalar halinde dağılmamanın tek çaresi buydu. Sonra konuştu:

– Lüü-si-anlar Avrupa'ya vardığında, olaylar hiç de beklendiği gibi gelişmedi.

Sybille sırıttı:

– Öyle de denebilir.

– Thomas senin lüü-si-anını öldürerek seni düellonun dışında bırakmak istedi.

– Thomas alçağın tekiydi. Kuralları, bu şekilde çiğnemek ancak alçaklıkla açıklanabilir. Çemberi bozmak istedi.

– Kazadan sonra, Lucien'ı kurtarmak için hiçbir çare kalmadığını anladığında, Van Kaen'i çağırdın. Onunla telepati yoluyla temas kurdun; bu yüzden de polis hiçbir telefon kaydına rastlayamadı.

– Yapabileceğim fazla bir şey yoktu.

– İşte o zaman da yarışa Talikh katıldı, diye devam etti Diane. Sizi teker teker yok etmeye karar verdi...

Sybille'in sesi öfkeyle titredi:

– Talikh bizi ilk günden beri, hep parmağında oynattı. Öteki şamanları öldüreceğimizi biliyordu. Ağızdan kulağa aktarılan kültürünü korumanın tek yolunun, bize şamanlığı öğretmekten geçtiğinin farkındaydı. Bizler bütün bu yıllar boyunca Tseven büyüsünün teminatı, koruyucusu olduk. Talikh'in artık bizleri yenmekten ve gücümüzü ele geçirmek için düello gününü beklemekten başka yapacağı bir şey yoktu.

Diane şimdi derin bir tatmin duyuyordu; Talikh'in, halkını kurtarmak isteyen adamın amacını anlamıştı. Yine de çarkların kusursuz dönmesini engelleyen bir kum tanesi vardı. Sordu:

– Bu dediklerinizle uyuşmayan bir ayrıntı var. Talikh düello gününü beklemedi; Paris'te Van Kaen'i ve Thomas'yı, Ulan-Bator'da da Jochum'u öldürdü. Neden?

Kısa bir sessizlikten sonra kadın şaman fısıldar gibi konuştu:

– Cevabı basit; şamanları öldüren Talikh değildi.

– Ya kim?

– Ben.

Diane haykırdı:

– Yalan söylüyorsun! Hugo Jochum'u öldürmen imkânsızdı.

– Neden?

– Ben oradaydım, yani manastırın koridorunda. Ve katili Jochum'un odasından çıkarken gördüm.

– Ee?

– O sırada seninle telefonda konuşuyordum, Paris'teydin!

– Paris'te olduğumu kim söyledi? İşte teknolojinin mucizelerinden biri, küçüğüm. Ben sadece birkaç metre uzağında, Jochum'un odasındaydım.

Diane yıldırım çarpmış gibiydi. Annesinin soluk soluğa konuşması. Ulan-Bator'unkine benzeyen trafik gürültüsü, aynı otomobiller. Bir de damda, o sahneyi daha önce yaşadığını hatırlatan o belli belirsiz duygu. Haklıydı; aynı kadın, on altı yıl arayla, ikinci kez saldırıyordu. Kırık dökük bir sesle sordu:

– Lan... Langlois'yı da sen mi öldürdün?

– Van Kaen'in ve Thomas'nın gözcülerinin varlığını öğrenmişti. Thomas'nın geçmişini karıştırınca, eski öğrencilerinin arasında bir "Sybille Thiberge" buldu. Beni hemen çağırttı. Bürosuna girince, gırtlağını kestim, dosyayı çaldım.

– Ya... ya güç? Başkalarını öldürerek, güçlerini eline geçirmezsin ki...

– Güç umurumda değil. Öngörüm yeter bana. Onların öldüğünü, benim hayatta olduğumu bilmek de. Hepsi bu. Bugün çemberden geriye üç kişi kaldık. Tayga kimin muzaffer olacağına karar verecek.

– Vakit geldi.

Mavriskiy kurşun kapıyı açtı. Merdivenlerden bir ışık süzüldü: dışarının ışığı. Diane yine haykırdı:

– Talikh, o nerede?

– Talikh öldü?

– Ne zaman?

– Talikh, Thomas'yla aynı şeyi düşündü, ama daha önce. Meclisteki tüm rakiplerinin içinde, gerçekten çekindiği tek bir kişi vardı: ben. Beni çemberden uzaklaştırmak, düellonun dışında tutmak istedi. Ağustos ayında, Lubéron'daki evimizin çevresinde bana ansızın saldırmaya kalktı. O daha yaklaşmadan varlığını hissettim. Açık bir kitabı okur gibi, beyninden geçenleri okudum. En mahrem silahımı kullandım. (Yüzünde bir tebessüm belirdi.) Ne demek istediğimi anladın...

Diane annesinin dilinin altındaki kesici aleti hatırladı. Ayı öpücüklerini, daha o zaman bile ölümcül bir tehlike taşıyan o yalamaları düşündü. Her şey çoktan yazılmıştı. Mavriskiy merdivenlere doğru yürüdü, eşikte döndü.

– Vakit geldi.

– Hayır!

Diane şimdi yalvarıyordu. Annesine döndü:

– Bir şey var... Benim gözümde en önemlisi. (Gözlerini kırmızı şapkalı narin gölgeye dikti.) Çocukların parmaklarını kim işaretledi? Size kim burada randevu verdi?

Sybille şaşkın görünüyordu:

– Ama... Kimse.

– İyi de birisinin parmakların ucuna tarihi kazımış olması gerekir, değil mi?

– Çocukların parmaklarına kimse dokunmadı. O çocuklar kutsal.

Ayaklarının altında yeni bir uçurum beliriyordu. Israr etti:

– Düello tarihine kim karar verdi?

Sybille başını salladı.

– Anlattıklarımdan hiçbir şey anlamamışsın. Biz üstün güçlerle barış yaptık.

– Hangi güçler?

– Tayganın ruhları. Evrenimize egemen olan güçler.

– Anlayamıyorum.

– Bu da bizim öğrendiklerimizdeki sır. Ruh maddeden önce vardır. Ruh her atomda, her parçacıkta vardır. Ruh evrenin bölmesidir. Somut gerçeği oluşturan soyut güç.

– Anlamıyorum.

Annesinin sesi daha yumuşaktı şimdi:

– Gözcülerin parmaklarını getir gözünün önüne. Van Kaen'in, Thomas'nın, Jochum'un bedensel farklılıklarını düşün... Senden çıkıp hayvana geçen o kanseri hatırla.

Diane gözünün önündeki her şeyin titreştiğini görüyordu. Büyücülerdeki izleri, bir tutkunun ya da sapık bir iradenin etkisi altında değiştiğini sandığı vücutlarını hatırladı. Oysa şimdi, yanıldığını anlıyordu. Annesi tekrarladı:

– Ruh, eti denetler. Bizim talihsizliğimiz de bu; bizler maddenin ötesindeyiz. Şimdi de son değişim için geldik.

– Hangi... değişim?

Kadının kahkahası kocaman çemberde yankılandı:

– Meclisin yasasını anlamadın mı, çocuğum? Her şeyin gerçek olduğunu anlamadın mı?

Yetmiş ikinci kısım

Şafak, incecik uçlarıyla rüzgârı okşar gibi salınan yüksek otları, kızıl bir özsu gibi yavaşça aleve boğuyordu. Üç şaman ormandaki açıklıkta, *alaa*'da, ilerliyor, birbirlerinden uzaklaşıyor, her biri diğerinden gözünü ayırmadan, güvensizlikle hareket ediyor, gölgeleri gitgide kusursuz bir üçgenin üç köşesine dönüşüyordu. Diane Giovanni'yle birlikte, tokamakın beton tepeciklerinden birinin üzerinde kalmıştı. Şamanlar onları orada öylece bırakmışlar, kendi kavgalarından başka bir şey düşünmez olmuşlardı.

Diane ovanın üzerindekileri seçmeye çalışıyordu, ama uzun otlardan, gitgide şamanları içer, yutar, eritir görünen yeşilimsi otlardan başka bir şey göremez olmuştu. Dövüşçüler birbirlerinden yüz metre kadar açıldıklarında, bir hareketsizlik, bir taş donukluğu oldu. Şafakta, bir çeşit gerilim.

Üç şaman soyundu. Diane soluk tenler, kemikli kol ve bacaklar gördü. Farkında olmadan, dikkatini annesine verdi. Bitki dalgasına karışan yuvarlak ve kaslı omuzlarını gördü. Rüzgârda savrulan beyaz perçemleri gördü. Sonra açıklığın hareketinde sallananın kadın olduğunu anladı. Annesi uykuya dalmak üzereydi. Ruhlara doğru görülmez bir köprü oluşturan o geçici, belirsiz duruma kayıyordu...

Diane hâlâ gerçeği kabullenmeyi reddederken, imkânsız gerçekleşti.

Bir gölge üzerinden geçti. Bakışlarını kaldırdı. On metre

üzerinde, dev gibi bir kartal havada asılı duruyordu. Göğün üzerine tutturulmuş gibi, kusursuz bir gözetleme konumunda, tüyden bir haç. Bir saniye sonra, içten yükselen, toprağın derinliklerinden çıkar gibi bir uğultu duyuldu. Diane gözlerini annesinin uykuya dalarken kazdığı noktaya dikti.

Bitki kargaşasının ortasında dev gibi bir ayı dikiliyordu. Boyu en az iki metre, kahverengi bir ayı, bir boz ayı. Kahverengi postu pırıltılar saçıyordu. Sırtındaki kambur bir güç anıtını andırıyor, kapkara gözlerin parıldadığı ürkütücü ve kendinden emin yüzünden hiçbir şey okunamıyordu. "Bir dişi" dedi Diane hiç tereddüt etmeden. Hayvan arka ayaklarının üzerine dikildi ve sanki taygadaki en ufak bir parçacık bile bundan böyle öfkesini hesaba katmak zorundaymış gibi, kükredi.

Diane'ın içinde ne korku vardı ne de endişe. Böylesi duyguların üzerindeydi. Üçüncü noktaya döndü; Paul Sacher'nin otlar arasında kaybolduğu yere. Gözleri artık o yaşlı çapkını değil, kurdun, Sibirya taygasına özel *Canis lupus campestris*'in fırça gibi dik tüylerini arıyordu.

Hiçbir şey göremedi ama, bundan önceki seyahatlerinde de sıkça karşılaştığı gibi, havada özel bir koku sezdi. Açlık ve gerginlik yüklü av kokusu, o anın her bölümüne egemen olmuş gibiydi. Solunda bir hışırtı duydu. Diane hepsini aynı zamanda algıladı; tüm gücüyle ileri atılmış siyah ve beyaz boynu, otları yaran ince uzun burnu, bir adım sonra saldıracakmış gibi görünen, coşkudan pırıl pırıl, koyu siyah gözleri.

Diane, Giovanni'yi kolundan tutup peşinden sürükledi. Laboratuvar binalarından uzaklaşıp, açıklık boyunca koştular. Birden, ayaklarının altındaki yol yok oldu. Dik yamaçtan aşağı yuvarlandılar, keskin taşlara çarpıp yaralandılar, sonra da yumuşak toprağın üzerine düştüler. Diane zaman geçirmeden en önemli şeyi yokladı; gözlüğünü düşürmüştü. Birkaç metre ötede, Giovanni de aynı durumdaydı. Bu basit ayrıntı, genç kadını yıktı; olağanüstü güçlü hayvanların karşısında, gözleri şaşı, üstleri başları toz içinde, savunmasız iki zavallı. Ne var ki çerçevesini eline aldığında kurdun kaybolduğunu gördü. Avcı, en azından şimdilik, avından vazgeçmişti. Giovanni gözlüğünü burnuna yerleştirirken homurdandı:

– İyi ama, neler oluyor? Ne oluyor?

Diane daha şimdiden annesini son gördüğü yerle arasındaki uzaklığı hesaplıyordu. Böyle bakıldığında, batıya doğru dört yüz metre. Tehlikeliydi tehlikeli olmasına da, başka çare yoktu. "Beni burada bekle" dedi. Yamaca uzandı, tırmanmak için bulduğu köklere sarıldı. "Aklımdan bile geçirmem" dedi Giovanni peşine düşerken.

Birlikte tırmanıp, birlikte bitki dalgalarına daldılar. Diane pek güvenilir bir yön bulma yeteneğine sahip değildi ama, ayının görüntüsü belleğini yakıyordu. Otların arasında, değişim yerine kadar süründüler. Diane annesinin giysilerini buldu. Ceplerini karıştırdı, Glock'u aldı. 45'lik. Kabzadaki şarjörü çıkarıp saydı; on beş, bir tane de namluda. Öteki iki rakibin silahlarını düşündü. Gidip aramaya değer mi? Hayır, çok tehlikeli. Hiç ses çıkarmadan, hiçbir yere değmeden geri döndüler, yine yamaçtan aşağıya indiler.

Diane durumu değerlendirmeye çalıştı. Üç hayvandılar. Saf avcı güdüsüyle hareket eden üç yırtıcı. Güçlü ve yok edici üç hayvan. Her şeyi bilen algılara sahip, duyarlı, sezgili üç yaratık. Çevreleriyle kusursuz bir uyum içinde, kuralları kusursuz bilen üç savaşçı. Bu düşünce bile yanlıştı; onlar doğayla uyumlu değildi, doğanın kendisiydi. Doğanın yasalarını, güçlerini, hareketlerini paylaşıyorlardı. Sadece bu titreşim bile onların var oluş nedeniydi. Bu titreşim onların ta kendisiydi.

Arkadaşına döndü:

– Giovanni, beni dikkatle dinle. Buradan kurtulmanın tek yolu, çevremizi bir insanın değerlendirdiği gibi değerlendirmemek, anlıyor musun?

– Hayır.

– Tek bir orman yok, diye devam etti. Ne kadar hayvan cinsi varsa, o kadar da orman var. Her hayvan çevreyi ihtiyaçlarının ve duyularının ölçüsünde algılayıp, değerlendiriyor. Her hayvan kendi dünyasını kuruyor, onun ötesini görmüyor. Etolojide *umwelt*[3] olarak adlandırılan, işte. Postumuzu kurtarmak istiyorsak, düşmanlarımızın görüş açısına sahip olmamız şart. Ayının, kurdun ve kartalın dünyasını dikkate almalıyız. Çünkü savaş alanımız, beş duyumuzla al-

---

3 Almanca, çevre. (ç.n.)

gıladığımız bu manzara değil, ayının, kurdun ve kartalın dünyası. Anladın mı?

– Ama... şeyy... onların dünyası hakkında...

Diane gururla gülümsemesine engel olamadı. Bu mekanizmaları kaç zamandır inceliyordu? Algılama sistemlerine, çatışma stratejilerine ne ölçüde girebilmişti? Rüzgâr ikisini buz gibi yakarken, her rakibin resmini çizmeye karar verdi.

KARTAL: her şeyi gören bir kuş. Tüp biçimindeki gözleri sayesinde, gördüklerini inanılmaz boyutlarda büyütebiliyor. Ormanın yüz metre üzerinden uçarken, dikkatini minicik bir kemirgenin üzerinde öylesine toplayabiliyor ki, o küçük hayvan tüm gözünü kaplıyor. Kartal bunu yaparken, bir başka mucizeyi de gerçekleştirebiliyor; gözlerini iki değişik yöne çevirebiliyor. Tam önündeki hedefine bakarken, aynı zamanda da pençelerinin doğrultusunu ayarlayıp, kapma hareketine hazırlanabiliyor.

O sırada kanatları -açıldığında yaklaşık üç metre- süzülmesine yardımcı oluyor. Kartal avının üzerine saatte seksen kilometrelik bir hızla inerken, avının tepesine ulaştığında, saniyenin çok kısa bir bölümünde yavaşlayabiliyor, hiç ses çıkarmadan, yürüyen bir adamın adımlarının hızına inebiliyor. Kurbanı öldüğünü bile hissetmiyor. Daha irkilip sıçrayacak zaman bulamadan, gaga ve pençeler vücuduna gömülüyor.

Kartalın tek zaafı, ışığa bağımlı olması. Gözünün aşırı derinliği görüş alanını karartıyor, böylelikle sadece tam aydınlıkta görebiliyor. Kısacası, kartal gün ışığında saldırıyor. Güneşin batmaya başlamasıyla birlikte, kartalın av zamanı da sona eriyor. Pek güçlü bir teselli değil bu. Çünkü o ana kadar, hiç kimse ya da hiçbir şey gözünden kaçamaz.

KURT: kartalın tam tersine, gece, kurdun güç alanını, öncelikli bölgesini oluşturuyor. Kurdun gözleri sadece tek renkli bir görüntü algılamakla birlikte, çok daha önemli bir özelliğe sahip; retina üzerinde, tam karanlıkta bile kusursuz bir görme yeteneği sağlayan özel bir dokuya ya da *Tapetum lusidum*'a sahip. Böylelikle kurt, olağanüstü bir hareket algılama yeteneğine de sahiptir. Bir kilometreden bir el hareketini görebilir, hatta gerginlik belirtilerini bile sezebilir. En küçük korku, güçsüzlük belirtisi, saldırı dürtüsünü hareketi geçirir. Tabiî aynı anda ter ya da daha doğrusu korkudan kaynaklanan kokuların moleküllerini değerlendirmesine imkân veren koku alma yeteneğini saymazsak.

Evet, kurt saldırıya geçmek için geceyi bekleyecektir. Diane'ın kendini bir nebze olsun rahatlatmak için durmadan tekrarladığı buydu. Gerçekte ise, hiçbir şeyden emin değildi. Hayvan onların peşine düşmüş, savunmasız olduklarını anlamıştı. Bu ilk hareket, hayvanın bir sürübaşı olduğunu, en küçük korku, yorgunluk belirtisi ya da yara gördüğünde yeniden saldırıya geçeceğini gösteriyordu. Diane tepeden tırnağa tir tir titreyen Giovanni'ye baktı, *Canis lupus campestris*'in belirgin bir iz sürer gibi, ormanda peşlerine takılacağından emindi.

AYI: neredeyse hiçbir şey görmez, kulağı da duyarlı falan değil. Ne var ki koku alma yeteneği benzersiz. Kokuları algıladığı mukozanın boyutları, insanınkinin en az yüz katı. Boz ayı sadece kokuya dayanarak üç yüz kilometre öteden yolunu bulur ya da bir selin sularında yüzerken, rüzgârın taşıdığı belli belirsiz bir kokuyu izleyebilir.

Ne var ki ayının başlıca korkutuculuğu başka bir özelliğinden, kısacası gücünden kaynaklanır. Boz ayı dünyanın en güçlü hayvanıdır. Bir pençede bir geyiğin bel kemiğini kırabilen ya da çenesiyle bir karibunun kemiklerini parçalayabilen ayı, her hayvanın kaçınması gereken bir düşmandır. Yalnız yaşayan, yüzünden hiçbir şey anlaşılmayacak kadar toplumsal davranışlara uzak bir hayvan. Kendi bölgesine egemen olmaya alışkın, kendi hemcinslerinden başka hiçbir yaratıktan çekinmeyen, güçlü, acımasız, karşı konulmaz bir canavar. Bunu en iyi dişileri bilir. Her bahar, yavruları yememesi için erkekleriyle dövüşmeleri gerekir.

Giovanni Diane'ın söylevini dinliyordu. Sanki paniğin altında ezilmişçesine, yüzü bembeyazdı. Yine de bütün bu açıklamaların sonunda, tek bir sorusu, tek bir şaşkınlığı vardı:

– Bütün bunları nereden biliyorsun?

Diane'ın gırtlağı kurumuş, damağı toprakla örtülmüş gibiydi.

– Ben etoloğum. On iki yıldan beri de özellikle yırtıcı hayvanlarla ilgileniyorum.

İtalyan gözlerini genç kadından ayıramıyor, bakmaya devam ediyordu. Diane adama eğildi.

– Beni iyi dinle, Giovanni. Böylesi bir cehennemden kurtulabilecek en fazla on kişi vardır dünyada. Onun için gülümse; o on kişiden biriyle birliktesin çünkü.

– Ama... ya Tsevenler... bize yardım etmezler mi?

– Bize kimse yardım etmeyecek. Özellikle de Tsevenler. Bu kutsal bir kavga, anlamıyor musun? Bu açıklıkta, sadece iki asalak var, yani biz. Hayvanlar da ilk önce bizi ortadan kaldırmak isteyecektir. Bizi ortadan kaldırana kadar, müttefik olacaklar. Ondan sonra, çevre arındıktan sonra, birbirleriyle dövüşebilirler ancak.

Parkasının önünü kapatıp, doğruldu:

– Bir nehir bulmalıyım. Bir şeyden emin olmalıyım.

Yamaç biraz daha aşağıda, ormanın başka bir yamacıyla birleşiyordu. İlk çalılıklara kadar süründüler, sonra da ağaçların arasına daldılar. Birkaç dakika sonra, bembeyaz köpüren bir derenin yanına vardılar. Diane diz çöktü. Hareketli sularda, sombalıklarının pembe-gümüş alevlerini seçebiliyordu. İtalyan sordu:

– Ne arıyorsun?

– Sombalıklarının göç yönünü öğrenmem gerek.

– Neden?

– Çünkü ayının içgüdüsü onu buraya gönderecektir. Balıkların kaynaştığı yere.

– Emin misin?

– Hayır. İnsan bir hayvanın tepkisini asla kestiremez.

"Hele böylesi hayvanların" diye düşündü Diane, "böylesi özel hayvanların." Hayvansal içgüdülerinin etkisi ne ölçüdeydi acaba? Hayvanın içinde, şamanın yankısı ne kadardı? Dönerken, fısıldadı:

– Giovanni, sen...

Dehşet yüreğini dağladı. Adam yüzü bembeyaz, göğsü kan içinde, iki büklüm olmuştu. Kartal kocaman kanatlarıyla sarmıştı İtalyan'ı. Pençelerini omuzlarına geçirmiş, gagasını büyük bir iştahla ensesine daldırıyordu. Diane silahını çekti. İtalyan ve kuş döndüler. Kanatlardan biri Diane'ın eline çarptı. Tabanca birkaç metre öteye fırladı. Diane 45'liğin üzerine atıldı. Yeniden nişan aldığında, adam suyun kıyısında sendeliyor, kollarıyla havayı dövüyordu. Diane ateş edebileceği bir açı yakalamaya çalıştı, sonra mantıksızca bağırdı:

– Kollarını indir!

Giovanni başı önde, düştü. Dev kuş avını bırakmadı. Birden, gagasıyla bir et parçası kopardı. Yara kıpkızıl bir nehir gibi açıldı. Diane hayvanın sırtından başka bir şey göremiyordu. Ateş etmesi imkânsızdı.

Kavgaya daldı. Kuşun kanadının altına geçti, kolunu hayvanın tüylerinin arasından gümbürtülü göğse uzatmayı başardı. İşte o zaman, silahlı elini çevirip tetiğe bastı. Kuş şahlandı. Giovanni bir çığlık attı. Diane bir kez daha tetiği çekti.

Her şey durdu. Sessizlik büyüdü. Büyük kara tüyler usulca süzüldü. Elinin yaranın sıcaklığına gömüldüğünü hissederek, silahı iki kez daha ateşledi. Kartal sonunda devrildi, düşerken Giovanni'yi ve Diane'ı da sürükledi. Üç vücut derenin kıyısına kadar yuvarlandı. Diane kanatlardan birinin şiddetle suya çarptığını duyunca, her şeyin bittiğini anladı.

Yırtıcının yuvarlak gözü ona bakıyordu. Hedefin ortasında, bir ölüm nişanı gibi. Oysa pençeleri hâlâ İtalyan'ın sırtındaydı. Kartal akıntıda sürüklenmeye başladı. Diane tabancasını kemerine sıkıştırdı, kemik tırnakları Giovanni'nin sırtından çıkarmaya uğraştı. Giovanni'de bir hareket yoktu. İşini bitirdiğinde, yaranın sandığı kadar derin olmadığını gördü. Öte yandan, ensedeki delik ölümcül görünüyordu. Kan yavaş titreşimlerle, oluk oluk akıyordu. Üzüntü ve iğrenme Diane'ın soluğunu kesmişti. Yine de doğruldu, kaslarını gerdi. Aklında kavgadan başka bir şey olmamalıydı.

Şimdi hemen yapması gereken yeni bir şey vardı. Kan kokusu, her şeyden daha güçlü olan bu zayıflık kokusu, kurdu buraya çekecekti. Kaynağı kurutmak gerekiyordu. Yirmi metre kadar ötede, kıyının çizgisine uymayan, ahşap bir yüzey gördü. Gözlüğünü düzeltip, karanlık yüzeye yaklaştı; beş siyah kalasın örttüğü, üç metre uzunluğunda bir çukur vardı.

Kalaslardan birini kaldırmayı başardı. Dibi kuru dallarla kaplı çukur yaklaşık bir metre derinliğindeydi. Anlaşılan Beyaz Göl balıkçıları avlarını bu çukurda kurutuyordu. Eşsiz bir sığınak. Diane İtalyan'ın yanına döndü. Koltukaltlarından kavrayıp, çekti. Giovanni bir çığlık attı. Yüz çizgileri terden sırılsıklam, karmakarışık ilahiler mırıldandı. Diane bir an Giovanni'nin Latince dua ettiğini sandı. Yanılıyordu; etnolog anadilinde inliyordu sadece. Çığlıklarını duymamaya çalışarak adamı sığınağa kadar sürükledi. Farkında olmadan, kendi umwelt'ini kuruyordu. Tek bir amaca, hayatta kalmaya yönelik, o andaki özel durumuna uygun bir algılama ve refleks dünyası oluşturuyordu.

Bir kalas daha kaldırdı, çukura inip Giovanni'yi çekti. Başlarının üzerine kalasları tekrar kapattı. Karanlık ikisini de sardı. Sadece kalasların arasındaki küçük aralıklardan ince bir ışık sızıyordu. Beklemek için bulunmaz bir yer. Neyi beklemek için? Bir fikri yoktu. Burada en azından yeni bir strateji oluşturabilirdi. Giovanni'nin yanına uzandı, kolunu ensesinin altından geçirdi, bir çocuğa sarılır gibi, kendine çekti. Öteki eliyle yüzünü okşadı, sarıldı; ilk kez isteyerek bir erkek vücuduna dokunuyordu. Yüreğinde alışılmış korkulara yer yoktu şimdi. Durmadan genç adamın kulağına fısıldıyordu:

– Düzelecek. Her şey düzelecek.

Birden tepelerinde, kesik kesik bir soluma ve hafif adım sesleri duyuldu.Sürübaşı gelmişti. Kalasların üzerinde yürüyor, burnunu aralıklarda gezdiriyor, burun deliklerini kan kokusuna doyuruyordu.

Diane, Giovanni'ye daha sıkı sarıldı. Onunla bebek diliyle konuşuyor, kurdun giderek hızlanan, giderek yükselen ayak seslerini bastırmaya çalışıyordu. Sürübaşı artık kafalarının birkaç santim ötesinde, kalasları tırnaklarıyla kazıyordu.

Birden, kalasların arasında, hayvanın gergin, dikkatli, aç yüzünü, siyah beyaz kafasını gördü. Gözbebeklerinin yeşil parıltısını seçti. Giovanni kekeledi: "Ne bu?" Diane bir yandan tatlı sözlerle onu yatıştırırken, bir yandan da kalasların ne kadar dayanabileceğini düşündü. Hayvanın kendine bir yol açabilmesi için, ne kadar zamana ihtiyacı vardı? "Ne bu?" İtalyan'ın vücudu titremelerle sarsılıyordu. Vıcık vıcık kana batmış vücuda tüm gücüyle sarıldı. Öteki eliyle Glock'unu kavradı.

Ateş etmek imkânsızdı. Kalaslar kurşun geçirmeyecek kadar kalındı. Mermiler tahtanın üzerinde sekebilir, onlara isabet edebilirdi. Yeni bir ses duyuldu. Diane gözlerini kısıp, baktı. Kurt toprağı eşeliyor, çukurun ucundan girmeye çalışıyordu. Birkaç saniye sonra, çukurda olacaktı. Esnek vücudu sığınağa sızacak, dişleri etlerini parçalayacaktı.

Çukur birden aydınlandı. Hayvanın çılgınca eşelenen tırnakları göründü. "Diane, neler oluyor?" Giovanni kafasını kaldırmaya çabaladı, genç kadın elini İtalyan'ın alnına bastırarak doğrulmasını engelledi. Bir öpücük, bir okşama, sonra toparlandı, kurdun hâlâ kazmakta olduğu bölüme kadar süründü. Artık düşmanın sadece elli santim ötesindeydi. Beyaz lekeli ön ayaklarını, kazan, kazan, durmadan kazan tırnaklarını görebiliyordu. Hayvanın ağır, tehdit dolu, yoğun kokusunu soludu. Hiçbir koku böylesine insandan uzak, kendi kokusuna böylesine yabancı gelmemişti ona.

Diane kurdun otuz santim ötesinde dirseklerinin üzerinde doğruldu, ellerini 45'liğinin üzerinde kenetledi, iki başparmağının yardımıyla horozu kaldırdı.

İki dünya çatışacaktı.

Umwelt'e karşı umwelt.

Gözlerinin önünde kurt, bir adım geri atmayı düşünmeksizin, yolunun üzerindeki kesekleri itelemeye çalışıyordu. Kan kokusundan çılgına dönmüştü. Diane toprağa batmış burnu görünce gözlerini yumdu, tetiği çekti. Ilık bir ıslaklık duydu. İçten gelen bir dürtüyle gözlerini açtı, arkadan süzülen ışıkta, parçalanmış çeneyi gördü. Gözlerden birini nişanladı, kafasını çevirip bir kez daha ateş etti, boş kovanın yüzüne sıçradığını hissetti.

Her an bir pençe darbesi hissetmeyi, sivri dişlerin etine gömülmesini bekliyordu. Hiçbiri olmadı. Cesaretini toplayıp, bir göz attı. Namludan çıkan duman dağılıyordu. Işığın içinde, geriniyormuşçasına ön ayaklarını uzatan vücudu gördü. Hayvan hareketsizdi. Başı kopmuştu.

Diane hayvanı itti, deliği tıkadı, Giovanni'nin yanına geriledi. Genç adamı öperken, fısıldadı: "Yendik onu, yendik onu..." Hem gülüyor, hem ağlıyor, aynı zamanda da kalan mermilerini saymak için şarjörü tabancanın kabzasından çıkarıyordu. Durmadan "Yendik onu, yendik onu..." diye tekrarlıyor, bir taraftan da şimdiye kadar hayatta kalmalarını etoloji bilgisine borçlu olmadığını düşünüyordu.

İşte güneş o anda parladı.

Her şey bir anda görünüverdi. Gök. Işık. Soğuk. Bir de, teker teker koparılırcasına kaldırılan kalasların yatık gölgesi. Diane bir çığlık attı, tabanca ile şarjör elinden kaydı. Çığlığı, tüm iriliğiyle çukurun tepesine dikilmiş, kalan son kalasları da sanki birer kibrit çöpüymüş gibi kaldırıp dağıtan ayının homurtusuna karışıp kayboldu. Hayvan çukura doğru eğildi, kara kafasını uzatıp yeniden homurdandı, kahverengi menevişli postunu diken diken kabarttı, öfkeyle soludu.

Diane ve Giovanni çukurun bir köşesine sığınmış, birbirlerine sarılmışlardı. Hayvan hâlâ eğiliyor, pençeleriyle havayı dövüyordu. Sırtını toprak duvara yaslamış olan Giovanni, zorlanarak doğruldu. Genç kadın İtalyan'ı şaşkınlıkla izliyordu. Diane'ı yakasından yakalayıp bağırdı:

– Kaç! Kaç! Benim işim bitik!

Bir saniye sonra, sendeleyerek canavarın üzerine atılıyordu. Diane dehşet içindeydi. Giovanni'nin, o neşeli etnoloğun, bir şeker topağına benzeyen genç adamın kendini feda ettiğini anlaması birkaç saniye sürdü.

İki eliyle çukurun kenarına yapışmış, çıkmaya çalışırken, Giovanni'nin ayının karşısında sallandığını gördü. Kendini çukurun dışına attığında, yeni bir homurtu duydu. Gözlerini kaldırdı. Çukurun öteki ucunda, ayının pençesi adamı iki metre öteye fırlattı. Çukurun kenarında donup kalan Diane, bir hamle bile yapamıyordu. Boz ayı yeni bir öfke dalgasıyla kurbanının göğsünü parçaladı. Arkadaşının dudaklarında kaynayan kanı, karmaşık ve bulanık resimler gibi gördü.

Bu kez bağırma sırası ondaydı: "HAYIR!"

Yeniden çukura atladı, Glock'u kaptı, şarjörü kabzaya itti. Ayı, İtalyan'ın yüzünü parçalıyordu. Diane hayvanın seviyesine sıçrayabilmek için iki ayağı açık bir şekilde son bir hamle yaptı.

Ayı dişlerinin arasından etten bir maskeyle doğruldu. Genç kadın iki bacağını hayvanın beline doladı, sol eliyle ayının ensesine sarıldı. Sağ eliyle tabancanın namlusunu canavarın ağzına soktu, insan eti parçalarıyla karışık damağın derinliğini hissetti. Tetiğe bastı. Kafatasının kanlı parçalar halinde dağıldığını gördü. Bir kez daha ateş etti. Beyni havaya saçıldı. Tetiğe bir daha, bir daha, bir daha, hareketi hayvanın homurtuları arasında karışan bir tıkırtıdan başka bir ses çıkarmayıncaya kadar bastı. Ölü ayı kolunu parçalayıp düşer ve onu da nehrin derinliklerine sürüklerken hâlâ ateş ettiğini sanıyordu.

Son söz

Güneş odaya sıcak süt gibi yayılıyordu.

Büronun ahşap kaplamaları çikolata renkli parıltılar yansıtırken, parkeler, sanki çayla boyanmış gibi, altın kıvılcımlar saçıyordu. Hâlâ düşlerle ve belirsiz heyecanlarla beslenen bir yumuşaklığın hissedildiği gerçek bir kahvaltı dekoru.

– Anlayamıyorum, diye tekrar etti kadın. Oğlunuzun adını değiştirmek istiyorsunuz, öyle mi?

Diane başını sallamakla yetindi. Beşinci Bölge Belediyesi'nin nüfus müdürlüğündeydi. Kadın memur devam etti:

– Böyle bir isteğe pek sık rastlamıyoruz da.

Kadın gözlerini karşısındakinin sargılı kolundan, yüzündeki yara izlerinden ayıramıyordu bir türlü. Homurdanarak bir dosya açtı:

– Bunun mümkün olup olmadığını bile bilmiyorum...

– Boş verin.

– Efendim?

Diane bir silkinişte kalktı.

– Size boş verin, dedim. Galiba pek emin değilim. Sizi ararım.

Belediye binasının önünde durdu, aralık ayının buz gibi havasını soludu. Panthéon Meydanı'nın üzerinde salınan ışıklı çelenklere baktı. Kabrin görkemi karşısındaki bu Noel süslemelerinin hafifliğinden hoşlanırdı hep.

Soufflot Sokağı'na sapıp, düşüncelerine kaldığı yerden devam etti. Birkaç günden beri, aynı tutkuyla yaşıyordu; Lucien'a taş meclis macerası sırasında ölen iki erkeğin adını vermek. Oysa belediye görevlisinin karşısında, isteğinin ne denli mantıksız olduğunu anlamıştı.

Lucien, üzerine şehitlerin adlarının kazıldığı bir mermer değildi. Üstelik samimi olmak gerekirse, o adları hiç sevmiyordu Diane; ne Patrick'i ne de Giovanni'yi. Bir de, kargaşada yitirdiği dostlarını hatırlamak için sembolik hareketlere hiç mi hiç ihtiyacı yoktu. Onlar İrène Pandove'la birlikte, tokamak tarihinin masum kurbanları olarak belleğinde yaşayacaklardı.

Paris'e döndüğünde, Patrick Langlois cinayetiyle ilgisi olmadığını kanıtlamakta güçlük çekmemişti. Aslında kimse onu cinayetle suçlamayı bile düşünmemişti; tıpkı Bruner Vakfı'ndaki katliamda ve İrène Pandove'un "intiharında" kimsenin ondan kuşkulanmadığı gibi. Sadece, ifadesinde İtalya'ya kaçıp saklandığını belirtmesi şaşırtmıştı insanları. Dosya rafa kaldırılmıştı. Sorgu yargıcı cinayeti bir nükleer araştırma konusunda bir araya gelmiş komünist sığınmacılar arasında karanlık bir hesaplaşma olarak nitelendirmişti.

Kaybolmasına rağmen, kimse Sybille Thiberge'in bu macerada oynadığı anahtar rolden kuşkulanmamıştı. Charles Helikian önceleri endişelenmiş, sonra da karısının başka bir erkekle kaçtığını düşünmüştü. Diane'la arada sırada görüşüyorlardı. Birlikte, Sybille'in gizemli gidişinden bahsediyorlardı. O zaman da Diane, Sybille'in gizli bir yaşamı olabileceğine değiniyordu. Böylesi kuramlar adamcağızı umutsuzluk uçurumlarına sürüklüyordu. Ne var ki Diane'ın gözünde bu, kötülüklerin en hafifiydi; hayatı pahasına da olsa açıklayamayacağı, itiraf edemeyeceği başka sırlar, başka gerçekler biliyordu genç kadın.

Edmond-Rostand Meydanı'ndan geçip, Luxembourg Bahçeleri'ne girdi. Ortadaki havuzu çevreleyen parmaklık boyunca yürüyüp kukla tiyatrosuna, büfeye, salıncaklara çıkan basamaklara vardı. Kestanelerin çıplak dalları altında, taşlardan yapılmış bir çember gördü. Tokamakı, çember biçimli laboratuvarı, üstün güçlerle bir pazarlık yapıp karşılığını ruhlarıyla ödeyen yedi şamanı hatırladı. Gördüğü, içinde kapüşonlu çocukların oynadığı bir kum havuzundan başka bir şey değildi. Birden onu orada, polar başlığıyla, kumdan inşaatıyla -dalgakıran, su hendeği, kale- uğraşırken buldu.

Bir ağacın ardına geçti, kendi soluğunun buharı arasından, sadece kendi zevki için, onu izledi. Lucien kasım ayının ilk günlerinde kendine gelmişti. 22 kasım günü de Necker Hastanesi'nden çıkmıştı. Aralık ayının ilk haftasıyla birlikte, sevdiği oyunlara kavuşmuştu. 14 aralık günü hem korkulan hem de beklenen o iki heceyi söylemişti: "Anne." Diane çocuğun kesinlikle geçmişin tehlikesinden uzakta olduğunu anlamıştı.

Karşılaşmak zorunda kaldığı korku kalıntılarını, ortaya çıkardığı inanılmaz gerçekleri, dünyanın kokuşmuşluğunu kendi gözleriyle görmüş olduğunu hatırlamamaya yemin etmişti. Haftalar geçtikçe, içinde yepyeni bir inanç oluşuyordu. Onu rahatlatan bir düşünce. Eugen Talikh'i, halkının güçlerini ele geçirmeye çalışan adamı düşünüyordu. Diane onunla bir çeşit zihinsel süreklilik oluşturduğu kanısındaydı. Bunun karşılığında belli belirsiz bir aydınlığa, bir bilgiye sahip olmuştu. Akan bütün kana, bütün çılgınlığa rağmen, çember onu da eğitmişti. Bu sayede, Lucien için annelerin en iyisi olacaktı. Öteki gözcüleri evlat edinenlerle -bu arada İrène Pandove'un ailesiyle- temas kurmuştu. Çocukların gelişmesi bilinmedik güçlerin etkisi altında kalırsa, ailelerin yardımına koşmak için kendi kendine söz vermişti.

Gizlendiği yerden çıkıp, kum havuzuna doğru yürüdü. Lucien'ın yanında yine Fransa-Asya Enstitüsü'ndeki Taylandlı genç kız vardı. Çocuk Diane'ı gördü, annesine doğru koştu. Lucien tüm ağırlığıyla dikişli kolunun üzerine abanınca, Diane bağırmamak için kendini tuttu, hemen ardından çocuğun yanaklarının serinliğini aradı. Diane'ın emin olduğu tek bir şey vardı; nekahet dönemindeydi o, iyileşmek için de bir çocuğun yakınında olmaktan daha güzel bir duygu, Lucien'ın farklı istekleriyle ördüğü elekten daha iyi bir filtre yoktu. Her ayrıntı genç kadını arındırıyordu. Çocuğun ellerinin, ayaklarının, giysilerinin boyu bile Diane için yeni bir doku, saydam ve hafif yeni bir güzellik oluşturuyordu.

Birden, bir kahkaha patlattı ve oğluyla parkın ağaçları altında dönmeye koyuldu. Evet, bugün tek bir görevi vardı; kaderinin tek çemberini oluşturan bu masumluk soluğuna, bu sevgi yamacına uyum sağlamak. Gözlerini yumdu ve ışık demetinden başka bir şey göremedi.

Sarah.
0140376|464